Jesús Arambarri

Der Wortstamm ›hören‹
im Alten Testament

STUTTGARTER BIBLISCHE BEITRÄGE 20

Herausgegeben von
Hubert Frankemölle und Frank-Lothar Hossfeld

Jesús Arambarri

Der Wortstamm ›hören‹ im Alten Testament

Semantik und Syntax eines hebräischen Verbs

Verlag
Katholisches Bibelwerk GmbH
Stuttgart

CIP-Titelaufnahme der Deutschen Bibliothek

Arambarri, Jesús:
Der Wortstamm ›hören‹ im Alten Testament. Semantik und
Syntax eines hebräischen Verbs/Jesús Arambarri. –
Stuttgart. Verl. Kath. Bibelwerk, 1990
 (Stuttgarter biblische Beiträge, 20)
 ISBN 3-460-00201-8

NE. GT

VORBEMERKUNG

Für die Übersetzungen der alttestamentlichen Texte
wurden die Einheitsübersetzung, die Lutherübersetzung,
die Zürcher Bibel und im Literaturverzeichnis angegebenen
Kommentare benutzt. Diese Übersetzungen wurden frei zitiert.
Bei Konstruktionen mit שמע wurde häufig eine eigene alternative Übersetzung geschrieben.

ABKÜRZUNGSVERZEICHNIS

Die benutzten Abkürzungen entsprechen Schwertner,S.,
Internationales Abkürzungsverzeichnis für Theologie und
Grenzgebiete, Berlin/New York 1976. Zusätzlich bzw. davon
abweichend werden folgende Abkürzungen benutzt:

DielB	=	Dielheimer Blätter
EÜ	=	Einheitsübersetzung
GesB	=	GESENIUS-BUHL (s. Literaturverzeichnis)
GK	=	GESENIUS-KAUTZSCH (s. Literaturverzeichnis)
TWAT	=	Theologisches Wörterbuch zum Alten Testament

VORWORT

Die vorliegende Untersuchung wurde von der Katholischen
Theologischen Fakultät der Universität Mainz im WS 1988-89
angenommen.

Für die Veröffentlichung wurden die freundlichen Bemerkungen der Gutachter dankbar aufgenommen. Die als Belege
zitierten Bibelstellen sind weniger geworden, und die Neben-
literatur wurde sparsamer gebraucht. Der Text ist dadurch
kürzer geworden.

Bei der Wahl und bei der Bearbeitung des Thema leistete
Prof.Dr.Diethelm Michel ständige Hilfe. Sein fachliches
Können und seine Liebe für den hebräischen Text waren für
mich ein dauerndes Geschenk. Arbeit und persönliche Einstellungen wurden dadurch sehr positiv beeinflußt.

Besonderer Dank gilt Prof.Dr.Rudolph Mosis, der die
Verantwortung für die Arbeit als erster Gutachter übernommen hat. Er hat auch den Weg zur Veröffentlichung freund-
lich und wirksam erleichtert.

Vielen anderen Menschen fühle ich mich verpflichtet:
den Schwestern ADMJC in Wiesbaden für ihre Gastfreundschaft,
Frau Oberstudienrätin K.Pekar für Verbesserung von Sprach-
fehlern, Frau Dr.E.Molitor für die 'Sisyphusarbeit' bei
Korrektur der Sprache und Herstellung des Registers. Langes
Leben und reiche Früchte wünsche ich dem Hebraisticumkreis
in Mainz. Forschung und Zusammenarbeit dieses Arbeitskreises
wirkten auf mich begeisternd und ermutigend.

Eine angenehme Pflicht ist es mir dem Katholischen
Bibelwerk für die Aufnahme der Arbeit in die Reihe 'Stuttgarter Biblische Beiträge' zu danken.

Meine erste Absicht war, die Verben der sinnlichen
Wahrnehmung in der biblischen hebräischen Sprache zu behandeln. Schnell hat sich diese Aufgabestellung als zu breit
erwiesen. Selbt bei שמע bleiben mehrere Fragen unbeantwortet. Sogar eine Gruppe von Texten (שמע als Aufforderung

zum 'horen') konnte nicht behandelt werden.

Der sehr differenzierte Gebrauch dieses Verbs in unterschiedlichen syntaktischen Konstruktionen erlaubt vielfältige Einblicke in Grundvoraussetzungen biblischer Anthropologie und biblischer Theologie.

Es ist meine tiefe Überzeugung geworden, daß eine dauernde Beschäftigung mit der Spache des Alten Testaments die beste Voraussetzung ist, um das Erzählen und Verkünden der heiligen Bücher zu vertiefen.

Für meinen Umgang mit der deutschen Sprache bitte ich den Leser um Verständnis

Wiesbaden, im September 1989

I N H A L T S V E R Z E I C H N I S

1. KAPITEL

1.1. Fragestellung

Das Verb שמע kommt 1.159mal in dem biblisch-hebräischen Text vor. Es zählt mit אמר(5.305×), היה(3.561×), עשה(2.627×), בוא(2.570×), נתן(2.105×), הלך(1.547×), ראה(1.303×), ישב (1.083×), יצא(1.068×), שוב(1.060×) zu den Verben, die über 1.000mal in den hebräischen biblischen Texten belegt sind. Das Verb findet sich in allen Büchern des AT belegt und ähnliches ist auch von den außerbiblischen Schriften zu sagen.

Anzahl der Belege im Überblick:

	Qal	Nif	Pi	Hif	Gesamtzahl
Gen	61	1			62
Ex	47	2			49
Lev	7				7
Num	32				32
Dtn	86	1		3	90
Jos	26			1	27
Ri	22			2	24
1 Sam	60	2	2	1	63
2 Sam	32	1			33
1 Kön	58	1		1	60
2 Kön	42			1	43
Jes	86	3		17	106
Jer	158	13		2	184
Ez	46	3		2	51
Hos	3				3
Joel	1				1
Am	8			2	10
Ob	1				1
Jona	1				1
Mi	9				9
Nah	1	1		1	3
Hab	3				3
Zef	2				2
Hag	1				1
Sach	9				9
Mal	2				2
Ps	58	2		6	79
Spr	30				30
Ijob	39	1			40
Hld		1		2	3
Rut	2				2
Koh	5	3			8

Est	2	2		4	
Dan	15	1		16	
Esra	2	1		3	
Neh	22	5	2	29	
1 Chr	9		5	14	
2 Chr	46	1	1	48	
1.051	43	2	63	1.159	Gesamtzahl

Wie die Übersicht zeigt, kommt שמע weitaus am meisten
im Grundstamm qal (fast 10mal häufiger als in den anderen
Konjugationen zusammen) vor. Daher muß in unserer Untersuchung vor allem der Gebrauch im qal geprüft werden. Das
Verb ist in allen Zeitaltern und in allen hebräischen Büchern
des Alten Testaments vertreten. Die Verteilung der Belege
ist jedoch sehr unterschiedlich; selbst   innerhalb eines
Buches kann sie unregelmäßig sein. Besonders oft kommt
שמע im Buch Jeremia vor:184x. In Jes sind 106 Belege, 29
in Jes 1-35, 16 allein in Jes 28-34; auch die Kap. 1+6 enthalten 7 Belege. Die 18 Belege in den Kap. 36-39 stimmen
mit den parallelen Texten im Buch der Könige überein. In
Jes 40-55 finden sich 42 Belege (davon 14 im hif); auch
das häufige Vorkommen des Verbs in Dtn(90x) ist zu beachten.
Diese Vielzahl in Jer und Dtn kann das Ergebnis der Forschung stark beeinflussen. Die allgemein anerkannte Verwandtschaft vieler Belege in diesen Büchern kann aber auch bedeuten, daß ihre große Zahl auf einen einzigen Stil, Redaktor
oder eine Zeit hinweist. So schreibt z.B. H.SCHULT[1]: sm^c
scheint ein Schlüsselwort der dtn.-dtr. Schule und ihrer
Erben zu sein, wie das gehäufte Vorkommen in programmatischen
Abschnitten nicht nur hier (41x in Dtn 4; 5; 13; 28; 30(dazu
30,16 G); 44x in Jer 7; 11; 26; 35; 42), sondern auch ander-
wärts (Lev 26; Num 14; 1 Sam 8; 15; 1 Kön 8 (14x) par. 2Chr
6 (12x); Ez 2-3 (14x); 33; Sach 7; Dan 9; Neh 9), vielleicht
auch bei Dtjes (q. 29x, hi. 14x) vermuten läßt. Auffällig
ist das Fehlen von sm^c q. in ganzen Komplexen prophetischer
Sprüche (Jes 2-5; 8-15; 25-27; Ez 26-32; Sach 9-14) und
in etwa zwei Drittel der Psalmen". Um die ganze Sprache

---

1) H.SCHULT, ThWAT II 974-982.

vor Augen zu haben, ist es notwendig, andere Spracherschei-
nungen zu überprüfen, die durch weniger Belege vertreten
sind.

Die Unregelmäßigkeit im Vorkommen der Belege wird auch
im Buch Lev sichtbar: Von den 7 Belegen finden sich 4 im
Kap.26. In Ex 35-40 ist das Verb ebenfalls nicht vertreten.
Große Unterschiede in der Zahl der Belege sind zwischen
Esra (3x) und Neh (29x) zu beobachten; siehe auch 1 Chr
(14x) und 2 Chr(48x). Das Hohe Lied ist das einzige Buch
ohne Belege für שמע qal; auch bei mehreren der zwölf Propheten ist ihr Vorkommen sehr gering. Aufs ganze gesehen kann
man also feststellen, daß שמע-qal in allen Schichten der
alttestamentlichen hebräischen Sprache gebraucht wird.

Diese große Zahl von Belegen bringt eine Vielfältigkeit
von Formen und Konstruktionen mit sich. Nach dem bekannten
hebräischen System erweitern die Derivativstämme oder Konjugationen die Bedeutung eines Verbs[1]. שמע hat qal, nif,
pi und hif Formen. Besonders die Grundform bietet verschiedene Konstruktionen an, sei es durch präpositionale Bildungen, sei es durch Satzbildungen. שמע kann auch in Begleitung
von unterschiedlichen Objekten erscheinen. Die Parallelverben sind ebenfalls in Betracht zu ziehen. In שמע-Sätzen
treten viele präpositionale Konstruktionen oder präpositionale Bildungen (שמע בקול, שמע לקול, שמע אל, שמע ל) auf.
Welche Rolle spielen diese Präpositionen? Gibt es einen
Unterschied in dem Gebrauch und in der Bedeutung dieser
Präpositionen? Zeigt sich daran eine Regelmäßigkeit oder
werden sie einfach beliebig gebraucht, ohne daß sich genaue
syntaktische Grenzen feststellen lassen? Sind in den Präpositionen Bedeutungs- und Sprechhandlungssignale zu entdecken? Kann man von einer Einschränkung oder einer Erweiterung der Bedeutung durch Präpositionen sprechen? Sollte
sich eine positive Antwort als möglich erweisen, dann wäre
die Frage zu stellen: Wie sind die vielen nicht-präpositio-
nalen Bildungen zu beurteilen?

---

1) GESENIUS-KAUTZSCH §51-56.

שמע kann כי-Sätze und אשר-Sätze regieren. Sind diese
Sätze mit unseren Substantivsätzen oder Objektsätzen gleichwertig? Sind beide Satzkonstruktionen austauschbar oder
entspricht jedem Satz eine andere Sprachsituation? Wie
weit läßt sich dabei eine Regelmäßigkeit erkennen? Ist
es möglich, auch hier von einer hebräischen Syntax zu sprechen?

Die gewöhnlichste aller Konstruktionen ist die Rektion
eines Objektes als transitives Verb; das geschieht mit
oder ohne nota accusativi. Besonders bemerkenswert sind
die vielen verschiedenen Objekte, die שמע begleiten können.
Kann die gewöhnliche Übersetzung "hören" auch durch das
Objekt modifiziert werden?

Es kommt häufig vor, daß die erwähnten besonderen
syntaktischen Konstruktionen bei שמע nicht vorhanden sind.
Ist auch dann eine nähere Bestimmung der Bedeutung möglich?
Kann man eigentlich eine nähere Differenzierung der Sprache
durch andere als syntaktische Merkmale erreichen? Die Sprache muß unbedingt immer Mittel besitzen, um Unklarheiten
zu vermeiden und es muß angenommen werden, daß diese Mittel
ausreichend vorhanden sind. Man muß also auch nach anderen
als syntaktischen Merkmalen fragen, die in der Vielseitigkeit und in den fast unbegrenzten Ausdrucksmöglichkeiten
einer Sprache zu finden sein dürften.

Diese breite Wirklichkeit der Sprache und ihrer Syntax
ist Gegenstand der sprachwissenschaftlichen Forschung der
letzten Jahrzehnte gewesen, so daß die schon erreichten
Ergebnisse eine gute Hilfe sein können bei unserem Versuch,
die hebräische Sprache unter dem Gesichtspunkt der Verwendung von שמע näher zu betrachten.

Auch wenn in erster Linie die Frage gestellt wird,
ob eine hebräische Syntax möglich ist oder nicht, sollte
die Analyse zeigen, wie man durch Sprachmerkmale, durch
Sprachsituationen und durch mittels Äußerungen erweckte
Spracherwartungen das Ziel der Kommunikation erreichen
kann. Selbst weit entfernt von der Welt der hebräischen
Sprache ist der Forscher noch immer in der Lage, das leben-
dige Sprudeln der Sprache zu spüren.

Die verwendete Methode versucht mit den einzelnen
Belegen und Texten ständig in Kontakt zu bleiben. Der dauernde Umgang mit den Texten soll eine Klassifizierung erlauben. In jeder Gruppe von Texten sind die einzelnen Belege
zu prüfen, um die Frage nach der Äußerungsfähigkeit sowie
der Regelmäßigkeit von Form und Bedeutung zu stellen.

Die vorhandene spezifische Literatur ist sehr begrenzt.
Natürlich werden Kommentare regelmäßig zu Rate gezogen.
Grundsätzlich soll aber der Text selbst der erste und wich-
tigste Sprecher sein. Hoffentlich wird es gelingen, diese
Texte richtig zu "hören".

Hier sollte man aber die Gedanken von WEINRICH nicht
übersehen: "Wenn die Begriffe Zeit und Aspekt auch zur
Beschreibung sehr fremder Sprachen nicht auszureichen scheinen, soll man dann nicht versuchen, auf alle vorgefaßten
Begriffe zu verzichten und die fremde Sprache ganz unvorein-
genommen auf sich wirken zu lassen? Das ist leichter gesagt
als getan. Man kann sich nicht mit einem Willensakt von
allen Vorstellungen lösen, die in Jahrzehnten des Umgangs
mit indogermanischen Sprachen eingeübt worden sind. Je
mehr man an die Möglichkeit der eigenen Vorurteilslosigkeit
glaubt, um so tückischer schleichen sich die Vorurteile
in alle Untersuchungen und Beschreibungen. Der Positivismus
in der Sprachwissenschaft ist daran gescheitert. Er hat
infolgedessen überhaupt keine Syntax hervorgebracht und
durch ein systematisches Ausweichen in die historische
Betrachtung darüber hinwegzutäuschen versucht, daß er nicht
einen Schritt über die antike und spätantike Grammatik
hinausgekommen ist.

Man kann keine fremde Sprache vorurteilslos beschreiben. Wer der Sprache keine intelligenten Fragen stellt,
bekommt auch keine intelligenten Antworten von ihr. Es
handelt sich also nicht darum, alle Vorurteile abzustreifen,
sondern schlechte Vorurteile durch bessere zu ersetzen.
Die besten Vorurteile sind solche, die in der fremden Sprache von vornherein auf geformte Texte zu achten bereit
sind. Eine Sprache aber zeigt ihre Form und Struktur nur

dann, wenn man sie in den Lebenssituationen betrachtet,
in denen sie heimisch ist. Die Beschreibung einer Sprache
kann daher nur dann hoffen, adäquat zu sein, wenn sie die
Pragmatik mitbeschreibt. Wenn sich dabei eine bestimmte
Korrespondenz zwischen typischen Sprechsituationen einer
Kultur und grammatischen Kategorien der Sprache ergibt,
darf der Beschreibende darin eine nachträgliche Rechtferti-
gung seiner Vorurteile und eine Bestätigung ihrer Richtig-
keit sehen"[1].

Gerade weil das Verb שמע so breite Verwendung in allen
Büchern und durch die ganze Geschichte der hebräischen
Sprache findet, ist zu vermuten, daß es unter dem Einfluß
der Veränderungen und Entwicklungen der Sprache steht.
Natürlich muß man immer auch die diachronische Frage stellen, aber eine Antwort zur diachronischen Frage wird wahrscheinlich nur in geringem Maß erreichbar sein. Die Unfähigkeit, jedesmal eine Antwort auf die diachronische Frage
zu bekommen, zeigt, daß unsere Einführung in die hebräische
Sprache noch eine viel weitere Entwicklung braucht. Wandlung
der Sprache und Wandlung der Gedanken bleiben immer zwei
Hauptziele der alttestamentlichen Forschung.

1.2. *Zur Forschungslage*

Ein wichtiger Teil der Analyse von שמע bezieht sich
auf die Präpositionen. Durch die Ugaritforschung haben
die Präpositionen neue Beachtung gewonnen und das zuerst
im Ugaritischen selbst[2] und auch in Bezug auf das Hebräische. Ein Thema wurde ganz besonders behandelt: das Problem
der Austauschbarkeit der Präpositionen (מן - ב; ב-ל). Bisher
geht man davon aus, daß die ugaritische Sprache die Präposition מן wahrscheinlich nicht kennt. Dann werden Belege

---

1) WEINRICH, Tempus 307.

2) K.AARTUN, Partikeln, AOAT 21/2.

untersucht, wo das ugaritische 'b' mit der Bedeutung des
hebräischen מן benutzt wird; danach werden biblische Stellen untersucht, wo die Präpositionen ב - מן austauschbar
sind. Mit dem Thema haben sich SARNA, SERRA, SCHUTTERMAYR,
und R.MEYER beschäftigt[1]. Es fehlen aber systematische
Untersuchungen über hebräische Präpositionen.

Über שמע gibt es eine größere Arbeit von A.K.FENZ[2]. Er
behandelt vor allem die Wendung שמע בקול. Seine Fragestellung lautet: "In welchem Kontext ist šm^c b^{e}qol JHWH am
häufigsten anzutreffen und zu welcher literarischen Gattung
wird dieser Kontext gerechnet?"[3].Weiter wird nach dem Sitz
im Leben gefragt: in welchen religiösen, kulturellen und
gesellschaftlichen Verhältnissen ist diese Sprachform entstanden und beheimatet?

Die Arbeit von FENZ stellt in die Mitte der methodischen Zielsetzung die Suche nach der Gattung und dem Sitz
im Leben. Durch das richtige Erkennen der Gattung soll
die genaue Bestimmung der Bedeutung ermöglicht werden;
literarische Strukturen und syntaktische Fragen werden
nur sekundär behandelt.

Zusammen mit שמע בקול behandelt FENZ auch שמע קול
ohne weitere Differenzierungen. Er unterscheidet verschiedene Bedeutungen und Verwendungen von קול. und stellt
weiter fest: "Der Status constructus q o l kann fast
pleonastisch dem Nomen, das einen Ausruf, Ausspruch, Gesang
bezeichnet, vorangehen"[4]. Die Sonderstellung von קול hat
er wohl bemerkt, aber nicht gleichermaßen die Funktion.
Eingehender will der Verfasser nur die Form שמע בקול יהוה

---

1) N.M.SARNA, JBL(1959)310-316; R.M.SERRA, Claretianum 7(1967)293-317;
   G.SCHUTTERMAYR,BZNF 15(1971)29-51; R.Meyer, UF(1979-80)601-602;
   siehe auch G.OLMO LETE, Claretianum 10(1970)339-360.

2) FENZ, Auf Jahwes Stimme hören.

3) Ibid. 19.

4) Ibid. 29.

(d.h. auf Gott bezogen), die 75x vorkommt, behandeln[1]. Damit
entsteht die Gefahr, die Wendung einseitig zu betrachten.
FENZ versucht dennoch einen Überblick über שמע zu gewinnen,
auch wenn dieser undifferenziert erscheinen kann. Hier
sein Ergebnis: "Die Auswertung... ergibt außerdem eine
aufschlußreiche Aufstellung:

$\check{s}$ m ^{c} b ^{e} q o l (Formel a) erscheint 36mal:

    18mal in der Bedeutung 'gehorchen u.ä.',

    18mal in der Bedeutung 'erhören u.ä.',

    davon 8mal von Jahwe und

    10mal von Menschen ausgesagt.

$\check{s}$ m ^{c} l ^{e} q o l (Formel b) kommt 12mal vor:

    7mal bedeutet es 'gehorchen u.ä.',

    5mal 'erhöre', davon einmal von seiten Gottes.

$\check{s}$ m ^{c} (...) q o l (Formel c) wird 17mal mit der Bedeutung
    'erhören' von seiten Gottes und nur

    2mal mit der Bedeutung 'gehorchen' angetroffen.

$\check{s}$ m ^{c} `e t q o l (Formel d) findet sich 3mal =
    'erhören' von seiten Gottes.

Wenn von 2 Ausnahmen der Formel c) abgesehen wird, ist
der normale Ausdruck für 'gehorchen' $\check{s}$ m ^{c} b ^{e} q o l
beziehungsweise l ^{e} q o l , das ist Formel a) und b),
wobei die Formel a überwiegt"[2].

    FENZ hat die nicht-theologischen Belege nicht ausrei-
chend in seine Untersuchung einbezogen. Er übernimmt die
Quellenscheidung von M.NOTH und arbeitet weiter mit dem
"Vorrang der Quelle D". Zwar sind die dtn-dtr Belege zahlreich und wichtig, sie vertreten jedoch nur eine Gruppe
von Texten.

    Der zentrale Punkt in der Arbeit von FENZ ist die
Untersuchung und die Bestimmung der literarischen Gattung
von בקול שמע. Dafür ist entscheidend, daß die Wendung "in
der gesamten heiligen Schrift im Genus literarium des Bun-

---

1) FENZ, Auf Jahwes Stimme 24.

2) Ibid. 35.

desformulars" vorkommt. In dieser Beziehung untersucht
er die Verträge der akkadischen und der hethitischen Welt.
Als Vertragsschema zeigt er: 1. Die Präambel. 2. Der historische Prolog. 3. Die Grundsatzerklärung. 4. Die Einzelbe-
dingungen. 5. Die Anrufung der Götter als Vertragszeugen.
6. Fluch und Segen. 7. Vertragsabschluß. FENZ legt großen
Wert auf dieses Vertragsschema und versucht in seiner Analyse Parallelen durch alle Bücher und Belege zu finden. Sein
Ergebnis ist: "Daß manche Stellen auf deuteronomistische
Überarbeitung zurückzuführen sind, mag sich als richtig
erweisen. Aber das ist keineswegs eine Berechtigung, š -
m ^{c} b ^{e} q o l für deuteronomistisch zu halten... Die
außerbiblischen Parallelen nämlich... weisen auf altes
Traditionsgut hin, das Dt bereits vorfand und sich zu eigen
machte"[1]. Die Hauptthese von FENZ lautet: "Diese Begriffsuntersuchung will daher nur von neuem bestätigen, daß das
Vertragsformular sehr früh in die Heilige Schrift eingeführt
worden ist und das   š m ^{c} b^{e}q o l   JHWH hohes Alter
besitzen kann, da es bis in die 1. Hälfte des 2. Milleniums
zurückreichende außerbiblische Parallelen aufweist"[2].
Diese These scheint keine große Nachwirkung in der Forschung
gehabt zu haben, vermutlich deshalb, weil die Argumente
kaum zwingend sein dürften. Die Vertragsformulare gehen,
nach Ergebnissen von FENZ, im 15.Jh.zu Ende. Das bedeutet
auf keinen Fall, daß die biblischen Texte so alt sein müssen, wie die außerbiblischen Parallelen. Es ist immer eine
sehr umstrittene Frage, wieweit diese einen direkten Einfluß
auf die Entstehung und Entwicklung biblischer Texte haben.
Dazu folgende Feststellung von FENZ: "Für q o l ist nämlich im Akkadischen keine echte Wortparallele zu erwarten"[3].
Diese Parallelen sind mehr inhaltbezogener als syntaktischer
Art. Der Ähnlichkeit der Elemente (שמע בקל + Segen und

---

1) FENZ, Auf Jahwes Stimme.69.

2) Ibid. 79.

3) Ibid. 72.

Fluch) muß nicht unbedingt das gleiche Alter oder die Abhängigkeit entsprechen. Hinsichtlich der besonderen syntaktischen Verwendungsweise gibt es keine Abhängigkeit, wie
FENZ selbst andeutet: "Schließlich ist das Wort 'q o l'...
als typisch hebräisches Eigentum im hebräischen Sprachgut
zu untersuchen"[1]. Um die Bedeutung von בקול שמע enger zu
begrenzen, untersucht FENZ im vierten Kapitel die "parallel-
geordneten Ausdrücke". Er kommt zum Schluß: "Wenn nun das
Wesentliche vom Unwesentlichen geschieden wird, kann der
gesamte Begriffsinhalt somit definiert werden: $\check{s}$ m ^{c}
b ^{e} q o l JHWH ist eine juristische, auf den Bundesschluß
zurückgehende, kategorische Forderung, den Jahwe-Bund zugleich mit den einzelnen Bundessatzungen und den speziellen,
der jeweiligen Situation entsprechend gegebenen göttlichen
Anordnungen, die sich auf das gesamte profane und sittlich-
religiöse Leben erstrecken, gewissenhaft und restlos in
unumschränktem Gehorsam, verbunden mit bedingungsloser
Unterwerfung, Anerkennung totaler Abhängigkeit des Geschöp-
fes vom Schöpfer und dem unbedingt gültigen Imperativ,
der durch göttlich beauftragte Mittler-Autoritäten im Kult,
der liturgischen Predigt und in der Prophetenrede inner-
und außerhalb des Kultes gestellt wird, nach vollkommener
Liebe und Treue zu Jahwe, dessen Erfüllung Segen und dessen
Nichterfüllung Fluch bedeutet, zu befolgen"[2].

      Auf S.103 bringt FENZ eine kürzere Beschreibung der
Deutung von בקול שמע: " 'Auf Jahwes Stimme hören', was
mit Recht bisher immer mit 'gehorchen' in Verbindung gebracht wurde, heißt auf die Willensäußerung eines anderen
hin Antwort geben und sie erfüllen".

      Im letzten Kapitel untersucht FENZ die Beziehung zur
biblischen Theologie und konstatiert: "Der Begriff $\check{s}$ m ^{c}
b ^{e} q o l JHWH offenbart das innerste Wesen der biblischen

---

1) FENZ, Auf Jahwes Stimme 80.

2) Ibid. 94.

Religion, die nicht durch Sehen oder Meditation versucht,
Gott wahrzunehmen, sondern im Hören auf die Stimme Jahwes,
die durch Mittler, Träger des Spruches Jahwes, an die Men-
schen herantritt. Am anschaulichsten zeigt das tägliche
Gebet 'Sch^{e}ma', 'Höre Israel!' wie sich in Israel alles
Hören auf Jahwe und seinen Willen zu konzentrieren hat"[1].
"Es ist wesentliche Aufgabe des Menschen, auf die Stimme
Gottes zu hören und durch die eigene, persönliche Tat dem
Gehörten entsprechend zu handeln. Dies tritt besonders
im Alten Testament hervor, das eine Religion des Hörens
auf Gott, auf seine Offenbarung in den Gesetzesworten und
in den Worten der Propheten ist"[2].

FENZ hat Recht, wenn er die große Bedeutung von שמע
בקול im AT unterstreicht. Einige Fragen bleiben aber offen.
Hat eigentlich בקול שמע mit Hören zu tun, so daß die Theologie des AT als eine Theologie des Hörens bezeichnet werden
kann? Ist dieses Gut eine allgemeine Tradition des AT oder
ist die Sache mehr diachronisch zu betrachten? Ist der
Ausdruck eine reine Äußerung der Theologie oder gehört
er auch anderen Bereichen des Lebens an?

Auch H.J.KRAUS behandelt das Thema[3]. Er betrachtet
seine Arbeit als Andeutung einiger Sachverhalte in einer
Skizze. Es werden zuerst einzelne Beispiele für den Vorgang des Sehens und des Hörens genannt und kommentiert.
Dann versucht der Autor, die Rolle des Hörens im Alten
Testament näher zu bestimmen. Hier sein Gedankengang: "Ari-
stoteles hat einen Vorrang des Hörens vor dem Sehen statu-
iert; er wird begründet mit dem Hinweis auf die Universalität des Logos... Zunächst besteht daran kein Zweifel, daß
im Alten Testament das 'Wort Jahwes' der Ursprung alles
Seins und Geschehens ist. Das schöpferische Gottes-wort
ruft die Welt ins Dasein und setzt unablässig die Geschichte
in Bewegung. So läge die Vermutung nahe, daß die alttesta-
mentliche Überlieferung tatsächlich einen prinzipiellen

---

1) FENZ, Auf Jahwes Stimme 96.
2) Ibid. 97.
3) H.J.KRAUS, Hören und Sehen, StGen 19(1966)1,115-123.

Vorrang des Hörens vor dem Sehen erkennen läßt"[1]. KRAUS
selbst hält diesen Weg methodologisch für gefährlich: "Aber
hier ist Vorsicht geboten. Von prinzipiellen Prämissen
aus gewinnt man keinen Zugang zum Alten Testament"[2]. Man
könnte aber hier den Eindruck gewinnen, daß KRAUS mit dieser
Gefahr gern spielt. Ein Zitat von H.G.GADAMER soll seine
These unterstützen: "Während alle anderen Sinne an der
Universalität der sprachlichen Welterfahrung keinen unmit-
telbaren Anteil haben, sondern nur ihre spezifischen Fehler
erschließen, ist das Hören ein Weg zum Ganzen, weil es
auf den Logos zu hören vermag (Wahrheit und Methode, S.438)".
   Das findet KRAUS im Alten Testament bestätigt: "Das
Alte Testament ist literarische Übermittlung von Traditionen, die ursprünglich und wesenhaft im gesprochenen Wort
existierten. An einigen Stellen erfahren wir, wie die münd-
liche Überlieferung weitergegeben, gehört und bewahrt wurde"[3]. Die Künder spielten eine Schlüsselrolle: "Erst die
Erzählung öffnete das Geschehen; erst im Hören begann das
Geschaute zu sprechen und wurde zum verbum visibile. Erst
das Hören weckte das Erkennen und Verstehen"[4]. Diese enge
Verbindung zwischen Hören, Sehen, Erkennen und Verstehen
wird sich bestätigen als eine der Verwendungen von שמע.
"Neben die Geschichtstradition ist die Gesetzesüberlieferung
zu stellen". "...Hören und Gehorchen wurden unter dem Gebot
zu einer unauflösbaren Einheit". "...Hören ist hier unmittelbares Gehorchen. In diesem Sinne ist das Hören auf
das Gottesgebot im Alten Testament zu verstehen"[5].
   Von den Propheten sagt KRAUS: "Auf das wache und aufmerksame Hinhorchen zielte vor allem die Botschaft der

---

1) KRAUS, Hören und Sehen 117-118.
2) Ibid. 118.
3) Ibid. 118.
4) Ibid. 118.
5) Ibid. 119.

Propheten ab"[1]. Er erklärt mit GADAMER das Hören als "eigen-
tümliche Dialektik", das heißt: "Nicht nur, daß, wer hört,
sozusagen angeredet wird. Vielmehr liegt darin auch dies,
daß, wer angeredet wird, hören muß, ob er will oder nicht."
"Er kann nicht in der gleichen Weise weghören, wie man
im Sehen dadurch von anderen wegsieht, daß man in eine
bestimmte Richtung blickt"[2]. "Schließlich sei noch ein
Hinweis auf die Überlieferung der Weisheitssprüche gegeben.
Auch diese Gattung existierte primär in der mündlichen
Lehrtradition... Hören - erkennen - im Inneren bewahren.
Auf diesen drei Akten steht jede Tradition"[3]. Er faßt alles
zusammen mit den Worten: "An einigen Beispielen wurde gezeigt, daß in der althebräischen Tradition das Hören einen
unbestrittenen Vorrang vor dem Sehen und allen anderen
Sinneswahrnehmungen hat"[4]. Das alles ist als eine "Skizze"
zu betrachten. Natürlich kann man von dem Artikel keine
ausführliche literarische Abhandlung erwarten. Dennoch:
der Versuch, allgemeine philosophische Prinzipien im Alten
Testament verwirklicht zu finden, bringt einige Risiken
mit sich.

Mit syntaktischen Fragen beschäftigt sich H.CAZELLES[5]
in einem kurzen Artikel. Zuerst stellt er eine Liste der
verschiedenen Konstruktionen von שמע zusammen. Er betrachtet
besonders Belege aus dem Dtn. Auffallend für ihn ist der
Ausdruck בין שמע = *richten* ("cette manière de s'exprimer
est assez dure en hebreu"). Ist בקול שמע eine dialektale
Erscheinung, wie es DRIVER meinen konnte? Gehört der Ausdruck ausschließlich zur redaktionellen JE-Schicht? CAZELLES
ist der Meinung, daß der Ausdruck schon beim J und E benutzt
wurde. Er erkennt die Wichtigkeit der Präpositionen: "La Plu-

---

1) KRAUS, Hören und Sehen 119.

2) Ibid. 119.

3) Ibid. 119.

4) Ibid. 119.

5) H.CAZELLES, šm^c qol et šm^c b^{e}qol, GLECS 10(1963-66)148-150.

part des traductions ne font pas de différence entre šm^c qwl et šm^c b^eqwl. Nous savons pourtant qu'il ne faut pas prendre à la légère ce jeu des prépositions. A première vue sm^c et l'accusatif signifie simplement l'audition d'un bruit ou d'une parole. Cela expliquerait qu'au ch. V du Deut. où il est question de la révélation du Décalogue au Sinaï on n'a pas une seule fois le b et 7 fois l'acc.: le peuple entend la voix et c'est tout"[1]. CAZELLES stellt mit Nachdruck fest: Man sollte den Gebrauch von verschiedenen Präpositionen nicht unterschätzen. Zur Präposition b^e sagt er: "Il semblerait ajouter à l'audition une notion d'acquiescement"[2]. Im Buch Dtn rechnet CAZELLES mit einer bestimmten Vermischung von Präpositionen: "On est obligé de conclure à un certain syncrétisme des prépositions dans le Deuteronome"[3]. Weiter geht er auf die Suche nach dem Ausdruck בקול שמע in anderen semitischen Sprachen. Sein Ergebnis ist: "L'intrusion du b après šm^c en hebreu... ne paraît pas appartenir au fond linguistique sémitique, mais provenir des milieux sapientiels de scribes ou ce sens d'"obéir" était très developpé"[4]. Eine parallele Konstruktion zu בקול שמע findet CAZELLES dagegen in akkadischen Texten: "La solution nous viendra peut-être du bassin mésopotamien..." "...La présence de šm^c b dans l'hebreu en concurrence avec šm^c acc. serait à mettre au compte de l'expansion hurrite, encore faible à Mari, beaucoup plus forte dans les coutumes patriarcales dont témoigne le Pentateuque"[5].

    H.SCHULT hat sich mit שמע-Fragen beschäftigt. Er meint: "šm^c scheint ein Schüsselwort der dtn.dtr. Schule und ihrer

---

1) CAZELLES, šm^c qol 148-149.

2) Ibid. 149.

3) Ibid. 149.

4) Ibid. 149-150.

5) Ibid. 150.

Erben zu sein, wie das gehäufte Vorkommen... vermuten läßt"[1].
Dem weiten Feld der Bedeutung auf Hebräisch entspricht auf
Deutsch die Vieldeutigkeit von *hören*. "Ein Wandel der Bedeu-
tung von $\check{s}m^c$ läßt sich im AT nicht beobachten"[2]. "$\check{s}m^c$ kann
die physische Fähigkeit zur akustischen Wahrnehmung bezeich-
nen: im übrigen gibt es kein Hören an sich ohne positive
oder negative Bezugnahme oder Reaktion auf den Inhalt des
Gehörten in Gedanken, Worten und Werken"[3]. SCHULT rechnet
nicht mit der Möglichkeit, daß regelmäßige syntaktische
Strukturen stets dieselbe Bedeutung ausdrücken können. Er
betont lieber die Rolle eines Kontextes für die Verständlich-
keit eines Satzes: "Vom Textzusammenhang und/oder der Interpretation der vorausgesetzten Sprecher-Hörer-Konstellation
durch den Bibelleser hängt auch ab, was mit $\check{s}m^c$ jeweils
gemeint sein kann... Da die aktuelle Bedeutung des an sich
neutralen $\check{s}m^c$ in hohem Maße vom Kontext abhängt, muß immer
wieder geprüft werden, ob mit einer bestimmten Übersetzung
Wertungen eingeführt werden, die vom Zusammenhang her nicht
gerechtfertigt sind"[4]. Präpositional- oder Satzbildungen
werden kaum in Betracht gezogen. Der Gebrauch des Verbs
im Rechtsprechungsbereich oder die Bedeutung *eine Sprache
verstehen* werden als idiomatisch betrachtet. Eine andere
Einstellung hatte dagegen CAZELLES. Während FENZ und KRAUS
die theologische Relevanz betonten, meint SCHULT: "In theologischen relevanten Texten spielt $\check{s}m^c$ keine andere Rolle
als sonst"[5]. Ein Beispiel kann zeigen, was er damit meint:
"Sofern das Jahwe-Hören innerhalb eines Verhältnisses von
Überordnung und Unterordnung geschieht, bedeutet es *gehorchen, gehorsam sein* o.ä. Der Sprachgebrauch von $\check{s}m^c$ gestattet
indessen keine Aussagen über das theologische Problem des

---

1) H.SCHULT., עמש-Hören, THAT II 974-982.

2) Ibid. 976.

3) Ibid. 976.

4) Ibid. 976.

5) Ibid. 979.

Gehorsams/Ungehorsams gegen Gott und seine Bewältigung im
AT[1].

Aufmerksamkeit verdient eine Studie von SCHULT über
Wahrnehmungsverben mit Partizipialkonstruktion. Sein Ergebnis: "Nach den Verben R`H sehen, SM$^C$ hören, MS` finden,
steht Akkusativ mit Partizip, wenn und weil ausgedrückt
werden soll, daß ein "Subjekt" mitsamt seinem "Prädikat"
das direkte Objekt der Wahrnehmung ist. Der Vorgang oder
Zustand dauert an, während die Wahrnehmung stattfindet"[2].

J.SHAVIV[3] stellt bewußt die Frage nach dem Unterschied
zwischen שמע בקול - שמע לקול. Er plädiert für eine Ähnlichkeit in der Bedeutung beider präpositionaler Bildungen.
Er vermittelt den Eindruck, daß שמע בקול Gehorsam gegenüber
einer höheren Autorität und לקול Zustimmung zu den Worten
eines andern bedeutet. Die größte Zahl der Belege von בקול
bezeichnet die Haltung der Menschen vor Gott. SHAVIV nennt
dann verschiedene Gruppen von Aussagen.

So weit ein Überblick über die bekannten Arbeiten zu
שמע. Hier sind zwar einige wichtige Probleme angesprochen
worden, aber eine umfassende Untersuchung der Belegstellen
fehlt noch.

1.3. Sprechhandlungstheorie

Die Sprachwissenschaft, auch wenn sie immer noch sehr
stark im Wandel ist, kann wichtige Hinweise auf neue Frage-
stellungen und Forschungsmethoden geben. Dieser Kontakt
wird jedoch in der vorliegenden Arbeit nur in einem sehr
bescheidenen Maß vollzogen und wird mehr ein Versuch sein
als eine Wirklichkeit. "Diese Aufgabe ist für einen Alttes-
tamentler besonders mühevoll, da er sich in eine ihm von
Haus aus fremde Disziplin einarbeiten muß. Aber trotz aller

---

1) SCHULT, Hören 981.

2) SCHULT, Akkusativ mit Partizip...

3) J.SHAVIV, The difference between שמע בקול and שמע לקול, BetM 23
    (1978)465-477.

Schwierigkeiten muß wenigstens der Versuch unternommen
werden, die verschiedenen heute vertretenen Positionen
zu überblicken und sich begründet für eine zu entscheiden"[1].
Besonders geeignet für die vorliegende Arbeit scheint die
Sprechhandlungstheorie von D.WUNDERLICH zu sein. In seinem
Buch, "Grundlagen der Linguistik", übernimmt er die Ergebnisse der Forschung der letzten Jahrzehnte und fügt wichtige
Beiträge hinzu. Die Grundfrage, wie die Bedeutung eines
Wortes zu bestimmen sei, wie die Erweiterung dieser Bedeutung geschehe, behandelt WUNDERLICH in dem Kapitel: Zur
Explikation des Bedeutungsbegriffs. Besonders seine Sprechhandlungstheorie kann auf der Suche nach den syntaktischen
Verhältnissen der hebräischen Sprache sehr aufschlußreich
sein. Eine besondere Aufmerksamkeit verdient die Explikation
des Bedeutungsbegriffs. Die mehrfachen Versuche, den Bedeutungsbegriff zu erklären, kann man in drei Richtungen zusammenfassen: Referenzsemantik, Inhaltssemantik und Sprechhandlungssemantik[2]. Gemeinsam ist ihnen, daß sie die Bedeutung
unter dem Gesichtspunkt sehen, daß das, was Sprache jeweils
ausdrücken kann, sozialer Geltung bedarf (Konventionen
unterliegt). Eine Integration der drei Varianten des Bedeutungsbegriffs kann zum gegenwärtigen Zeitpunkt nicht gelingen.

   1.- In der Referenzsemantik fragt man nach der sprach-
externen Bedeutung sprachlicher Ausdrücke bzw. nach dem
Sachbezug: In welchem Verhältnis stehen sprachliche Ausdrücke zu den Bereichen menschlicher Erfahrungsgegenstände?
Diese Entwicklung ist vor allem von der logischen Semantik
her vorangetrieben worden; ihre Relevanz für die Linguistik
ist erst in neuerer Zeit klar erkannt worden. Die Grundein-
stellung der Referenzsemantik könnte man als philosophischen
Realismus charakterisieren. Die Sprache besitzt eine Dar-
stellungsfunktion. Dargestellt werden kann nicht nur, was

---

1) D.MICHEL, Grundlegung einer Hebr. Syntax VI.
2) D.WUNDERLICH, Grundlagen der Linguistik, Opladen[2] 1981,236-252.

in der für den Menschen äußeren Natur geschieht, sondern
ebenfalls, was in der für den Menschen inneren oder in
der vom Menschen künstlich hergestellten Natur passiert.

Die Referenzsemantik zeigt wichtige Lücken auf. "Bei
dem hier herauszuarbeitenden Bedeutungsbegriff wird auf
den spezifischen Charakter der jeweiligen Sprechhandlungen
allerdings keine Rücksicht genommen; um sich ganz auf den
Sachbezug von Sprache konzentrieren zu können, werden häufig
nur Deklarativ-(bzw. Indikativ-)Sätze berücksichtigt, wie
sie z.B. in Behauptungen, Beschreibungen, Erklärungen verwendet werden..."[1].

2.- Die Inhaltssemantik behandelt die sprachinterne
Bedeutung sprachlicher Ausdrücke. Die Frage lautet: In
welchem Bedeutungsverhältnis stehen sprachliche Ausdrücke
zueinander? In diesem Fall handelt es sich um Entwicklungen
innerhalb der Linguistik selbst. Nach der strukturalisti-
schen Vorstellung ergibt sich die Bedeutung einzelner
sprachlicher Ausdrücke im wesentlichen aus ihrer Relation
zu anderen Ausdrücken, d.h. aus ihrer Stellung in einem
ganzen Feld oder Netz von Ausdrücken und Ausdrucksstruktu-
ren.

WUNDERLICH meint, daß in der Inhaltssemantik die Rolle
von mindestens drei Faktoren verkannt wird: (a) Sprache
wird gelernt in bestimmten lebenspraktischen Zusammenhängen,
welche wahrnehmbar, erfahrbar sind, aber selbst nicht
sprachlich vermittelt sein müssen; (b) Sprache wird ange-
wandt im täglichen Umgang, der jeweils auch einen nicht-
sprachlichen Kontext einschließt; (c) unser Verständnis
von Sprache ergibt sich nicht ausschließlich aus der Sprache
selbst, sondern auch aufgrund logisch-formaler Rekonstruk-
tionen, d.h. bestimmter Standards, die entworfen werden.

3.- Die Sprechhandlungssemantik versucht, die Bedeutung
sprachlicher Äußerungen in Kommunikationssituationen zu
bewerten. Für die Entwicklung der Sprechhandlungstheorie
ist die Beobachtung, daß die Sprache ein Akt ist, entscheidend. Sprechen ist eine aktive Tätigkeit. Die Tätigkeit

des Sprechens besteht im Artikulieren von bestimmten Schall-
gebilden; mit ihnen sind zugleich Bedeutungen mit sozialer
Geltung verbunden. Damit Sprechen sinnvoll ist, müssen
nicht nur die geäußerten Sätze für sich sinnvoll sein,
sondern sie müssen hinsichtlich einer bestehenden sozialen
Situation relevant sein. In diesem Sinne können wir Sprechen
(d.h. Äußern von Sätzen) als eine Form des menschlichen
Handelns verstehen. Die Vorlesungen AUSTINs im Jahr 1955
sind entscheidend für die Entwicklung dieser Theorie. Er
unterscheidet zwischen *lokutionären, illokutionären* und
perlokutionären Akten. Etwas sagen ist mehr als ein phoneti-
scher Akt (lokutionärer Akt), ist auch das Ausführen eines
illokutionären Aktes: Das Sprechen übt je nach den Umständen
der Situation eine gewisse Kraft auf die Hörer aus; manchmal
werden bestimmte Wirkungen hinsichtlich der Gefühle, Gedanken und Handlungen der Hörer angestrebt; dann ist das Sprechen ein perlokutionärer Akt. Mit seinem Verständnis der
Sprache als menschlicher Akt erreicht AUSTIN einen Durch-
bruch. Die Unterscheidung zwischen illokutionären und perlokutionären Akten bleibt bei ihm noch problematisch.

Mit Rücksicht auf die Ergänzungen zur Theorie AUSTINs
versucht WUNDERLICH, auf diesen Weg weiter zu gehen. Seine
Sprechhandlungstheorie sollte die nicht geklärten Aspekte
der illokutionären und perlokutionären Sätze behandeln.
WUNDERLICH skizziert seine Theorie des Sprechens als Handlung so:

"Unter Sprechhandlung wird im folgenden jener Aspekt
verstanden, den AUSTIN und SEARLE als illokutionären Akt
bestimmt haben. Jedoch will ich keine strikte Unterscheidung
zwischen *illokutionär* und *perlokutionär* vornehmen. Zu allen
Sprechhandlungen gehört das Herstellen von Äußerungsresulta-
ten; mit beliebigen Äußerungen können nicht beliebige
Sprechhandlungen getan werden (mit einer Äußerung 'ich
komme morgen' kann man u.U. etwas versprechen, nicht aber
mit einer Äußerung 'ich kam gestern'). Das Verhältnis von
Sprechhandlungstyp zu Äußerungstyp läßt sich in zwei einan-

der relativierenden Behauptungen zusammenfassen:

1.- Der Typ einer Sprechhandlung läßt sich in konven-
tioneller Weise indizieren durch Form und Inhalt der Äuße-
rungsresultate. Dazu dienen z.B. Satzmodi, explizite perfor-
mative Formeln, einzelne Indikatorwörter in speziellen
Positionen (wie 'bitte', 'mal', 'ja', 'nämlich'), Anredefor-
men, Intonation usw.

2.- Der Typ einer Sprechhandlung ist nicht ausschließ-
lich durch Form und Inhalt der Äußerungsresultate bestimmt,
sondern in eingeschränkten Kontexten außerdem durch: (a)
personenspezifische Erwartungen und Handlungsobligationen,
(b) personenspezifische Einschätzungen der kommunikativen
Situation...

Diese beiden Behauptungen drücken einmal eine bestimmte
Erkentnis aus. Außerdem können aus ihnen regulative Prinzipien abgeleitet werden für zwei sich ergänzende Richtungen
der Forschung: 1. Die Grammatiktheorie ist unter dem Gesichtspunkt auszuarbeiten, welche Sprechhandlungstypen
durch welche Formen und Inhalte indizierbar sind (indiziert
werden). 2. Es sind Klassen von eingeschränkten Kontexten
zu studieren unter dem Gesichtspunkt, welche Obligationen
in ihnen gelten und wie diese Obligationen mit personenspezifischen Einschätzungen von Kommunikationssituationen
korrelieren"[1].

"Unter dem Gesichtspunkt 1 sind die beiden Sätze 'Ich
komme morgen' und 'Ich verspreche dir, daß ich morgen komme'
als verschiedene zu behandeln; nur im zweiten Satz ist
eine Versprechenshandlung *indiziert*. Daß auch mit einer
Äußerung des ersten Satzes ein Versprechen zu geben ist...,
kann nur unter dem Gesichtspunkt 2 behandelt werden"[2].

In der Erforschung von alten Sprachen spielt 1 die
Hauptrolle aus ganz einfachen Gründen: die sprachinstitutio-
nellen Erwartungen und die personenspezifischen Einschätzun-

---

1) WUNDERLICH, Grundlage 335-336.
2) Ibid. 336-337.

gen der Sprache sind uns fremd. Nur eine ständige Annäherung
kann die vorhandene Mauer Schritt für Schritt abbauen.

"In allen Erörterungen von Sprechhandlungen spielen
die *propositionalen Einstellungen* von Sprechern eine große
Rolle: Ein Sprecher drückt eine eigene propositionale Einstellung aus und intendiert, daß die Hörer gleichartige
oder korrespondierende propositionale Einstellungen einnehmen"[1].

Es "sind die als besonders wichtig erachteten *Grundty-
pen propositionaler Einstellungen* zu spezifizieren. In
einer ersten Näherung sind vermutlich die folgenden unbedingt notwendig: (a) 'wissen, daß' (Erkennen läßt sich
vielleicht so beschreiben, daß es zu einem Wissen führt;
daneben ist aber auch noch Wahrnehmen zu unterscheiden),
(b) 'glauben, daß' (manchmal in dem Sinne zu nehmen von:
fraglos unterstellen, daß), (c) 'annehmen (vermuten), daß',
(d) 'wünschen, daß' (auf der Grundlage von Interessen und
Präferenzen), (e) 'wollen (beabsichtigen), daß' (auf der
Grundlage von Willensakten = Entschlüssen)"[2].

Die moderne Richtung der "Sprechhandlungstheorie"
wurde deshalb so ausführlich zitiert, weil hier Möglichkeiten angeboten werden, Begriffsuntersuchungen zu präzisieren.
Es wird sich zeigen, daß sie an etlichen Stellen hilfreich
sein kann. Dabei ist es sicher relativ leicht, in konventio-
neller Weise nach Form und Inhalt der Äußerungsresultate
zu fragen; schwieriger ist es schon, institutionenspezifische Erwartungen, Handlungsobligationen und personenspezifische Einschätzungen der kommunikativen Situation zu erkennen. Wie kann man solche Institutionen und Einschätzungen
entdecken und bewerten? Auch bei *ynv* findet man durch die
äußere Form indizierbare Konstruktionen (besonders die
präpositionalen Bildungen) und auch die Formulierungen
ohne äußere Merkmale, die nach institutionalen Erwartun-

---

1) WUNDERLICH, Grundlage 343.
29 Ibid. 348-349.

gen und menschlichen Einschätzungen zu verstehen sind.
Aufgabe der Forschung ist die Suche nach diesen institutio-
nenspezifischen Erwartungen und Handlungsobligationen.
Hier hat die Erforschung des Hebräischen sicherlich noch
einen langen Weg vor sich. Eines aber soll jetzt schon
gesagt werden: Durch die Sprechhandlungstheorie könnte
es möglich sein, auch da noch Differenzierungen zu entdecken, wo sie mit den Mitteln der herkömmlichen Syntax
und Semasiologie bisher nicht gesehen werden konnten.

Das alles aber kann in dieser Arbeit sicherlich nur
angedeutet werden; vor zu großen Erwartungen sei ausdrücklich gewarnt. "Für den Grammatiker, der sich mit der hebräischen Sprache beschäftigt, ist diese Forderung besonders
schwer zu erfüllen. Er spricht ja Hebräisch nicht als seine
Muttersprache; für ihn ist Hebräisch deshalb viel mehr
Ergon als Energeia. (Das gilt auch für die modernen Israe-
lis, die ja Iwrith und nicht Hebräisch als ihre Muttersprache haben.)"[1]. In der Tat: Wenn man sieht, welche Schwierigkeiten die moderne Linguistik mit zeitgenössischen lebenden
Sprachen hat, wird klar, daß diese Schwierigkeiten bei
der Erforschung von toten Sprachen sich noch erheblich
vergrößern.

---

1) MICHEL, Grundlegung der hebr. Syntax 21.

2. KAPITEL

שמע qal: Spezifizierung der Bedeutung durch Präpositionen

2.1. שמע בקול

Überblick

בשמע kann in verschiedenen syntaktischen Äußerungen gebraucht werden: in Infinitivsätzen als gewöhnlichen Temporalsätzen, in lokalen Angaben besonders im nif, in Instrumentalangaben besonders beim hif, in dem Ausdruck שמע באזניהם, in der Konstruktion שמע ב(קול) im qal. Die gewöhnliche Form dieser Konstruktion ist שמע בקול. Nur in 2 Belegen findet man andere Ausdrücke und zwar in Jes 42,24: ולא שמעו בתורתו und in 1 Kön 8,52: לשמע אליהם בכל קראם אליך.

Die 97 Belege für שמע בקול sind folgendermaßen verteilt: Dtn 21x; Jer 20x; 1 Sam 16x; Gen 7x; Ex 6x; Jos 4x; Ri 4x; Ps 4x; 2 Sam 3x; Num 2x; 1 Kön 2x; Dan 2x; 2 Kön 1x; Dt-Jes 1x; Hag 1x; Zef 1x; Sach 1x; Spr 1x. Die Belege sind also über viele Bücher verstreut. Allerdings ist die Verteilung nicht gleichmäßig: eine auffällige Häufung findet sich in Dtn, Jer und 1 Sam. Andererseits fehlen in einigen Büchern die Belege ganz: Jes 1-40; Ez; Ijob; Koh; 1-2 Chr.

In welchen Zusammenhängen und Sprechhandlungsbereichen wird nun die Wendung gebraucht? Sie kann beschreiben:
- die Haltung Israels vor Gott (mit 65 Belegen die Mehrzahl),
- die Haltung der Kinder vor den Eltern,
- die Haltung eines Jüngers vor dem (Weisheits)lehrer,
- die Haltung zwischen gleichgestellten Menschen (Bruder vor der Schwester, Ehemann vor der Frau),
- die Haltung Gottes vor Menschen oder vor Israel,
- die Haltung eines Machthabenden vor den Untergeordneten.

Aufschlußreich ist wohl auch, in welchen Zusammenhängen die Wendung *nicht* gebraucht wird. Wie auf den nächsten

Seiten dargelegt wird, vertritt FENZ die These, die Wendung
stamme aus der Sprache der Vertragstexte. Diese Theorie
erweist sich als wenig wahrscheinlich, wenn man feststellt,
daß in alttestamentlichen internationalen Vertragstexten
בקול שמע nicht vorkommt, wohl aber שמע אל/לקול. Die Wendung
wird jedoch ziemlich vielseitig eingesetzt. Diese breite
Palette von Sprechhandlungen führt zu der Frage, ob sich
bei all den verschiedenen Verwendungsweisen eine *Grundbedeutung* ermitteln lasse, die dann jeweils variiert wird: Hat
die Wendung בקול שמע eine durchgängig aufweisbare, d.h.
sprachlich noch wirksame Grundbedeutung? Unterliegt die
Grundbedeutung, falls sie denn aufweisbar sein sollte,
in den einzelnen Sprechhandlungen Modifikationen? Wie sind
diese, z.B. im Deutschen, wiederzugeben?

   Zur Methode des Vorgehens: Die Mehrzahl der Belege
beschreibt die Haltung von Menschen (oder des Volkes) vor
Gott, es handelt sich also um theologische Texte. Da sie
stark formelhaft geprägt und (wenigstens zum Teil) deuteronomistischer Herkunft und damit relativ spät sind, empfiehlt
es sich nicht, bei ihnen einzusetzen. In den übrigen 32
Belegen finden sich Texte aus verschiedenen Büchern und
verschiedenen Zeiten. Auch wenn diese *profanen* Belege zah-
lenmäßig geringer sind als die mit theologisch geprägtem
Sprachgebrauch, dürften sie doch wohl zur Erhellung der
Wendung besser geeignet sein[1].

---

1) Anders FENZ(Auf Jahwes Stimme): "Die Arbeit beabsichtigt aber nicht,
   den Begriffswert aller einzelnen Stellen von šm^c b^{e}qol JHWH zu
   forschen, sondern will hauptsächlich den Gesamtinhalt des Begriffes
   definieren und dessen theologischen Gehalt heben" (S.20). Er versucht auch keine systematische Differenzierung der Präpositionen.

Erweiterung der sinnlichen Wahrnehmung

Eine entscheidende Rolle spielt קול שמע bei dem sprachlichen Ausdruck der sinnlichen Wahrnehmung. Die Verbindung
שמע + קול ist in mehreren Ausdrücken belegt: שמע בקול,
שמע לקול und (ein einziges Mal) שמע אל קול. Durch die Zahl
der Belege und durch die Verbreitung und Verwendung in
vielen Büchern vom AT verdient שמע בקול besondere Aufmerksamkeit. Mit CAZELLES und SHAVIV ist die entscheidende
Frage zu stellen: Welche Bedeutung hat und welche Rolle
spielt in diesem Zusammenhang die Präposition ב? Wenn שמע
קול die sinnliche Wahrnehmung ausdrückt und in diesem Sinn
"hören" bedeutet, welche Änderungen oder Erweiterungen
erreicht die hebräische Sprache durch die Zufügung dieser
Präposition? Besitzt die hebräische Sprache allgemein eine
syntaktische Regelung für die Verwendung der Präpositionen,
ist die Bedeutung von Fall zu Fall neu zu indizieren oder
ist eine feste Logik zu entdecken? Sind von dem Gebrauch
der Präposition bestimmte Sprechhaltungen und Sprechhandlungen zu erwarten? Für die Untersuchung werden nun Stellen
gesucht und gelesen mit der Absicht, einen richtigen Eindruck zu gewinnen. Diese Suche nach Stellen hat etwas mit
Archäologie der Sprache zu tun. Die Wahl der Belege bringt
eine bestimmte Vorentscheidung und ein Vorverständnis mit
sich; beides scheint unvermeidlich zu sein. Die folgenden
Texte stammen aus Erzählungen:

2 Sam 19,36:   אם אשמע עוד בקול שרים ושרות
"Ich bin jetzt achtzig Jahre alt; wie kann ich da noch
unterscheiden, was gut und was schlecht ist? Oder kann
dein Knecht noch der Stimme der Sänger und Sängerinnen
lauschen? Wozu soll dein Knecht dem Herrn und König noch
zur Last fallen?".

Die Zürcher Bibel hat schon richtig erkannt, daß es
hier um mehr als eine sinnliche Wahrnehmung geht. Im Parallelismus mit Speisen und Getränken werden hier die Musikver-

anstaltungen des Königshofs genannt. Die befürchtete Unfähigkeit (orientalische Bescheidenheit) bezieht sich nicht
auf Taubheit, sondern auf das richtige Verstehen und Genießen der Musik[1]. Das Verb "lauschen" zeigt schon in diese
Richtung. Die Präposition weist auf die Intensität des
Geschehens hin. Die Bedeutungsstufe der sinnlichen Wahrnehmung wird überschritten, um dadurch eine tiefere Teilnahme
zu bezeichnen.

Zu der Grundbedeutung der Präposition ב sagt JOÜON: "Signifie proprement *i n , d a n s* . Il exprime premièrement
le fait de se trouver (ou de se mouvoir) d a n s un lieu.
Mais il a beaucoup d'autres sens"[2]. GESENIUS-KAUTZSCH präzisiert weiter: "Den überaus mannigfaltigen Verwendungen
dieser Präpos. liegt überall entweder der Begriff des Sich-
-befindens resp. Sich-bewegens in einem bestimmten *Bereich*,
einer (räumlichen oder zeitlichen und zwar bei ב Infin.
einer gleichzeitigen) *Sphäre* zu Grunde, oder der Begriff
des *Haftens an* etwas, des *Sich-anschließens an* etwas (auch
in geistigem Sinn: an irgendwelche Norm, z.B. an den Rat
oder Befehl jemandes oder an eine Ähnlichkeit...), endlich
des *Sich-stützens* oder *beruhens* auf..., oder auch nur des
Anstoßens, Rührens an etwas"[3]. Als sinnliche Wahrnehmung
hätte man שמע קול שרים ושרות erwartet; in 2 Sam 19,36 ist
diese Konstruktion mit einem ב verstärkt. Hier hat die
sinnliche Wahrnehmung eine Steigerung erfahren. Am Rande
ergibt sich die Frage, ob die Wendung בקול שרים ושרות,
als eine mögliche Erweiterung von שמע קול, nicht eine Art
von Akkusativ-Objekt darstellt. JOÜON weist auf ein "ב
ae transitivité" hin: "Quand l'objet est un instrument,

---

1) HERTZBERG, ATD 10,303.

2) JOÜON, Grammaire §133c.

3) GESENIUS-KATZSCH §119h.

on a parfois la construction avec ב au lieu de l'accusatif:
Ex 7,20 וירם במטה et il leva la verge (opp. 14,16; Is 10,15
avec l'acc.) litt. il fit une élévation avec la verge...
להרים בקול èlever la voix, נחם בקול Jer 12,8; Ps 46,7;
88,34 (ailleurs acc.)"[1]. Diese Sätze sind nach JOÜON mit
arabischen transitiven Verben zu vergleichen, die mit
b i konstruiert werden. Die Bedeutung in 2 Sam 19,36 läßt
sich so zusammenfassen: שמע קול (siehe שמע + Objekt) bedeutet "hören" (=sinnliche Wahrnehmung). שמע בקול שרים ושרות
= Musik "genießen". Von "sinnliche Wahrnehmung" zu "Genuß"
besteht eine deutliche Steigerung.

Wende im menschlichen Schicksal

1 Sam 25,35:   ראי שמעתי בקולך ואשא פניך
"Also nahm David von ihr an, was sie ihm mitgebracht hatte;
zu ihr aber sprach er: Zieh in Frieden wieder in dein Haus
hinauf. Siehe, ich habe dir Gehör geschenkt und dich wohl-
wollend aufgenommen".

Auffällig an diesem Beleg ist zweierlei: die Einleitung
durch ראי und die Fortsetzung durch ואשא פניך.
Zum 1. Problem: IRENE LANDE hat bereits die Besonderheit des Imperativs ראה behandelt, wenn auch ihre Darle-
gungen noch, wie wir sehen werden, der Ergänzung bedür-
fen. Sie schreibt: "11 mal steht diese Aufforderung vor
einer Form des Verbs נתן "geben", besonders häufig vor
einem Perfekt dieses Verbs... ראה נתתי "siehe, ich habe
gegeben" und ראה נתן "siehe, er hat gegeben" könnten beinahe
als eine Formel für sich abgetrennt werden, die, wie die
Beispiele zeigen, vor allem für den Stil der deuteronomistischen Predigt kennzeichnend ist. Mit der Betonung des göttlichen Geschenks durch ראה soll die Dankbarkeit der Hörer
wachgerufen werden"[2]. IRENE LANDE behandelt diesen Text

---

1) JOÜON, Grammaire §125m.
2) I.LANDE, Formelhafte 53.

entsprechend der Thematik ihres Buches als eine "formelhafte
Wendung"; der Sinn der Stelle wird aber erheblich deutlicher, wenn man nach seiner syntaktischen Eigenart fragt.
Hier liegt nämlich ein Koinzidenzfall vor, ein Zusammenfall
von Aussage und Handlung: indem man etwas ausspricht, geschieht es[1]. Als Musterbeispiel sei auf Gen 1,29 הנה נתתי
לכם verwiesen, wo übersetzt werden muß: "Hiermit gebe
ich euch...", vgl. auch Ps 2,7 בני אתה אני היום ילדתיך

---

2) D.MICHEL (Tempora..., S.92) zeigt mit Beispielen aus den Psalmen
   die syntaktische Funktion des perfectum, wo "ein Zusammenfall von
   Aussage und Handlung" in derselben Form stattfindet. "Perfectum
   declarativum" oder "Perfekt des Vollzugs" wird dieses perfectum
   genannt. E.KOSCHMIEDER (Zur Bestimmung der Funktionen grammatischer
   Kategorien, Abhandlungen der Bayerischen Akademie der Wissenschaf-
   ten, Neue Folge, 25(1945) behandelt ausführlich diese syntaktische
   Frage: "Ich war bei der Untersuchung der Funktion der sog. 'Tempora' im Hebräischen durch den Fall bĕrachtĭ 'ōtô = 'ich segne ihn
   hiermit' darauf aufmerksam geworden, daß es sich hierbei um einen
   Sonderfall handelt, in dem nämlich das Aussprechen des Satzes nicht
   nur von der Handlung spricht, sondern auch eben die betr. Handlung
   ist; die bezeichnete Handlung findet nicht nur gleichzeitig mit
   dem Aussprechen des betr. Satzes statt, wie in den übrigen Fällen
   der typischen Gegenwart..., sondern sie besteht überhaupt im Aussprechen des Satzes" (S.22).
   "Wenn ich oben sagte, die Koinzidenz beschränke sich auf Verba
   dicendi im weitesten Sinne des Wortes, so sind damit alle solche
   Verben gemeint, die eine durch Sprechen realisierbare Tätigkeit
   meinen, also *sagen, erklären, bitten, danken, befehlen, leugnen,
   zugeben,* usw. Dabei ist aber zu beachten: es sind das alles Verben,
   bei denen die betr. Tätigkeit durch das Aussprechen der betr. Form
   verwirklicht wird bzw. werden kann. Das Aussprechen einer solchen
   Form aber können wir oft durch eine entsprechende Gebärde begleiten,
   ja sogar symbolisch durch sie ersetzen.So ist z.B. in unserer Sprache ein Schütteln des Kopfes für 'das verneine ich hiermit' ganz
   allgemein im Gebrauch... Derartige symbolische Gebärden bestehen
   sehr oft in der Überreichung irgendeines Gegenstandes als Symbol
   der Zuerkennung einer Würde, der Anerkennung einer Gewalt, der
   Erteilung einer Befugnis usw." (S.24). KOSCHMIEDER unterscheidet
   die Koinzidenz von einem Präsens, wo nur berichtet wird und von
   dem Imperativ: "Was ich das Berichtspräsens genannt habe, liegt
   in der Ebene der Darstellung, der Koinzidenzfall aber liegt in
   der Ebene der Auslösung, und zwar heischt er keine Auslösung wie
   der Imperativ, sondern er ist Auslösung"(S.28).

"du bist mein Sohn, hiermit zeuge ich dich jetzt". Entsprechend ist wohl auch hier die Deixis ראה mit Afformativkonju-
gation (Perfekt) in der 1. Person zu übersetzen: "Ich schenke dir Gehör und erhebe dein Angesicht".

　　Zum 2. Problem: Im Wortfeld von שמע בקול wird hier
als Folge נשא פנים "das Angesicht erheben" = "Gnade, Gunst
erweisen" angegeben. Diese Folge macht deutlich, daß mit
שמע בקול nicht nur eine sinnliche Wahrnehmung gemeint sein
kann; es muß sich um mehr handeln. Die Zürcher Übersetzung
hat wohl mit ihrer Wiedergabe "Gehör schenken" das Richtige
getroffen: es geht hier um ein anteilnehmendes Eingehen
auf das Gehörte, es geht um das, was im Deutschen mit "Erhören" bezeichnet wird. Beim "Erhören" geschieht im Erhörenden
eine Wende: seine Haltung gegenüber dem Redenden ändert
sich, er geht auf das Vorgebrachte ein, er ändert seinen
Standpunkt. Man kann diese "teilnehmende Haltungsänderung"
(=Teilnahme ohne Einschränkungen) geradezu als Kennzeichen
der "Sprechhandlung" Erhören bezeichnen.

　　In dem Text findet sich eine interessante Differenzierung zwischen שמע בקול und שמע את דבר. Abigajils Worte
beginnen in V.24 mit der Bitte, David möge ihre Worte hören:
ושמע את דברי אמתך ("höre die Worte deiner Magd an"). Sie
bittet in ihrer Lage um "Anhörung" - die schicksalwendende
Sprechhandlung der "Erhörung" wird erst in der Antwort
Davids konstatiert. Der Unterschied zwischen שמע את דבריּ֫
אמתך und שמע בקול ist signifikant und beabsichtigt.

Saul ändert seine Haltung

1 Sam 19,6:　　　　　　　　　　　　　וישמע שאול בקול יהונתן
"Saul hörte auf Jonatan und schwor: So wahr der Herr lebt:
David soll nicht umgebracht werden".

　　Niemand kann Hören in diesem Satz als sinnliche Wahrnehmung betrachten. Eines ist klar: Die behandelte Wendung
und der Schwur gehören zur selben Sprechhandlung; nur in

diesem Zusammenhang ist die Äußerung zu verstehen. Zwar
geschieht eine Erhörung in dieser Handlung, aber der Charakter dieser Erhörung ist besonders zu beachten. So wie in
1 Sam 25 Abigajil hält hier Jonatan eine Vermittlungsrede;
"Jonathans Beweisführung ist klar und geschickt"[1]. Die
Haltung Sauls vor David ändert sich, eine tiefgreifende
Wende hat stattgefunden. Ein Schwur bestätigt und besiegelt
die geänderte Haltung. Die Weite des Ausdrucks ist dann
verständlicher, wenn man daran denkt, wie schwer es ist
‚Neid, Wut und Feindschaft zu überbrücken (1 Sam 18,29:
"So wurde Saul Davids Feind für alle Zeit"). In allen
בקול שמע-Sätzen ist die Bedeutung von שמע אל "auf einen
Wunsch, eine Bitte, auf einen Rat eingehen". שמע בקול geht
aber noch weiter: die Abstufung der Teilnahme ist hier
anders, die Erhörung bedeutet eine gründliche Wende; als
Garantie dafür folgt ein Schwur. Auch die großen Ähnlichkeiten mit 1 Sam 25,35 beweisen, daß der Gebrauch von שמע בקול
eine differenzierte Wendung der hebräischen Sprache ist.
Die Wiedergabe der Sprechhandlung mit einem einzigen Wort
ist kaum möglich. Die nächstliegenden Begriffe können "Gehör
schenken, erhören, beherzigen, halten zu, sich an jemanden
halten" sein.

Gott wandelt Tod in Leben

1 Kön 17,22:   וישמע יהוה בקול אליהו
"(Elija) rief Jahwe an und sprach: Jahwe, mein Gott, laß
doch die Seele dieses Knaben wieder in ihn zurückkehren!
Und Jahwe erhörte das Gebet Elijas: die Seele des Knaben
kehrte in ihn zurück, und er wurde wieder lebendig"
(1 Kön 17,21-22).

Außergewöhnlich in diesem Text ist nicht die Erhörung
selbst, sondern es sind die Umstände dieser Erhörung. Die

---

1) HERTZBERG, ATD 10[5],132.

Wendung שמע בקול markiert die Wende des Schicksals entspre-
chend der Fähigkeit des handelnden Subjekts. Ist Gott das
Subjekt, dann wird aus Tod Leben. Immer wo Gott als Subjekt
von שמע בקול erscheint, wird es ein tief eingreifendes
Ereignis. Das kann vieleicht verständlich machen, warum
Gott so selten im AT als Subjekt dieser Sprechhandlung
belegt ist. So lesen wir in Jos 10,14 einen Text, wo dieser
Vorgang als ein einmaliges Geschehen vorgestellt wird.

Einmalige Teilnahme Gottes

Jos 10,14: ולא היה כיום ההוא לפניו ואחריו לשמע יהוה בקול איש
"Weder vorher noch nachher hat es je einen solchen Tag
gegeben, an dem Jahwe Menschen erhörte; Jahwe kämpfte nämlich für Israel".

Die Einmaligkeit wird in diesem Text mit verschiedenen
Ausdrucksmitteln dargestellt: Vergangenheit und Zukunft
werden genannt; es wird der Ausdruck שמע בקול verwendet;
in dem כי-Satz wird das Subjekt, und zwar יהוה, ungewöhn-
licherweise vor das Verb gestellt. So wird es besonders
betont. Man könnte es als "Jahwe selbst" übersetzen. Ohne
Zweifel wird hier das ganz besondere Wirken Gottes angedeutet. Das Eingreifen Gottes wendet, wie in den oberen Belegen, das Schicksal des Volkes. Von jeder Erhörung Gottes
kann angenommen werden, daß dadurch eine Änderung im Geschick der Menschen eintritt, aber auf keinen Fall in dem
Maße und mit dem Nachdruck, wie es bei שמע בקול geschieht.
Der ganz persönliche und Gott entsprechende Einsatz kommt
zustande, wenn Gott in Beziehung zu Menschen das שמע בקול
ausübt. In der Erzählung des Sieges über die Amoriter wird
das Außergewöhnliche betont: die stehenbleibende Sonne,
der Mond, die Hagelsteine... שמע יהוה בקול איש ist dafür
eine geeignete Erklärung. Um den Sinn der hier durch שמע
בקול ausgedrückten Sprechhandlung genauer erfassen zu können, kann es hilfreich sein, drei Ebenen zu unterscheiden:

a)sinnliche Wahrnehmung, b)Erhörung, c)Einsatz (Handeln).

a) Wenn nur auf die sinnliche Wahrnehmung geachtet
wird, die natürlich als Grundlage gegeben sein muß, so
liegt gewissermaßen eine "Teilnahme" an einem physikalischen
Vorgang vor. Irgendeine weitergehende Reaktion des Hörenden wird nicht ausgedrückt.

b) Die Ebene der "Erhörung" dagegen ist "Teilnahme"
im übertragenen Sinn, sie verlangt eine personale Entscheidung, ein Einverstandensein. Die Folge der Erhörung kann
ein konkreter Einsatz des Erhörenden sein, auch wenn er
sprachlich nicht ausgedrückt wird.

c) Das ist bei dem "Eintreten", dem "Einsatz", der
auf Hören und Erhören folgt, anders: hier steht שמע בקול.
"Sinnliche Wahrnehmung" und "Erhören" sind selbstverständlich vorausgesetzt, aber nicht auf ihre Darstellung zielt
diese Wendung, sondern darauf, daß der Hörende und Erhörende
dann weiter handelt. Die abgestuften Inhalte dieser Wendung
sind also:
a) sinnliche Wahrnehmung,
b) sinnliche Wahrnehmung + Erhörung,
c) sinnliche Wahrnehmung + Erhörung + Einsatz.
In Jos 10,14 wird das Eintreten für jemanden zusätzlich
vermerkt: כי יהוה נלחם לישראל.

Gott läßt Horma zugrunde gehen

Num 21,3:   וישמע יהוה בקול ישראל ויתן את הכנעני
"Da tat Israel Jahwe ein Gelübde und sprach: Wenn du dieses
Volk in meine Hand gibst, so will ich an ihren Städten
den Bann vollstrecken. Und Jahwe erhörte Israel und gab
die Kanaaniter in ihre Hand, und Israel vollstreckte an
ihnen und ihren Städten den Bann. Daher nannte man den
Ort Horma"(Num 21,2-3).

In dieser ätiologischen Erzählung wird zuerst die
schwierige Lage der Israeliten geschildert (einige wurden
gefangen genommen). Dann wird ein Gelübde abgelegt. So

tritt Gott in Einsatz und verursacht die Wende in diesem
Schicksal. Auch wenn die Erzählung ziemlich kurz ist, wird
dennoch der Eingriff Gottes mit dem Gelübde vorbereitet.
Für die Vollständigkeit dieses Eingreifens Gottes spricht
auch das mit dem infinitivus absolutus verstärkte נתן.
Im selben Text (21,1) ist eine zweite Konstruktion vertreten, שמע כי, mit seiner typischen Anwendung in Erzählungen[1].

Jahwe erhört nicht die dringende Bitte

Dtn 1,45:   ולא שמע יהוה בקלכם ולא האזין אליכם
"Da rückten die Amoriter... und jagten euch nach... und
zersprengten euch von Seir bis gen Horma. Als ihr nun zu-
rückkamt, da weintet ihr vor Jahwe; doch Jahwe erhörte
euch nicht und leistete euch kein Gehör. So mußtet ihr
in Kadesch eine lange Zeit bleiben"(Dtn 1,44-46).

     Gott sollte nach den Klagen Israels das Schicksal
des Volkes wenden. Gott greift nicht ein, also findet diese
Wende nicht statt. Die Erzählung ist hier stark theologisch
geprägt. Die Bedeutung der Wendung bleibt unverändert.
Die konkrete Äußerung לא שמע יהוה בקל kommt nur an dieser
Stelle vor[2].

Ein Sohn wird Rahel geschenkt

Gen 30,6:   דנני אלהים וגם שמע בקלי ויתן לי בן
"Bilha wurde schwanger und gebar Jakob einen Sohn. Rahel
sagte: Gott hat mir Recht verschafft; er hat auch auf mich
gehört und mir einen Sohn geschenkt. Deshalb nannte sie
ihn Dan".

---

1) Eine andere Konstruktion in einer ähnlichen Erzählung findet sich
   in Num 33,20.

2) In diesem Text treten andere Konstruktionen von שמע auf: in Dtn
   1,34 וישמע יהוה את קל דבריכם als sinnliche Wahrnehmung; in Dtn 1,43
   ist das Verb absolut konstruiert.

Dieser Beleg allein könnte die Bedeutungsweite von
שמע בקול kaum erklären. Mit Hilfe der vorangegangenen Belege
kann aber versucht werden zu verstehen, warum hier שמע בקול
gebraucht wird. Rahel befindet sich in einer schwierigen
Lage. Sie kann kein Kind gebären. Durch ihre Magd Bilha
bekommt sie ein Kind. Diese Erhörung wird als tiefeingrei-
fendes Wirken Gottes verstanden. Der Einsatz Gottes wird
schon im Parallelismus ausgedrückt: "Gott hat mir Recht
verschafft"; anchließend wird die Ausführung erzählt: "Und
er hat mir einen Sohn geschenkt". Gott ist der Erhörende
und der Rechtschaffende. So hat sich das Schicksal Rahels
geändert[1].

Gott sendet seinen Boten

Ri 13,9: וישמע האלהים בקול מנוח ויבא מלאך האלהים עוד אל האשה
"Da betete Manoah zu Jahwe und sprach: Erlaube, Herr! Der
Gottesmann... möge doch noch einmal zu uns kommen... Gott
erhörte die Bitte Manoachs, und der Engel Gottes kam noch
einmal zu dem Weibe...".

Warum wird hier שמע בקול angewendet? W.RICHTER ist
der Meinung, "daß das Kapitel als Einleitung zu dem Simson-
geschichten verfaßt wurde unter Verwendung geläufiger Moti-
ve"[2]. Am Anfang ist die Rede "mit Naziräatregeln, die zweimal wiederholt werden, also deutlich den Schwerpunkt bilden"[3].
Danach hat die Erscheinung des Boten eine Schlüsselposition

---

1) Bei weiteren Geburtserzählungen (siehe Gen 30,17 -Lea-; Gen 30,22
   -Rahel-) wird die Erhörung mit שמע אל ausgedrückt.
2) RICHTER, TraditionsgUntersuchungen 141.
3) Ibid. 141.

im ganzen Text. So zeigt sich Gott durch שמע בקול nicht
nur als der Erhörende, sondern er ist der, der diese Geschichte in Bewegung setzt[1].

Äußerung von Bitten durch שמע בקול?

Nach den besprochenen Texten könnte man vermuten,
daß die Wendung שמע בקול für die Äußerung von Bitten und
Gebeten gebraucht wird. Aber die vorgetragenen Stellen
und Ps 130,2 sind eigentlich die einzigen Fälle, wo שמע
בקול in einem Zusammenhang mit Bitten vorkommt. Mit Ausnahme
von Ps 130,2 wird in den Psalmen oder in anderen Gebetstexten nie שמע בקול gebraucht. Bei der Auslegung von Ps 130
sollte das Gewicht dieses Ausdrucks berucksichtigt werden.

Ps 130,2: אדני שמעה בקולי תהיינה אזניך קשבות לקול תחנוני
"Aus der Tiefe rufe ich, Herr, zu dir. Herr, höre meine
Stimme! Laß deine Ohren merken auf die Stimme meines Fle-
hens!".

Die Bitten werden in den Psalmen eigentlich mit den
folgenden Ausdrücken bezeichnet: שמע - שמע תפלה - שמע קול
תחנה. In 1 Kön 8 (2 Chr 6) und Neh 1,6 wird שמע אל benutzt.
Sucht man nach einem Grund für die Verwendung der Konstruktion שמע בקול in Ps 130,2, so kann die Auslegung GUNKELs
helfen. "Die Dichter lieben es in der Leidenschaftlichkeit
ihrer Volksart, sich vorzustellen, sie seien tot und bereits
von den Wassern der Unterwelt umfangen, und hoffen, durch

---

1) Die Bittrede beginnt mit בי אדני: "Ein Niedrigerstehender wagt etwas
   zu äussern, das den Gedanken der übergeordneten Persönlichkeit wider-
   spricht, oder nimmt sich heraus, ein Gespräch zu beginnen, was dem
   Höherstehenden unter Umständen nicht angenehm sein könnte" (I.LANDE,
   18-19).

solches Wort Gott zu rühren". "In Not und Tod fühlt sich
der Dichter ferne von Gott, darum flehet er so eindringlich
und schreit er so laut"[1]. In dieser extremen Lage soll
Gott tief eingreifen und das Schicksal wenden. GUNKEL hat
diese Fassung mit Genauigkeit erläutert: ב שמע = mit innerer
Teilnahme hören"[2].

Verhalten der Kinder zu den Eltern

Dtn 21,18-21:   איננו שמע בקול אביו ובקול אמו
                                 ויסרו אתו ולא ישמע אליהם
                                 איננו שמע בקלנו

"Wenn ein Mann einen störrischen und widerspenstigen Sohn
hat, der seinem Vater und seiner Mutter nicht gehorcht, und
wenn sie ihn züchtigen und er trotzdem nicht auf sie hört,
dann sollen Vater und Mutter ihn packen, vor die Ältesten
der Stadt und die Torversammlung des Ortes führen und zu
den Ältesten der Stadt sagen: Unser Sohn hier ist störrisch
und widerspenstig, er gehort uns nicht, er ist ein Ver-
schwender und Trinker. Dann sollen alle Männer der Stadt
ihn steinigen, und er soll sterben. Du sollst das Böse
aus deiner Mitte wegschaffen. Ganz Israel soll davon hören,
damit sie sich fürchten".

    Der gesetzliche Text regelt einen Fall, bei dem eine
dauernde Haltung vorhanden ist; dafür sprechen am Anfang
die Partizipialformen בן סורר ומורה[3]. Parallel zum ersten
Satz steht איננו שמע בקול...; auch hier eine dauernde,
allgemeine negative Haltung (zum Vater und zur Mutter).
    Der Text zeigt die Differenzen zwischen שמע בקול und

---

1) GUNKEL, psalmen 561.

2) Ibid. 562.

3) JOÜON, Grammaire §121c: "Le participe représente l'action d'une ma-
    nière qui ressemble à un état, à aavoir sous l'aspect duratif".

שמע אל.

איננו שמע בקל אביו ובקול אמו: Der Satz beschreibt
einen durch das Verhalten des Sohnes unerträglich gewordenen
Zustand; der Parallelsatz bestätigt diesen Eindruck. Ein
Gesetz braucht nicht weitere Einzelheiten zu berichten.
Gewohnheit und Tradition bestimmen die konkrete Auslegung
des Gesetzes näher. In diesem Zustand muß etwas unternommen
werden. Da die Lage schon sehr ernst ist, verlangt das
Gesetz eine Züchtigung seitens der Eltern.

ולא ישמע אליהם: Mahnung und Antwort sind ein konkreter
Vorgang in dem vorher beschriebenen dauernden Zustand.
Die Mahnung zielt auf eine positive Reaktion. Gerade diese
konkrete Antwort auf die Mahnung wird durch die präpositionale Bildung שמע אל ausgedrückt.

איננו שמע בקלנו: Weil durch die Züchtigung eine positive Reaktion nicht erreicht wurde, bleibt der alte Zustand
in Geltung. Dieser Zustand wird als Anklage vor der Torversammlung vorgetragen. Die Anklage erwähnt auch die partizipiale Beschreibung סורר ומרה und die negative Schilderung
wird mit זולל וסבא erweitert. Die ganze Beschreibung soll
die bis zur Unverträglichkeit gestörten Sohn-Eltern-Verhält-
nisse darstellen.   Sogar der Begriff Gehorsam gibt nur
teilweise die Sprechhandlung wieder. Es geht um allgemein
gestörte Verhältnisse, die ein weiteres Leben unerträglich
und unmöglich machen. Darum soll die Steinigung als unver-
meidliche Lösung das Böse entfernen. Das Verhältnis der
Zugehörigkeit in der Familie ist ständig gestört. Wenn
man die gewöhnliche Übersetzung *nicht gehorchen* benutzt,
sollte man dabei nicht übersehen, diesen dauernden Zustand
wiederzugeben.

Der 2mal in diesem Text vorkommende Begriff מרה *widerspenstig sein* kann, wie auch hier die Parallelität zeigt,
ähnliche Sprechhandlungen wiedergeben[1]. Der Begriff ist

---

1) KNIERIM, THAT I 930: "In der Prophetie des 8. und 7. Jahrhunderts
   wird das Wort dann auf das Gesamtverhältnis des Volkes zu Jahwe
   ausgeweitet".

häufiger Parallelbegleiter von שמע. Daß an mehreren dieser
Stellen שמע ohne Präposition steht, ist damit zu begründen,
daß die Sprechhandlung aus dem Kontext verständlich wird;
das parallele Verb מרה ist schon ein Zeichen für die Bedeutung von שמע ohne Präposition. In Dtn 21,18-21 wird dagegen
die präpositionale Wendung 2mal wiederholt. Auch hier ist
die genaue Bedeutung an den parallelen Sätzen zu erkennen.
Selbstverständlich muß man mit der Freiheit des Schriftstellers rechnen. Vielleicht gibt es aber auch einen objektiven
Grund für die doppelte Verwendung von שמע בקול in demselben
Text: gesetzliche Texte verlangen extreme Deutlichkeit
in ihrem Ausdruck. Es geht hier um Leben und Tod.

     Zusammenfassend: Dtn 21,18-21 beschreibt einen Straf-
fall mit der Folge:

Anklage: איננו שמע בקול אביו ובקול אמו
Züchtigung: ולא ישמע אליהם
endgültiges Urteil: איננו שמע בקלנו
Vollstreckung und Bekanntmachung: ישמעו

Ablehnung und Schandtat Amnons
2 Sam 13,14.16:   ולא אבה לשמע בקולה ויחזק ממנה ויענה
                              ולא אבה לשמע לה

"Doch Amnon wollte auf ihre Bitte nicht eingehen, sondern
packte sie und zwang sie, mit ihm zu schlafen... Sie erwiderte ihm: Nicht doch! Wenn du mich wegschickst, wäre das
ein noch größeres Unrecht als das andere, das du mir angetan
hast. Er aber wollte nicht auf sie hören".

     Ablauf und Technik der Erzählung zeigen deutliche
Ähnlichkeiten mit 1 Sam 25. Dort erreicht Abigajil mit
ihrer Rede und Haltung, daß Wut und Sehnsucht nach Rache
durch Wohlwollen ersetzt werden. Hier in einer ähnlich
dringenden Situation erreicht Tamar keine Wende in der
Haltung Amnons. Diese totale Ablehnung der Bitten wird
mit ולא אבה לשמע בקולה ausgedrückt.
     Nachdem die umfassende Bitte abgelehnt wurde, sollte

wenigstens eine einzelne Bitte angenommen werden. In diesem
zweiten Fall wird dagegen ל שמע gebraucht. So wird zu
einer allgemeinen negativen Haltung (ולא אבה לשמע בקול)
noch eine negative Tat (לא אבה לשמע ל) hinzugefügt[1].

Saul und die Wahrsagerin

1 Sam 28,21-23:　　　　　　הנה שמעה שפחתך בקולך ואשים נפשי בכפי

ו_אשמע את דבריך אשר דברת אלי

ועתה שמע נא גם אתה בקול שפחתך

וישמע לקלם ויקם

"Die Frau ging zu Saul hin und sah, daß er ganz verstört
war; sie sagte zu ihm: Deine Magd ist willfährig gewesen
(=hat auf deine Stimme gehört) und hat ihr Leben aufs Spiel
gesetzt (hebräisch: "ich habe mein Leben aufs Spiel gesetzt") und so vernahm, was du zu ihr gesagt hast. Jetzt
aber höre auf deine Magd! Ich will dir ein Stück Brot geben,
du sollst essen... Er aber weigerte sich und sagte: Ich
esse nichts. Doch seine Diener und die Frau drängten ihn,
bis er darauf einging" .

　　Drei verschiedene Konstruktionen von שמע sind im Text
vorhanden: שמע בקול (2×); שמע לקול; שמע את דבריך; שמע את. Zuerst
wird den Zustand Sauls gezeigt. Er liegt auf dem Boden
und hat keine Kraft mehr. Die Frau muß bestätigen, daß
נבלב מאד. Energisch muß sie reagieren, um Saul zu helfen.Sie
war bereit gewesen auf Sauls Wünsche einzugehen (שמע בקול);
mit ihrem Einsatz setzte sie ihr Leben aufs Spiel. Das
geschah, indem die Frau sich bereit erklärte, Sauls Worte

---

1) In derselben Erzählung (V.21) steht die Konstruktion שמע את כל הדברים.
   So wird eine sinnliche Wahrnehmung ausgedrückt. Für drei verschiedene Sprechhandlungen besitzt dieser Text drei Konstruktionen.

2) Nach dem Subjekt in 3. Person (= deine Magd) als Form der Höflich-
   keit und der Huldigung folgt die Erzählung im Ich-Still, in 1. Person. Es handelt sich um eine übliche Konstruktion des Hebräischen.—
   Siehe auch 2 Sam 19,36.

zu vernehmen (שמע את דברי). Die Frau hat aber nicht den
gewünschten Erfolg (וימאן ויאמר לא אכל). Jetzt folgen die
Bemühungen der Diener und der Frau, Saul zu überzeugen.
Endlich reagiert Saul positiv, aber erst nach vielen Verzö-
gerungen. Das wird von dem Erzähler differenziert ausgedrückt, eben mit שמע לקול. Es bedeutet: ein Ja nach Verhandlungen oder nach Ähnlichem, wie bei שמע ל/שמע אל. Auch
in dieser Erzählung werden die Präpositionen geregelt und
bewußt verwendet.

Diese letzten drei Belege sind eine Bestätigung für
den Gebrauch und für die Bedeutung von שמע בקול. An diesen
Stellen waren gleichzeitig andere Konstruktionen vertreten:

Dtn 21,18-21	2 Sam 13,14.16.21	1 Sam 28,21-23
שמע בקול	שמע בקול	שמע בקול
שמע אל	שמע ל	שמע לקול
וישמעו	שמע את הדברים	שמע את דבריך

So sind Ähnlichkeiten und klare Unterschiede zwischen
שמע בקול und שמע ל/אל/לקול bemerkbar. Außerdem sind der
Eindruck, daß in diesen drei Konstruktionen (שמע ל/אל/לקול)
keine Bedeutungsunterschiede spürbar.

Die Vollständigkeit der Teilnahme, die für שמע בקול
kennzeichnend ist, kann sich in einer längeren Zeit (Dtn
21,18-21) oder in Handlungen, bei denen die Zeitlichkeit
nicht entscheidend ist (2 Sam 13,14.16; 1 Sam 28,21-23),
verwirklichen. Es kann eine wiederholte Handlung (=Haltung)
oder eine einmalige Handlung sein.

Deutlich anders wird die sinnliche Wahrnehmung (hören,
erfahren) ausgedrückt. Hier finden sich zwei Möglichkeiten:
שמע- שמע את absolut konstruiert.

Befehl der Mutter

Gen 27,8.13.43:   ועתה בני שמע בקלי לאשר אני מצוה אתך
"So höre nun, mein Sohn, auf mich hinsichtlich dessen,
was ich dich heiße".

עלי קללתך בני   אך שמע בקלי ולך קח לי

"Der Fluch komme über mich, mein Sohn! Höre du nur auf
mich, geh und hole mir's".

ועתה בני שמע בקלי   וקום ברח לך אל לבן

"Siehe, dein Bruder Esau will an dir Rache nehmen und dich
töten. So höre nun auf mich, mein Sohn: mache dich auf
und fliehe zu meinem Bruder Laban".

   Bei diesen drei Belegen aus Gen 27 scheint die durch
שמע בקול ausgedrückte "Sprechhandlung" neben sinnlicher
Wahrnehmung und Erhören auch den "Einsatz" zu betonen:
in V.8 wird auf das aus dem Erhören folgende Tun inhaltlich
hingewiesen, in V.13 und V.43 wird es ausdrücklich erwähnt.
Außerdem kann ein entsprechender Sachverhalt auch durch
שמע אל ausgedrückt werden, wie Gen 28,7 zeigt:

וישמע יעקב אל אביו ואל אמו

   Stil- oder dialekt- oder zeitbedingte Unterschiede
können hier nicht ausgeschlossen werden. So fällt neben
dem häufigen Gebrauch von שמע בקול in Gen 27 auf, daß die
Priesterschrift שמע אל verwendet und שמע בקול garnicht
kennt!

   Gen 27 scheint auch sonst einige Unebenheiten zu zeigen. NOTH formuliert: "Gen 27 enthält einige Unebenheiten,
bei denen man zweifeln kann, ob sie nur auf Textwucherungen
zurückgeführt werden können"[1].

Die Treue der Rechabiter zum Ahnvater Jonadab

Jer 35,8-10:   ונשמע בקול יהונדב בן רכב אבינו לכל אשר צונו

ונשמע ונעש ככל אשר צונו יונדב אבינו

"Und sagte zu ihnen: Trinkt Wein! Sie aber entgegneten:
Wir trinken keinen Wein; denn unser Vater Jonadab, der
Sohn Rechabs, hat uns geboten... Wir sind dem Auftrag unse-
res Vaters Jonadab, des Sohnes Rechabs, in allem, was er

---

1) NOTH, Überlieferungsgeschichte 30.

uns gebot, treu geblieben; wir tranken also zeitlebens
keinen Wein, weder wir noch unsere Frauen, Söhne und Töchter. Wir bauten uns keine Wohnhäuser, wir besaßen keinen
Weinberg, keinen Acker und keine Saat. Wir wohnten in Zelten. Wir hielten uns an Jonadab (=hörten auf die Stimme
Jonadabs) und handelten genau so, wie unser Vater Jonadab
es uns geboten hat".

Diese gewissenhafte und immer treue Haltung und Antwort
auf die Anordnungen des Ahnherrn wird durch בקול שמע geschildert und durch bedingungslose Annahme und sorgfältige
Bewahrung charakterisiert. Die Übersetzung "gehorchen"
umfaßt nur einen Teil der Ausdruckskraft dieser Wendung.
Zu solcher Haltung gehören außer dem Gehorsam auch überzeugung und Liebe. Der Begriff Treue scheint wohl besser
geeignet, die Sprechhandlung der Erzählung wiederzugeben,
als der Begriff Gehorsam. Die Haltung bezieht sich auf
die Gesamtheit der Anordnungen (לכל אשר צוונו).

V.10 wiederholt dies nach der zweiten Aufzählung der
Anordnungen. Zu beachten ist der Parallelismus (auch wenn
als wajjiqtol konstruiert) mit עשה[1]. Wie bei zusammenfassender Wiederholung üblich, steht das Verb שמע ohne Präposition.

Die hohe Zahl der Belege שמע בקול יהוה im Jer-Buch,
die allgemein als dtn/dtr betrachtet werden, bringt große
Unsicherheit in die Beurteilung der Zugehörigkeit dieses
Textes (Jer 35,1-11). Der Ausdruck שמע בקול יהונדב scheint
hier, wie in den oben zitierten Texten, eine allgemeine
Konstruktion der hebräischen Sprache zu sein und nicht
eine formelhafte Wendung des dtn/dtr Stils. Es gibt gute
Gründe, Jer 35,1-11 für jeremianisch zu halten: "Die uner-
findlichen Einzelheiten über Personen, Ort und Vorgang

_____

1) Ähnliche Stellen werden noch behandelt.

gehen wohl auf Jeremia selbst zurück[1]. In Jer 35,12-18
dagegen sind Wendungen vertreten, die zu späteren Schichten
des Jer-Buches gehören: שמע אלי (3×), שמע על/אל. שמע wird in
diesen Versen 7mal belegt. Dabei handelt sich nicht mehr
um Erzählungen, sondern um theologische Äußerungen[2].

Die Treue zur Weisheitslehre

Spr 5,12:   ולא שמעתי בקול מורי ולמלמדי לא הטיתי אזני
"Dann wirst du bekennen: Weh mir, ich habe die Zucht gehaßt,
mein Herz hat die Warnung verschmäht; ich habe zu meinen
Erzieher nicht gehalten(= ich habe auf die Stimme...nicht
gehört), mein Ohr nicht meinen Lehrern zugeneigt. Fast
hätte mich alles Unheil getroffen in der Versammlung und
in der Gemeinde".

   Im Spr 5 werden die Gefahr und die Folgen des Ehe-
bruchs nach der Weisheitslehre behandelt. Die parallelen
Aussagen von V.12 zeigen eine schwerwiegende Verachtung
der Lehre; es ist von einem tiefen Versagen die Rede. לא
שמעתי בקול מורי hätte die Untreue dem Lehrer gegenüber
bedeutet. Während eine solche Haltung vor den Eltern in
Dtn 21,18 mit dem Tod bestraft wird, ist hier das Unheil
inmitten der Gemeinde die Strafe. Die gewöhnliche Konstruktion für Mahnung und Einladung im Spr-Buch ist שמע ל[3].

---

1) WEISER, ATD 21,325. Auch THIEL (WMANT 52,45) verteidigt die jeremianische Herkunft dieses Textes: "Der zugrunde liegende Text, ein prophetischer Selbstbericht, liegt also, von Kleinigkeiten abgesehen...
   in 2-12.19 vor. Er berichtet, daß Jeremia die an der halbnomadischen
   Lebensweise festhaltenden Rekabiter zum Weintrinken veranlassen will
   und ihnen nach ihrer mit der Treue gegenüber den Satzungen des Ahnherrn begründeten Weigerung ein heilverkündendes Gotteswort übermittelt".

2) Nach THIEL (WMANT 52,46-47) kommt Jer 35,12-18 vollständig von D her.
   Er konfrontiert die Treue der Rechabiter mit der Untreue des Volkes.
   Diesem Zweck dient die in Vv.13-17 eingefügte Predigt.

3) Siehe Spr 1,33; 5,7; 7,24; 8,32.34.

Anerkennung der Führungsrolle Mose

Ex 4,1:   והן לא יאמינו לי ולא ישמעו בקלי
"Wenn sie mir aber nicht glauben und nicht auf mich hören
wollen, sondern sagen: Jahwe ist dir nicht erschienen?"

     Die Haltung gegenüber wahren und falschen Propheten,
vor Traumauslegern und Wahrsagern wird mit שמע אל ausgedrückt. Warum hier dagegen שמע בקול in bezug auf Mose?
Die Erklärung ist wahrscheinlich in der Tatsache zu finden,
daß für Mose eine ganz besondere Führungsrolle beansprucht
wird. Er ist in seiner Rolle viel mehr als ein Prophet.
Diese ganz besondere Rolle kann nur von Gott bestätigt
werden. Darum ist die Erscheinung Gottes unbedingt erfor-
derlich. Mose in Ex 4,1 ist eher mit dem Ahnvater der Rechabiter in Jer 35,1-11 zu vergleichen.

Einfluß des midianitischen Priesters

Ex 18,19:   עתה שמע בקלי איעצך ויהי אלהים עמך
"So höre nun auf mich, ich will dir raten, und Gott wird
mit dir sein".

     Die Erzählung will wahrscheinlich den midianitischen
Einfluß auf den israelitischen Glauben und Kult andeuten[1].
Die Rechtsordnung folgt auf den Rat des midianitischen
Schwiegervaters Moses hin. Diese Abhängigkeit in entschei-
dender Sache wird mit שמע בקלי wiedergegeben. Sie wird
aber als unbedingter Gehorsam berichtet. Dieses Ereignis
wird in Verbindung mit der Tatsache gebracht, daß ויהי
אלהים עמך Gott mit dir sein wird. Das Verhältnis Moses
zu seinem Schwiegervater wird also nicht nur familiäre
oder menschliche Folgen haben; praktisch ist das ganze

---

1) NOTH (Überlieferungsgeschichte 150-155): "Es ist die landläufige Meinung, daß dem die geschichtliche Tatsache zugrunde liege, daß eine
   solche Rechtsprechungsordnung bei israelitischen Stämmen...nach ma-
   dianitischem Vorbild aufgekommen wäre; und man wird über diese landläufige Meinung auch kaum wesentlich hinauskommen können".

Dasein Israels davon abhängig. Gott selbst und die Beziehung Gott-Israel sind im Spiel. Darum verdient Jetro der Gehorsam und Treue von Mose und vom ganzen Israel. So zeigt sich Jitro (Midian) als Glaubensvorfahre Israels.

Es bleibt aber eine Frage unbeantwortet: Warum wird das Handeln Moses in V.24 mit שמע לקול beschrieben? Will so der Verfasser vielleicht diese Abhängigkeit abschwächen? Eine andere Erklärung scheint wahrscheinlicher: Die Empfehlungen des Jitro in Vv.24-27 beziehen sich nur auf die Einstellung von Richtern für Rechtsfragen. שמע בקול in V.19 bezieht sich dagegen auf ein breiteres Feld: Anwalt fürs Volk, Belehrung über Gesetze und Gesetzgebung, Führung des Volkes...Die Führungsrolle wird angedeutet; berichtet wird nur von einem kleinen Teil dieser Aufgaben. Sollte das stimmen, dann handelte es sich hier um denselben Fall wie in 1 Sam 28,22.23. Auch sonst haben Ex 19,19.24 und 1 Sam 28,22.23 große Ähnlichkeiten:

ועתה שמע נא גם אתה בקול שפחתך	עתה שמע בקלי
ואשמה לפניך פת לחם	איעצם
ויהי בך כח	ויהי אלהים עמך

Anerkennung des '^{e}b^{e}d als geistlichen Führer

Jes 50,10: מי בכם ירא יהוה שמע בקול עבדו

"Wer von euch Jahwe fürchtet, der halte sich an seinen Knecht(= höre auf die Stimme...)".

Damit wird empfohlen, den Ebed anzuerkennen und ihm die Treue (Huldigung-Ergebenheit) zu erweisen. Er wird so als Lehrer des Glaubens und des richtigen Lebens für die Jünger dargestellt[1]. Wie die Rechabiter vor Jonadab(Jer

---

1) MICHEL, (TRE 8,525-527): "50,10-11 ist bekanntlich dadurch von v.4-9 unterschieden, daß nicht mehr der '^{e}b^{e}d in Form einer Konfession redet, sondern daß über den '^{e}b^{e}d geredet wird. Wenn die Erklärung einer Nachinterpretation beim 1. und 2. Lied richtig ist, dürfte sie auch hier die nächstliegende Annahme sein, allerdings mit dem Unterschied, daß 50,10-11 von Anfang an nur auf den '^{e}b^{e}d bezogen war". Hier "finden sich Aussagen, die nach MOWINCKEL und mit vielen anderen biographisch-autobiographisch zu verstehen sind".

35,1-12), wie der Weise vor der Weisheitslehre(Spr 5,12),
so wird auch in Jes 50,10 die Treue zum '^e^b^e^d als Verpflichtung eines Jüngers angesehen. So wird der '^e^b^e^d wie ein
neuer Mose betrachtet, der die Gemeinde führt.

Der Pharao fühlt sich nicht vor Jahwe verpflichtet

Ex 5,2:   מי יהוה אשר אשמע בקלו לשלח את ישראל
"Der Pharao erwiderte: Wer ist Jahwe, daß ich auf ihn höre
und Israel ziehen lassen sollte? Ich kenne Jahwe nicht
und denke auch nicht daran, Israel ziehen zu lassen".

        שמע בקול setzt für den Pharao voraus, daß er Jahwe
als Gott erkennt und ihm huldigt; das ist aber nicht der
Fall. Mit der Frage und mit der Behauptung: er kennt diesen
Gott nicht, ist die Entscheidung, nicht auf ihn einzugehen,
ausreichend begründet.

Das Volk schwört die Treue zu Gott

Jos 24,24:   את יהוה אלהינו נעבד ובקולו נשמע
"Das Volk aber sagte zu Josua: Nein, wir wollen Jahwe dienen. Josua antwortete dem Volk: Ihr seid Zeugen gegen euch
selbst... Sie antworteten: Das sind wir. Schafft also jetzt
die fremden Götter ab... und neigt eure Herzen Jahwe zu,
dem Gott Israels! Das Volk sagte zu Josua: Jahwe, unserm
Gott, wollen wir dienen und zu ihm halten(= auf seine Stimme
hören)"(Jos 24,21-24).

        Dieser deuteronomistische Text[1] bringt mit Deutlichkeit
den Sinn von שמע בקול zum Ausdruck; es wird ein Eid abgelegt, die fremden Götter werden entfernt und von ganzem
Herzen soll sich jeder zum Herrn neigen. Alles, was von

---

1) NOTH (HAT 7,136) hält den ganzen Absatz Jos 19-24 für deuteronomistisch. PERLITT (WMANT 36,272) hält Jos 24 für dtn mit dtr Glossen.

Josua in den ersten Sätzen verlangt wird (=die Entschlos-
senheit für Jahwe), wird von dem Volk akzeptiert. Diese
Entscheidung wird mit den Worten עבד + שמע בקול formuliert.
Wenn dieser Text mit Jer 35,1-11 verglichen wird, ergibt
sich: עבד + שמע בקול bedeutet die Treue zu einer Person
oder zu Gott; עשה + שמע בקול bedeutet die Treue zu Geboten
oder Anweisungen.

   Im selben Kontext (Jos 24,27) steht der Satz:

כי היא שמעה את כל אמרי יהוה אשר דבר עמנו

"Dieser Stein wird ein Zeuge sein gegen uns; denn er hat
alle Worte des Herrn gehört, die er zu uns gesprochen hat".
Der Stein hat die Worte gehört (=sinnliche Wahrnehmung);
dafür benutzt der Text שמע את.

Abraham soll Saras Vorschlag folgen

Gen 21,12:   כל אשר תאמר אליך שרה שמע בקלה
"Da sagte sie zu Abraham: Vertoße diese Magd und ihren
Sohn!... (Dieses Wort verdroß Abraham sehr, denn es ging
doch um seinen Sohn.) Gott sprach aber zu Abraham: Sei
wegen des Knaben und deiner Magd nicht verdrossen! Geh
auf alles, was dir Sara sagt, ein"(Gen 21,10-12).

   Verdruß und als Folge Ablehnung, göttlicher Befehl
und unbeschränkter Einsatz oder Erfüllung des Befehls sind
die Stufen im Ablauf der Erzählung. Die Worte Saras finden
bei Abraham nur Ablehnung, weil der Knabe sein eigener
Sohn ist. Dann trifft das Wort Elohims den Abraham. Er
soll die Wünsche seiner Frau vollständig annehmen und vollstrecken. Ohne ein Wort über die Gefühle Abrahams zu sagen,
berichtet der Elohist die Durchführung des Befehls und
die liebevolle Versorgung von Mutter und Kind am frühen
Morgen. Diese Vollständigkeit wird von Gott mit dem impera-
tivischen שמע בקלה...verlangt. Abraham muß sich von seinem
Sohn trennen, ein schreckliches Opfer für einen Vater.
Ähnliches wird in Gen 22,18 von dem Elohisten bei der Opferung Isaaks erzählt. שמע בקול als Ausdruck der Vollständig-

keit des Gehorsams, zeigt hier einen wichtigen Zug der
elohistischen Theologie. Abraham wird von Gott geführt
in einer Art und Weise, die menschlichen Gefühlen und Über-
zeugungen nicht entspricht. Die Durchführung ohne irgendwel-
chen Widerstand zu zeigen, bezeugt auch hier die Treue
Abrahams. Er war über die Wünsche seiner Frau verdrossen;
aber er folgt allen ihren Wünschen, sobald Gott befiehlt
שמע בקלה. Damit hört die menschliche Sorge nicht auf: Brot
und Wasser sollen das Leben der Hagar und ihres Sohnes
erhalten (V.14). In Wirklichkeit wird Gott für das Überleben
sorgen.

   Ähnliche Befehle findet man in 1 Sam 8: Samuel soll
die Wünsche des Volkes befolgen und einen König einsetzen.
Der Text Gen 21,6.8-21 bietet eine einheitliche Erzählung
und gehört zum Elohisten[1]. In diesem Text sind auch andere
Konstruktionen von שמע enthalten:

Gen 21,17:   וישמע אלהים את קול הנער
                              כי שמע אלהים אל קול הנער

"Da hörte Gott die Stimme des Knaben (= den Knaben), und
der Engel Gottes rief der Hagar vom Himmel zu und sprach
zu ihr: Was hast du, Hagar? Fürchte dich nicht; denn Gott
hat den Knaben erhört, dort wo er liegt".

   Zuerst wird eine sinnliche Wahrnehmung ausgesprochen
(את קול הנער): Gott hört den Knaben (= die Stimme des
Knaben). Nachdem der Erzähler von der sinnlichen Wahrnehmung berichtet hat, nennt er die Worte des Boten Gottes.
Er spricht von der Reaktion Gottes. Gott hat auf das Schrei-
en des Knaben gehört, er wird für ihn sorgen. Bewußt verwendet hier der Erzähler die Ausdrucksmöglichkeiten, die ihm
שמע anbietet: שמע בקול: die Antwort auf das verpflichtende
Wort Gottes, das Eingehen Abrahams auf die Wünsche seiner
Frau, ohne daß er die eigenen Gefühle berücksichtigt; שמע
את קול הנער : sinnliche Wahrnehmung. שמע אל קול הנער: Äuße-

---

1) NOTH, Überlieferungsgeschichte 38; EISSFELDT, Synopse 35*-36*.

rung der Erhörung.

Die Einheitlichkeit und das Alter[1] dieses Textes
bestätigen, daß die verschiedenen שמע-Konstruktionen mit
ihren verschiedenen Nuancen schon immer in der hebräischen
Sprache geläufig waren, daß בקול שמע keine neue Erfindung
der dtn-dtr Theologie ist.

Einige Handschriften (nicht aber die wichtigsten)
harmonisieren den V.17 und verwenden 2mal קול את שמע. Der
Text selbst bietet keinen Anlaß für eine solche Harmonisie-
rung. Die Ausführung der Rettung in V.18 läßt 17b ganz
deutlich als Erhörung verstehen. Nicht nur die syntaktische
Konstruktion, auch die Erzählung selbst verlangt eine solche
Erhörung. Dennoch sei bemerkt: אל שמע gilt als gewöhnliche Konstruktion für den Ausdruck der Erhörung und ähnliche
Sprechhandlungen. Der konkrete Ausdruck קול אל שמע ist
nur in Gen 21,17 belegt.

Abraham wird wegen seiner Haltung gesegnet

Gen 22,18:   עקב אשר שמעת בקלי
"Ich will dir Segen schenken in Fülle und dein Geschlecht
so zahlreich machen... und dein Geschlecht wird das Tor
seiner Feinde einnehmen. Segnen sollen sich mit deinen
Nachkommen alle Völker der Erde, weil du auf mich gehört
hast".

Die Vv.15-18 sind vermutlich ein sekundärer Zusatz[2].
In diesem sekundären Text[3] übernimmt בקול שמע die Rolle

---

1) NOTH, Überlieferungsgeschichte 119[313]: "In Gen 21,8ff. E ist Ursprüngliches insofern erhalten, als hier Ismael und Isaak einander gegenü-
   bergestellt werden, während Gen *16 J aus uns unbekannten Gründen in
   die Zeit vor der Geburt Isaaks verlegt ist, so daß Isaak hier völlig
   fehlen muß".

2) Mit dieser Frage hat sich KILIAN beschäftigt (SBS 44,27-28).

3) GRAF VON REWENTLOW (BS 53,73-74) hält Gen 22,17-18 für eine Vereini-
   gung der Quellen E und J.

einer theologischen Beurteilung der ganzen Erzählung. Bereitschaft und Einsatz als einmaliger Gehorsam werden mit
der Wendung zusammengefaßt. Wie in Gen 21,14 wird die Ausführung ohne Einwände erzählt. Der Redaktor hat keine bessere Wendung gefunden, um die Einmaligkeit des Geschehens
und der Haltung zu verdeutlichen.

Die bis jetzt besprochenen Belege haben zwei Aspekte
ausreichend nachgewiesen: 1. בקול שמע wird in unterschiedlichen Lebensbereichen und Sprechsituationen verwendet; 2.
bei Bitten oder Befehlen unterstreicht die Wendung die
Funktion der Beteiligung in positiver oder negativer (=
Ablehnung) Weise. Dieses beteiligende Wirken kann sich
in verschiedenartigen Lebensbeziehungen darstellen: Gott
für die Menschen, der König oder der Mächtige für die Untertanen, das Kind für die Eltern, der Jünger für den Meister
usw. Der Gedanke der Abhängigkeit oder des Gehorsams ist
keine zum Begriff בקול שמע gehörende Komponente; jedoch
bietet die syntaktische Bildung בקול שמע ganz besonders
die Möglichkeit, die menschlichen Beziehungen zu Gott und
zu Gottes Anweisungen auszudrücken.

שמע בקול יהוה: Ausdruck der Haltung vor Gott

An den letzten Beispielen wurde gezeigt, wie in Jos
24,24 das Volk seine Treue zu Gott versprach, wie Abraham
in Gen 21,12 seine Haltung auf den Befehl Gottes hin grundsätzlich änderte; ähnlich wird auch in Gen 22,18 die Beziehung zu Gott geschildert. Die Mehrzahl der Belege von שמע
בקול handelt von den Beziehungen zu Gott. Die Belege verteilen sich folgendermaßen: Jer 20x; Dtn 18x; 1 Sam 6x; Ex
3x; Ps 3x; Dan 3x; Gen 2x; Jos 2x; Ri 2x; 1-2 Kön 2x; Num
1x; Hag 1x; Zef 1x; Sach 1x. Auffällig ist das häufige
Vorkommen in Jer und in Dtn.

Eine häufige Verbindung von שמע בקול יהוה (oder שמע
בקול mit Suffix) mit den dtr Schriften ist leicht zu erken-

nen und wird von den Auslegern allgemein angenommen[1]. Syste-
matisch wird diese Frage von FENZ behandelt[2]. Er untersucht
den Ausdruck יהוה בקל שמע unter dem Gesichtspunkt der
Gattungszugehörigkeit, und gerade seine Fragestellung bedingt auch seinen Gedankengang und sogar die Ergebnisse.
Er findet eine Heimat für den Ausdruck in dem Bundesformular. Da es sich hier um die einzige vorhandene Monographie
über die Wendung שמע בקל handelt, sei die Zusammenfassung
des Autors vollständig zitiert: "Die formgeschichtliche
Analyse hat gezeigt, daß s m ᶜ b ᵉ q ô l JHWH im Schema
des Bundesformulars und dessen verstreuten Einzelstücken
häufig vorkommt. Die meisten Stellen stehen in Fluch- und
Segensstücken, entsprechend den außerbiblischen Parallelen,
die im nächsten Abschnitt herangezogen werden. In den neute-
stamentlichen Stellen kommt der Segen, in sublimierter
Weise den Segen des Alten Testaments fortführend, zu einem
Höhepunkt und erreicht Ewigkeitswerte. Seltener ist der
Begriff in der Grundsatzerklärung. Je einmal tritt s m ᶜ
b ᵉ q ô l im Vertragsabschluß als Antwort des Volkes (Jos
24,24) und in der Vorgeschichte (Dt 9,23) auf. Besondere
Stellung nimmt es als paränetische Einleitungs- und Ab-
schlußformel in Reden und in Verbundenheit mit dem Thema
Umkehr ein. Bisweilen ist s m ᶜ b ᵉ q ô l nur einfache
Feststellung des eingetretenen Bundesbruches oder Aufforderung zum Bundesgehorsam. Daß manche Stellen auf deuteronomistische Überarbeitung zurückzuführen sind, mag sich als
richtig erweisen. Aber das ist keineswegs eine Berechtigung,
s m ᶜ b ᵉ q ô l für deuteronomistisch zu halten. Deshalb
kann Moran sagen: "Die sogenannte 'deuteronomische Sprache' ist nicht länger mehr ein Kriterium, das eine Stelle

---

1) RICHTER (BBB 21,36): "Die Wendung שמע בקל לא ist älter als Dtr, aber
   häufig von ihm verwandt". NOTH (HAT 7,133) hält die Wendung für eine
   typische dtn-dtr Formulierung.

2) FENZ, Auf Jahwes Stimme 69.

als 'deuteronomistisch' kennzeichnet; wir wissen nun, daß
ein großer Teil dieser Ausdrücke zum typischen Vertrags-Vo-
kabular des alten Orients gehörte" (Moran Bundesschluß
1313). Die außerbiblischen Parallelen nämlich, bisweilen
die Einheit der gezeigten Abschnitte und die stereotype,
immer wiederkehrende Formel der übrigen einzelnen Stellen
weisen auf altes Traditionsgut hin, das Dt bereits vorfand
und sich zu eigen machte. Dazu ist eben auch sm^c b^{e}qôl
zu rechnen. Diese Phrase läßt sich daher in keine der Penta-
teuchquellen einordnen, sie kann in der einen oder anderen
vorkommen, da bei jedem Redaktor das im Alten Vorderen
Orient verwendete Vertragsformular als bekannt angenommen
werden kann...". Diese Meinung wird nicht von THIEL mitge-
tragen. Die Fragestellung ist bei ihm anders. Er besitzt
sicher ein feines Gefühl für literarische Probleme und
behandelt auch die hier untersuchte Frage mit Scharfsinn.
Er versucht aber keine vollständige Behandlung von שמע
בקול. Die Bemerkungen THIELs verdienen Aufmerksamkeit.
Er wendet sich gegen die Einstellung von FENZ: "FENZ ver-
wirft grundsätzlich die Zuordnung der Formel zum dtr.
Sprachbereich, will sie vielmehr aus der Beheimatung in
einer feststellbaren Gattung herleiten... Den Beweis für
die Verwurzelung der Wendung im Zusammenhang dieser Gattung
will die Untersuchung erbringen. Er ist nicht geglückt.
Abgesehen davon, daß hier eine falsche Alternative gestellt
wird - denn warum sollte sich der Verfasserkreis einer
literarischen Größe nicht einer aus einem bestimmten Gat-
tungszusammenhang stammenden Formelsprache mit besonderer
Vorliebe bedienen?-, abgesehen auch davon, daß die These
vom Bundesformular bzw. dessen Einfluß auf die Gestaltung
literarischer Phänomene im Alten Testament keineswegs so
gesichert ist, daß man weitere Thesen darauf aufbauen könnte"[1].

Auch wenn THIEL besonders mit deuteronomistischen
Texten beschäftigt ist, begeht er doch nicht den Fehler,

---

1) THIEL, WMANT 41,86-87.

alles als dtr. zu betrachten. Er bemerkt: "Diese Phrase
ordnet sich noch deutlicher... in den Sprachbereich der
dtn. und dtr. Literatur ein. Von den 65 Belegen der Wendung
יהוה בקול שמע (oder mit einem auf Jahwe bezogenen Suffix)
sind nur 9 Stellen nicht mit Gewißheit dem Bereich der
dtn., dtr. und nach-dtr. Literatur zuzuweisen, sondern
dürften quellenhaften, vor-dtr. Texten angehören (Ex. 5,2
E; I.Sam 15,19.20.22; 28,18; I.Kön. 20,38; Jer. 3,25; 22,21;
38,30). Die übrigen Belege lassen sich -sieht man von den
20 Vorkommen im Buche Jeremia ab- recht eindeutig auf das
Dtn., die dtr. und die nachexilische Literatur (Hagg. 1,12;
Sach. 6,15; Ps. 95,7; Dan. 9,10.11.14) verteilen, wobei
die dtr. Belege überwiegen. Die Wendung darf demnach als
ein Spezifikum der dtr. Sprache beurteilt werden. Auffällig
ist ihre Häufigkeit im Buche Jeremia. Die 20 Belege gehören
ganz überwiegend D-Texten an. Die drei Stellen, die man
D nicht mit Sicherheit zuschreiben kann, finden sich im
B-Bericht (38,20), in einer Volksklage (3,25) und in einem
wohl jer. Spruch (22,21)"[1].

Nicht nur im Buch Jeremia, sondern auch im Buch Deuteronomium ist die Zahl der Belege groß und ungleich verteilt.
18 von den 21 Belegen beziehen sich auf Gott. In den Rahmenkapiteln ist die Häufigkeit bedeutsamer: 13mal insgesamt
(Dtn 28 = 4mal; Dtn 30 = 4mal; Dtn 27 = 1mal; in den Kap.
1.4.8.9 = 1mal). In Dtn 12-26 kommt die Wendung 5mal vor
(Jer 13 = 2mal; Jer 26 = 2mal; Jer 15 = 1mal). Einige dieser
Stellen seien hier betrachtet:

Antwort und Haltung bei Anstiftung zum Abfall

In Dtn 13 sind drei gesetzliche Texte zusammengestellt,
die das Thema von Anstiftung zum Abfall behandeln: 13,2-6:
die Anstiftung zum Abfall durch Propheten und Traumseher;
13,7-12: die geheime Anstiftung zum Abfall;13,13-19: der

---

1) THIEL, WMANT 41,86.

Abfall einer Stadt. "Dtn 13 regelt die Integrität des Volkes, indem es Israel an seinen einzigen Gott bindet[1]. "Die
drei (Extrem-)Fälle ... sind unter dem Gesichtspunkt aus-
schließlicher Loyalität Israels gegenüber seinem Gott syste-
matisiert. Konspiration, Agitation und Abfall zu anderen
Göttern werden dabei von drei gesellschaftlichen Grenz-
situationen her exemplarisch dargestellt[2]. In den drei
Texten sind wiederholende, stilistische und syntaktische
Strukturen zu bemerken; das ist auch bei den שמע-Konstruktionen der Fall:

Dtn 13,4.5:   לא תשמע אל דברי הנביא ההוא או אל חולם החלום ההוא
ובקלו תשמעו

"Dann sollst du nicht die Worte dieses Propheten oder den
Traum des Traumsehers aufnehmen. Ihr sollt mit dem Herrn,
eurem Gott, gehen, ihn sollt ihr fürchten, auf seine Gebote
sollt ihr achten, ihm sollt ihr die Treue halten und ihm
sollt ihr dienen, an ihm sollt ihr euch festhalten".

Die Entscheidung für fremde Götter wird in V.3 mit
den Grundbegriffen אחרי...הלך + עבד beschrieben. Diese
Grundhaltungen des Gottesdienstes werden in V.5 mit zusätz-
lichen Ausdrücken verstärkt: Gottesfurcht, Erfüllung der
Gebote und die vollständige Treue in dem Ihm-anhängen.
שמע בקול + דבק betonen die Standhaftigkeit und Ausdauer.
Dagegen wird das Ja zu den Worten des falschen Propheten
und zu dem Traumseher mit שמע אל ausgedrückt. Das Sich-ver-
führenlassen oder das Überzeugtwerden gehören zum Bedeu-
tungsbereich von שמע אל.

Dtn 13,9.12:   לא תאבה לו ולא תשמע אליו
וכל ישראל ישמעו ויראון

"Dann sollst du nicht nachgeben und nicht auf ihn hören...
Das ganze Israel soll es erfahren und fürchten".

---

1) BRAULIK, Deuteronomium 101.
2) Ibid. 102.

שמע אל ist die Ablehnung der verführerischen Einladung.
שמע-absolut ist die Äußerung einer sinnlichen Wahrnehmung
(hören - erfahren).

Dtn 13,13.19:   ‎כי תשמע באחת עריך לאמר...
                                       ‎כי תשמע בקול יהוה אלהיך

"Wenn du aus einer deiner Städte ...erfährst:..."
"Du sollst dem Herrn, deinem Gott die Treue bewahren, indem
du alle seine Gebote erfüllst, die ich dir heute gebe,
so daß du tust, was dem Herrn, deinem Gott, wohlgefällt".

In V.13 kommt die sinnliche Wahrnehmung zum Ausdruck
(hören, erfahren, hörensagen). Die Konstruktion ist: שמע
לאמר.In V.14 wird genau ermittelt, um die Echtheit der
Nachrichten bestätigen zu können (so wird die Gründlichkeit eines Verfahrens gesichert).

Wie in 13,5 wird auch in 13,19 wie ein Leitmotiv das
wahre religiöse Leben Israels geschildert. In beiden Versen
wiederholen sich die Aussagen שמר מצות + שמע בקול; die
übrigen Ausdrücke ändern sich etwas innerhalb des echten
dtn-dtr Stils. So sind in Dtn 13 verschiedene Konstruktionen und Bedeutungen bekannt bei שמע: שמע בקול(2x); שמע אל
(2x); שמע am Ende einer Erzählung oder eines Textes, absolut
konstruiert und ohne Fürwort; שמע לאמר am Anfang, als Einführung für ein Wort.

Ein Wort noch zum Alter dieser Wendung: Daß שמע בקול
in mehreren Texten der späteren Zeit erscheint, ist kein
Argument für die späte Datierung aller Belege. Die nicht-
-theologischen Texte bestätigen diese Meinung. So kann
die allgemeine Behauptung BRAULIKs auch für שמע בקול ihre
Gültigkeit besitzen: "In Gen-Num gibt es sogenannte 'dtr'
Glossen und Zusätze. Früher nahm man an, hier werde in
der Spätzeit die Sprache des Dtn imitiert. Doch ein Teil
dieser Texte liegt dem Dtn eher voraus, ist früh-dtn. Bei
der Redaktionsarbeit, die J und E im 8. oder 7. Jahrhun-
dert v.Chr.vereinigte und den vorpriesterlichen Tetrateuch
schuf, dürfte in der Jerusalemer Führungselite die dtn/dtr

Sprache und Theologie ihren Anfang genommen haben"[1]. Eine
Ableitung der Wendung aus der Sprache der hetitischen Ver-
träge ist jedoch unwahrscheinlich. Ähnlichkeit muß nicht
Abhängigkeit bedeuten[2]

Dtn 8,20:   עקב לא תשמעון בקול יחוה אלהיכם
"Wenn du aber Jahwe, deinen Gott, vergißt und anderen Göttern nachfolgst, ihnen dienst und dich vor ihnen nieder-
wirfst - heute rufe ich Zeugen gegen euch an: dann werdet
ihr völlig ausgetilgt werden. Wie die Völker, die Jahwe
bei eurem Angriff austilgt, so werdet auch ihr dafür ausgetilgt werden, daß ihr nicht die Treue Jahwe, eurem Gott
erwiesen habt"(Dtn 8,19-20).

     Jahwe vergessen, anderen Göttern dienen: das führt
zu Tod und Vernichtung. לא שמע בקול יחוה faßt am Ende alles
zusammen. Die Wendung hat eine alles umfassende grundlegende Bedeutung. Der negative Gebrauch der Formel ist Ausdruck
des Versagens. Die positive Verwendung bestätigt die Treue
(עקב אשר שמעת בקלי: Gen 22,19).

     Die bedingungslose Haltung für jemand als Grundgedanke
von שמע בקול kann in diesen Texten, die mit dem Hauptgebot
zu tun haben, mit dem Begriff "ausschließliche Treue" wiedergegeben werden. BRAULIK bezeichnet die Wendung als "eine
neue Zusammenfassung der grundlegenden Haltung Israels"[3].

Ablieferung der Zehntanteile

Dtn 26,14:   שמעתי בקול יחוה אלהי עשיתי ככל אשר צויתני
"Ich habe alle heiligen Abgaben aus meinem Haus geschafft.
Ich habe sie für die Leviten und die Fremden, für die Waisen

---

1) BRAULIK, Deuteronomium 8.

2) Ibid. 102: "Gesetze stehen deshalb nicht nur inhaltlich, sondern auch
   gattungsmäßig den hetitischen Dienstanweisungen für ausschließliche
   Treue zum Oberherrn am nächsten".

3) Ibid. 73.

und die Witwen gegeben, genau nach deinem Gebot, auf das
du mich verpflichtet hast. Ich habe dein Gebot nicht übertreten und habe es nicht vergessen...Ich habe mich an Jahwe,
meinen Gott, gehalten (=ich habe auf die Stimme...gehört).
Ich habe alles so getan, wie du es mir zu Pflicht gemacht
hast".

    Nachdem die Verse 13 und 14 die einzelnen Verpflichtun-
gen des Gesetzes aufzählen und ihre Erfüllung beteuern,
wird am Ende zusammenfassend wiederholt: ich habe es erfüllt
und ich habe zu Jahwe gehalten. Die Treue zu Gott bedeutet
dabei die Erfüllung des konkreten Gesetzes. שמע בקל beinhaltet also die Treue zu Gott in der Erfüllung des Gesetzes
über die Ablieferung des Zehnten.

Der Bund

Dtn 26,17:   ולשמר חקיו ומצותיו ומשפטיו ולשמע בקלו
"Heute hast du der Erklärung Jahwes zugestimmt: Er will
dein Gott werden, und du sollst auf seinen Wegen gehen,
auf seine Gesetze, Gebote und Rechtsvorschriften achten
und dich an ihn halten".

    In dem Text[1] werden die Bedingungen genannt, die für
die Zugehörigkeit zu Gott zwingend sind: auf seinen Wegen
gehen, die Gebote (mit drei Begriffen genannt) erfüllen
und entschieden und ausschließlich für ihn da sein (= שמע
בקלו. In dieser Aussage der Zugehörigkeit darf שמע בקלו
nicht fehlen. Auch hier kann die Wendung am Ende der Bedingungen als ein zusammenfassender Begriff für die gesamte
Haltung vor Gott verstanden werden. Die Wendung bezieht
sich nicht nur auf einzelne Gehorsamsakte, sondern auf
eine Grundhaltung des Menschen oder des Volkes, die auch
in diesem Fall mit dem Begriff Treue übersetzbar ist.

---

1) Für die Bedeutung von Dtn 28,16-19 siehe N.LOHFINK, Dtn 26,16-19
   ZkTh(1969)517-553. BRAULIK (Deuteronomium 7) erörtert die Frage
   eines möglichen Vertragstextes.

Loyalität der Stämme vom Ostjordanland

Jos 22,2:   ותשמעו בקולי לכל אשר צותי אתכם
"Damals rief Josua die Rubeniter, die Gaditer und den halben
Stamm Manasse zu sich und sagte zu ihnen: Ihr habt alles
befolgt, was euch Mose, der Knecht Jahwes, befohlen hat;
ihr habt auch mir in allem gehorcht, was ich euch befohlen habe"(Jos 22,1-2).

      Hier steht שמע בקול in Parallelismus zu שמר:

                    אתם שמרתם את   כל אשר צוה אתכם משה
                    ותשמעו בקולי   לכל אשר צותי אתכם

"Alles bewahren" und שמע בקול sind parallele Begriffe.
Erfüllung der Anweisungen Moses, Loyalität oder Treue zu
Josua sind die gepriesenen Tugenden dieser Stämme. HERTZBERG
spricht von "Aufrichtigkeit und Totalität". Weil "die Grundlage dieses Abschnitts der deuteronomistische Abschluß
der Landnahmeüberlieferung in 21,43-45 + 22,1-6 +23 1-16
bildet"[1] , spricht der Dtr für seine Zeitgenossen: "Dies
alles aber wird gesagt mit einem Seitenblick auf die Leser
und Hörer späterer Zeit. Dem gehorsamen Volk wird Lob und
Segen zuteil, und die Verheißung erfolgt unter der Voraussetzung, daß ein rechtes Volk Gottes im Lande Gottes wohnt;
Ungehorsam und Untreue würden auch die Verheißung des Landes
grundsätzlich in Frage stellen"[2]. Diese dauernde und zuver-
lässige Teilnahme ist hier mit שמע בקול gemeint. Wie schon
oben gezeigt(Jos 24,24), wird der Gedanke der Treue zu
Gott das Josua-Buch abschließen. Dieses Beispiel verdeutlicht, daß der Dtr auch in bezug auf Menschen die Wendung
שמע בקול gebrauchen kann.

Segen und Fluch

      Häufig findet man שמע בקול im Zusammenhang mit Segen

---

1) NOTH, HAT 7,133.
2) HERTZBERG, ATD 9[5],122.

und Fluch. Das wird in dem großen Segen-Fluchtext von Dtn
28 besonders deutlich. Das Kapitel 28 ist nach dem Gesetzeskorpus in den Kap. 12-26 der Epilog[1]. Wir finden in diesem
Kapitel die Wendung in fünf Belegen vertreten. Mit der
Wendung werden die Segensworte eröffnet, mit der Wendung
beginnt auch der Fluch. So bringt diese Aussage das Ja
oder das Nein zu dem ganzen Gesetzeskorpus zum Ausdruck.
Die positive Haltung vor dem ganzen Gesetzeskorpus ist
שמע בקול יהוה. Dagegen ist die negative Haltung לא שמע בקול
יהוה eine Mißachtung des Gesetzeskorpus. Auch hier sind
es die Begriffe Treue-Untreue, die am besten die Gedanken des Textes ausdrücken. Hier ist weniger von vorüberge-
henden Verfehlungen die Rede; einzelne und vorübergehende
Taten würde die hebräische Sprache anders ausdrücken. Es
folgen nun die Belege aus Dtn 28:

Dtn 28,1.2:   והיה אם שמוע תשמע בקול יהוה אלהיך
                  לשמר לעשות את כל מצותיו אשר אנכי מצוך היום
                              כי תשמע בקול יהוה אלהיך

"Wenn du zu Jahwe, deinem Gott, hältst (=auf die Stimme...
hörst), indem du auf alle seine Gebote, auf die ich dich
heute verpflichte, achtest und sie hältst...Alle diese
Segnungen werden über dich kommen und dich erreichen, wenn
du zu Jahwe, deinem Gott, hältst (=auf die Stimme...hörst)".

Dtn 28,15:   והיה אם לא תשמע בקול יהוה אלהיך
                  לשמר לעשות את כל מצותיו וחקתיו אשר אנכי מצוך היום

"Wenn du auf Jahwe, deinen Gott, nicht hörst, indem du
nicht auf alle seine Gebote und Gesetze, auf die ich dich
heute verpflichte, achtest und sie nicht hältst...".

Die Folgen sind: "Alle diese Segnungen werden über
dich kommen und dich erreichen"(Dtn 28,2). "Alle diese
Verfluchungen werden über dich kommen und dich erreichen"-
(Dtn 28,15).

Die zentrale Bedeutung der Wendung wird noch betont,
indem sie in Dtn 28,45 wiederholt wird. In 28,45a wird

---

1) BRAULIK, Deuteronomium 7.

die Dringlichkeit der Verfluchungen stärker betont.

In Dtn 28,62 wird כי לא שמעת בקול יהוה אלהיך ("denn
du hast nicht zu Jahwe, deinem Gott, gehalten") als Grund
für das Überleben nur eines kleinen Restes angegeben. Mit
der Wendung wird an die ganze Haltung des Volkes vor Gott
gedacht. Hier hat man schon den Eindruck, als wäre die
Wendung ein theologischer Fachausdruck für die Haltung
Israels vor Gott geworden. In der Forschung wird sie als
dtn/dtr Wendung bezeichnet. Diese dtn/dtr Theologie ist
das Zuhause der Wendung שמע בקול geworden. Eine große Zahl
der Belege, besonders im Buch Dtn und im Buch Jer sind
durch diese Theologie zu erklären. Das sollte aber nicht
dazu führen, die Selbständigkeit der Wendung zu verneinen
oder zu ignorieren.

In Dtn 30,20 und 30,2-10 liegen 4 Belege vor. In 30,15-
20 geht es auch um Segen und Fluch, um Leben und Tod.
Dtn 30,20:   לאהבה את יהוה אלהיך לשמע בקלו ולדבקה בו
"Den Himmel und die Erde rufe ich heute als Zeugen gegen
euch an...Liebe Jahwe, deinen Gott, halte dich an ihm (=höre
auf seine Stimme) und ...; denn er ist dein Leben, er ist
die Länge deiner Tage".

Dtn 30 ist eine spätere Ergänzung[1]. Auch hier שמע בקול
(3x) beschreibt das religiöse Verhalten vor Gott. Nur so
darf Israel auf seine Rückkehr aus der Zerstreuung hoffen.
Dtn 30,2.8.10:   ושמעת בקלו ככל אשר אנכימצוך היום
                           ושמעת בקול יהוה ועשית את כל מצותיו
                           כי תשמע בקול.יהוה אלהיך
"...mitten unter den Völkern, unter die Jahwe, dein Gott,
dich versprengt hat, und wenn du zu Jahwe, deinem Gott,
zurückkehrst und dich an ihm hältst (=auf seine Stimme
hörst) in allem, wozu ich dich heute verpflichte...".
"Du jedoch wirst umkehren, dich an Jahwe halten (=auf die

---

1) BRAULIK, Deuteronomium 12: Der Verfasser hat "ein Israel ohne Staat
   und Tempel vor Augen".

Stimme Jahwes hören) und alle seine Gebote, auf die ich
heute dich verpflichte, bewahren..."
"Wenn du dich an Jahwe, deinem Gott, hältst (=auf die Stimme
Jahwes hörst) und auf seine Gebote und Gesetze achtest,
die in dieser Urkunde der 'tora' aufgezeichnet sind...".

In Dtn 27 ist die Wendung eine Art Aufforderung und
Vorbereitung für den sichemitischen Dodekalog. "Dtn 27,
wohl eine späte Erweiterung,unterbricht die umfangende
Form. Es enthält auch keine immer geltenden Gesetze, sondern
Vorschriften für eine einmalige Kulthandlung in Sichem.
In den Gesamtzusammenhang ist es aber dennoch eingepaßt.
Es stellt dem Dekalog vom Anfang von 5-26 nun am Ende der
Gesetze den sichemitischen 'Dodekalog' als Kontrapunkt
gegenüber"[1]. So wie am Ende des Hauptgesetzes Segen und
Fluch mit der Treue zu Jahwe verbunden werden, wird auch
hier dieser selbständige Text mit der Ermahnung zur Treue
verstärkt.

Dtn 27,10:   ושמעת בקול יהוה אלהיך ועשית את מצותו ואת חקיו

"...Höre, Israel, heute, an diesem Tag, bist du das Volk
Jahwes, deines Gottes, geworden. Du sollst dich an Jahwe,
deinem Gott, halten (=auf die Stimme...hören) und seine
Gebote und Gesetze halten, auf die ich dich heute verpflichte".

Dtn 15,4-6 verbindet Treue auch mit Segen. Die Folge
wird die Beseitigung jeder Armut sein:

Dtn 15,5:   רק אם שמוע תשמע בקול יהוה אלהיך

"Doch eigentlich sollte es bei dir gar keine Armen geben...
Wenn du Jahwe, deinem Gott, gehorchst, auf dieses Gebot,
auf das ich dich heute verpflichte, achtest und es hältst".

Noch einmal liegt diese Wendung vor in einem Zusammenhang von Not und Hilfe in Dtn 4,30:

---

1) BRAULIK, Deuteronomium 8.

באחרית הימים ושבת עד יהוה אלהיך ושמעת בקלו

"Wenn du in Not bist, werden alle diese Worte dich finden.
In späteren Tagen wirst du zu Jahwe, deinem Gott, zurückkehren und dich an ihm halten".

Für Dtn 4,30 wird eine spätere Datierung angenommen[1].
Der Text ist eine Retrospektive aus dem babylonischen Exil[2].
Israel hat sich von Gott entfernt und als untreu erwiesen.
Das Exil soll aber nicht als endgültiger Zustand verstanden
werden[3]. BRAULIK übersetzt die Wendung mit *Gehorsam*. Sie
ist aber nicht als ein Akt des Gehorsams, sondern als Zustand des Gehorsams zu verstehen. Es geht um eine neu gewon-
nene Beziehung gegenüber dem Zustand des Exils. Im Zustand
der Treue erreicht Israel wieder alles, was es durch die
Untreue verloren hat.

Immer wieder, wenn Israel die Treue bricht (ולא שמע
בקול יהוה),gefährdet es seine Existenz und sein Überleben.
Unter diesem Gesichtspunkt wird auch die Vergangenheit
beurteilt:

Beurteilung der Geschichte

Dtn 9,23:   ותמרו את פי יהוה ולא האמנתם לו ולא שמעתם בקלו
"Als Jahwe euch von Kades-Barnea aussandte mit dem Befehl:
Zieht hinauf, und nehmt das Land in Besitz, das ich euch
gebe!, da habt ihr euch dem Befehl Jahwes, eures Gottes,

---

1) LOHFINK, Ich bin Jahwe 34. PREUSS (Deuteronomium 47) hält V.30 für
   eine Bearbeitung; Dtn 4 würde aber zum dtr Grundbestand gehören.

2) BRAULIK (Deuteronomium 44) stellt fest: "Die Fluchankündigung (Vv.26-
   28) geht hier der Segensverheißung (Vv.29-31) voraus. Es sind als zwei
   aufeinanderfolgende Perioden der zukünftigen Geschichte dargestellt".

3) BRAULIK, Deuteronomium 45: "In solcher Gottferne wird Israel Jahwe
   wieder suchen. Die Zusage, daß er Israel die Gnade der Umkehr und ein
   neues Gehorchen gewährt, ist schon unterwegs und wird Israel dann
   finden. Sie geht als 'Evangelium' für ein schuldig gewordenes Volk
   jeder menschlichen Leistung voraus".

widersetzt, ihr habt ihm nicht geglaubt, und seid ihm nicht
treu gewesen...Jahwe hatte gedroht, er werde euch vernichten".

In den Versen 22-23 werden Orte genannt, die "Geschichten der Auflehnung Israels in Erinnerung rufen"[1]. In V.23
führen zwei parallele Ausdrücke zur negativen Beurteilung
ולא שמעתם בקלו. Auch hier wird durch die dreifache Äußerung
"die grundlegende Haltung Israels"[2]gekennzeichnet. . An diese
Grundsätzlichkeit sollte der Übersetzer denken, um die
ganze Ausdruckskraft der hebräischen Sprache nicht verloren
gehen zu lassen.

Ps 95,7:   היום אם בקלו תשמעו
"Denn er ist unser Gott, wir sind das Volk seiner Weide,
die Herde von seiner Hand geführt. Ach, würdet ihr doch
heute auf ihn hören! Verhärtet euer Herz nicht wie in Meriba, wie in der Wüste am Tag von Massa!"

Angedeutet wird der Bruch dieser Haltung in der Wüste.
Die Wendung wird zitiert, nachdem die ganz besondere Stellung des Volkes Israel vor Gott dargestellt wurde. Der
Rolle, die Gott bei seinem Volk spielt, sollte der Rolle
des Volkes vor Gott entsprechen. So beschreibt die Wendung
die ganze religiöse Haltung vor seinem Gott.

Jos 5,6:   אשר לא שמעו בקול יהוה
"Denn vierzig Jahre lang wanderten die Israeliten durch
die Wüste. Schließlich war das ganze Volk, alle Krieger,
die aus Ägypten ausgezogen waren, umgekommen, weil sie
Jahwe nicht die Treue gehalten hatten. Der Herr hatte
ihnen geschworen, er werde sie das Land nicht schauen lassen."

---

1) BRAULIK, Deuteronomium 80.
2) Ibid. 73.

Die Grundhaltung Israels war gestört. Hier liegt die
Ursache, dafür, daß niemand das Land erleben sollte.

Es gibt in der Geschichte und im täglichen Leben Ereignisse, die für den menschlichen Verstand kaum begreifbar
sind. Die Ungewöhnlichkeit der Ereignisse verlangt ungewöhn-
liche Erklärungen. In 1 Kön 13 wird der tragische Tod eines
Propheten erzählt. Unterwegs wird er von einem Löwen getötet. Das Tier tut es im Auftrag Gottes. Es zerreißt ihn
aber nicht, sondern bleibt neben der Leiche stehen. Daß
ein Gottesmann so getötet wird, muß einen tiefgreifenden
Grund haben: es wird mit dem Ungehorsam gegen Gott begründet
("Weil du gegen den Befehl Jahwes gehandelt und das Verbot
übertreten hast, das dir Jahwe, dein Gott, auferlegt hat,
weil du zurückgekehrt bist und an dem Ort gegessen und
getrunken hast, an dem zu essen und zu trinken er dir verbo-
ten hatte, darum..." 1 Kön 13,21-22). Der Text lautet:

מרית פי יהוה + ולא שמרת את המצוה אשר צוך יהוה

Beide Wendungen stehen לא שמע בקול יהוה sehr nahe. Eine
zweite Erzählung ähnlicher Prägung liegt in 1 Kön 20,36
vor: Die Tat ist nur ein Teil einer ausführlicheren Erzählung, wo ein Prophet gegen den König auftritt. Um eine
symbolische Handlung vor dem König ausführen zu können,
muß der Prophet zuerst geschlagen und verwundet werden.
"Einer von den Prophetenjüngern sprach im Auftrag des Herrn
zu seinem Gefährten: Schlag mich!" (1 Kön 20,35). Der Ge-
fährte tut dieses aber nicht. Als er sich von dort entfern-
te, wurde er von einem Löwen getötet. Auch hier ist das
Ereignis so erstaunlich, daß es nur durch das Handeln gegen
Gottes Willen erklärt werden kann. Eine solche Begründung
wird in den Mund des Prophetenjüngers gelegt:

1 Kön 20,36:   יען אשר לא שמעת בקול יהוה
"Weil du Jahwe nicht gehorcht hast, wird dich ein Löwe
töten".

Die Sprechhandlung erfolgt hier in einer kurzen Zeit,
so daß sich die Tat der Ablehnung Gottes in einer einzigen

Handlung vollzieht. Diese bewußte oder unbewußte Handlung
greift so tief, daß die Folge der Tod ist, eine für uns
schwerverständliche Wirklichkeit. Hier ist die Übersetzung
"gehorchen" zu bevorzugen. Gründlichkeit und Vollständigkeit
eines Geschehens , die sich häufiger durch die Dauer in
der Zeit zeigen, können also auch in einer einzigen Hand.-
lung zum Ausdruck kommen.

2 Kön 18,12:   על אשר לא שמעו בקול יהוה אלהיהם

ויעברו את בריתו את כל אשר צוה משה עבד יהוה

ולא שמעו ולא עשו

"Weil sie Jahwe, ihrem Gott, untreu gewesen waren (=nicht
auf die Stimme...hörten), seinen Bund gebrochen und die
Gebote, die Mose, der Knecht Jahwes, verkündet hatte, übertreten hatten, weil sie nicht danach taten und untreu waren...".

    2 Kön 18,9-12 berichtet von der Belagerung, der Erobe-
rung und dem Exilsschicksal von Samaria. Das Nordreich
und die Hauptstadt gehen endgültig zugrunde. Der kurz ge-
schilderte Niedergang hat hier seine theologische Begründung. Man sollte nicht allzu schnell die Wendung als dtr
erklären und sich damit zufrieden geben. Die theologische
dtr Verarbeitung ist nicht auszuschließen. Gleichzeitig
muß aber bemerkt werden, daß die Wendung nur 3mal in Buch
Kön benutzt wird: 2mal in den Elija-Elischa Traditionen
und einmal in der zitierten Stelle in 2 Kön. Daß diese
in anderen Büchern geläufige Wendung nur einmal in 2 Kön
verwendet wird, und gerade beim Niedergang von Samaria,
verdient schon Aufmerksamkeit. Der Verfasser oder Redaktor
wollte hier eine ganz bewußte Betonung setzen. Hier wird
eine endgültige Wende in der Geschichte berichtet und dafür
wird eine tiefgreifende Ursache genannt: es geht um die
negative Haltung Israels. Diese negative Haltung hat zur
Folge (impf. cs.) den Bruch des Bundes mit der Übertretung
der Gebote. Das läßt die Folge der Tempora verstehen durch

die Folge perf. - impf. cs[1]. Das Faktum der Untreue hat
hier zur Folge den Bruch mit dem Bund und das übertreten
der auf ihn bezogenen Gebote. Dieser Grundgedanke wird
in anderen Belegen mit verschiedenen Konstruktionen aufgebaut, aber die Beziehung zwischen Haltung und Handlungen bleibt dieselbe. שמע בקול היוה oder seine Verneinung
äußert das Entscheidende in der Haltung vor Gott. Als negative Haltung bewirkt sie den Niedergang des Nordreiches.

Folgendes ist zu bemerken: Nachdem in 2 Kön 18,12
die Wendung שמע בקול benutzt wurde, wird am Ende des Satzes
nochmal das Verb wiederholt. Bei der Wiederholung wird
dieselbe Bedeutung ausgedrükt, aber die Präposition ist
ausgefallen.

Jahwe, Samuel, Saul und das Volk

In 1-2 Sam liegen 19 Belege vor (16x in 1 Sam, 3x
in 2 Sam). Die Belege von 2 Sam (12,18; 13,14; 19,36) und
1 Sam 19,6; 25,35; 28,21.22 gehören der nicht-theologisch
geprägten Sprache an. Außerdem finden sich in 1 Sam 12 noch
Belege, die gerade in den Kapiteln vorkommen, wo die Frage
des Königtums für das Volk und Sauls Ablehnung behandelt
werden, und zwar in den Kapiteln 8(7.8.19.22), 12(1.14.15),
15(19.20.22.24), 28(18). So finden wir in diesen Texten
einen durchgehenden Sinn, der Aufmerksamkeit verdient.
Zunächst die Belege:
1 Sam 8,7:   שמע בקול העם לכל אשר יאמרו אליך
"Und Jahwe sagte zu Samuel: Geh auf die Wünsche des Volkes
in allem ein, was sie zu dir sagen. Denn nicht dich haben
sie verworfen, sondern mich haben sie verworfen: Ich soll
nicht mehr ihr König sein".

---

1) Dazu MICHEL (Tempora 21): "Das perf. schien ein Faktum anzugeben,
    das absolut am Beginn einer Handlungsreihe steht, das impf. cs. da-
    gegen schien nach perf. eine aus dem Faktum sich ergebende Handlung
    zu bezeichnen".

1 Sam 8,9: ועתה שמע בקולם

"Doch geh auf sie ein, warne sie aber eindringlich, und
mach ihnen bekannt, welche Rechte der König hat, der über
sie herrschen wird".

1 Sam 8,19.21.22: וימאנו העם לשמע בקול שמואל
וישמע שמואל את כל דברי העם וידברם באזני יהוה
ויאמר יהוה אל שמואל שמע בקולם והמלכת להם מלך

"Doch das Volk wollte nicht auf Samuel hören, sondern sagte:
Nein, ein König soll über uns herrschen"... "Samuel hörte
alles an, was das Volk sagte, und trug es Jahwe vor"...
"Und Jahwe sagte zu Samuel: Geh auf ihre Wünsche ein, und
setz ihnen einen König ein!".

1 Sam 12,1: הנה שמעתי בקולכם לכל אשר אמרתם לי

"Samuel sagte zu ganz Israel: Seht, ich habe eurem Wunsche
nun willfahrt in allem, was ihr von mir begehrt habt, und
habe einen König über euch gesetzt".

1 Sam 12,14.15: אם תיראו את יהוה ועבדתם אתו ושמעתם בקולו
...ואם לא תשמעו בקול יהוה ומריתם את פי יהוה

"Wenn ihr Jahwe fürchtet und ihm dient, wenn ihr euch an
ihm haltet (=auf seine Stimme hört) und euch seinem Befehl
nicht widersetzt, wenn sowohl ihr als auch der König, der
über euch herrscht, Jahwe, eurem Gott, folgt (dann geht
es euch gut)".
"Wenn ihr aber euch nicht an ihm haltet (=auf seine Stimme
hört) und seinem Befehl widersetzt, dann wird die Hand
Jahwes gegen euch (ausgestreckt) sein wie gegen eure Väter".

1 Sam 15,19.20.22.24: ולמה לא שמעת בקול יהוה
...אשר שמעתי בקול יהוה
...החפץ ליהוה בעלות וזבחים כשמע בקול יהוה
הנה שמע מזבח טוב להקשיב מחלב אילים
כי יראתי את העם ואשמע בקולם

"Wozu hast du nicht Jahwe gehorcht, sondern hast dich auf
die Beute gestürzt und getan, was dem Herrn mißfällt?".

"Saul erwiderte Samuel: Ich habe doch Jahwe gehorcht; ich
bin den Weg gegangen, auf den Jahwe mich geschickt hat..."
"Samuel aber sagte: Hat Jahwe an Brandopfern und Schlachtopfern das gleiche Gefallen wie am Gehorsam zu Jahwe? Wahrhaftig, Gehorsam ist besser als Opfer, Hinhören besser
als das Fett von Widdern". "Da sagte Saul zu Samuel: Ich
habe gesündigt; denn ich habe mich über den Befehl Jahwes
und deine Anweisungen hinweggesetzt, ich habe mich vor
dem Volk gefürchtet und zu ihm gehalten (=auf seine Stimme
gehört)".

1 Sam 28,18: כאשר לא שמעת בקול יהוה ולא עשית חרון אפו בעמלק
"Weil du Jahwe nicht gehorsam warst und seinen glühenden
Zorn an Amalek nicht vollstreckt hast, darum hat dir der
Herr heute das getan".

Die Häufigkeit der Belege von שמע בקול in 1 Sam 8;12;
15; (und 28) ist deutlich; das geschieht nur in diesen
Kapiteln und innerhalb des Themas Königtum. Die Wendung
verbindet die einzelnen Abschnitte dieser Kapitel. Das
Vorkommen der Wendung ist nicht unbedingt ein Zeichen für
dtr. Verarbeitung[1]. Gen 21,12 (E) und 1 Sam 8,7 könnten
nach dem Inhalt und nach der Konstruktion gleich alt sein:
Gott befiehlt Abraham und Samuel nach dem Willen Saras
und des Volkes zu handeln. Die Wendung allein kann kein
Argument für eine spätere Verarbeitung sein. Die mehrmalige
Wiederholung der Wendung tritt gewöhnlich in späteren Texten
auf (z.B. Dtn 30; Jer 7; 11; 42; 43...); das kann aber
kein zwingendes Indiz für eine späte Datierung dieser Texte
sein. Eine Wiederholung der Wendung findet sich auch in
Gen 27,8.13.43. Die Zugehörigkeit dieses Kapitels in der
Quellenfrage ist umstritten. Auch in Ex 23,21.22 ist die
Wendung zweimal vertreten. Die Zahl der Belege (11mal in

---

1) Die Entstehungszeit dieser Texte bleibt offen; siehe STOEBE, Das
    erste Buch Samuelis 180ff.; 235-236; SEEBAß,David, Saul 61-68; 84-85.

den Kap. 8;12;15) ist erstaunlich groß, so daß es sehr
leicht ist, an einen Redaktor zu denken, der diese Kapitel
bearbeitet hat. Die Ähnlichkeiten von 1 Sam 8,7 mit Gen
21,12 lassen das Folgende vermuten: Ein älterer Text kannte
schon den Befehl Gottes an Samuel, einen König für Israel
zu bestimmen. Der spätere Redaktor hat diesen Text weiter
gebraucht und mit der Wiederholung der Wendung eine einheitliche Thematik in der Frage des Königtums und des Antikönigs
entwickelt. Die Entstehungs- und Redaktionsfragen dieser
Texte verlangen eine weitere Vertiefung.

Die Einführung des Königtums war sicher ein ganz beson-
deres Ereignis in der Geschichte des Volkes[1]. Diese große
Wende wird als Auftrag (1 Sam 8,7; 8,9; 8,22) oder als
Ausführung (1 Sam 12,1) mit בקול שמע ausgedrückt; auch
die Ablehnung Sauls wegen seiner Untreue(1 Sam 15,19; 28,18)
wird mit diesem Ausdruck bezeichnet. Dies bedeutete ebenfalls eine wichtige Wende und einen ernsten Fall in der
Geschichte Israels. In der Bedeutung der Wendung ändert
sich nichts, gleich ob es sich hier um ursprüngliche Erzählungen handelt oder ob alte Texte später theologisch kommentiert wurden.

Der Gebrauch der Wendung im Buch Jer

Von den 20 Belegen, die im Jer-Buch vorliegen, sind
nicht alle auf Jahwe bezogen (s.o. die Rechabiter in Jer
35). Es ist eine allgemein vertretene Meinung, daß diese
auf Jahwe bezogenen Belege mit der dtr. Redaktion des Jer-
Buches in Verbindung zu setzen sind. THIEL stellt fest:
"die Wendung darf demnach als ein Spezifikum der dtr. Sprache beurteilt werden"[2]. Man sollte aber "Spezifikum" nicht
mit "Exklusivum" verwechseln. Unter den Belegen des Jer-Buches sieht THIEL[3] drei Stellen, "die man D nicht mit Sicher-

---

1) Von RAD, Theol. AT I 44-49.

2) THIEL, WMANT 41,86.

3) Ibid. 87.

heit zuschreiben kann". Diesen drei Belegen soll zuerst
Aufmerksamkeit gewidmet werden.

Jer 3,25:   ולא שמענו בקול יהוה אלהינו
"Denn wir haben gesündigt gegen Jahwe, unsern Gott, wir
selbst und unsere Väter, von Jugend an bis auf den heutigen Tag. Wir haben uns an Jahwe, unserem Gott, nicht gehalten (=auf die Stimme...nicht gehört)".

In Jer 3,22b-25 "sieht der Prophet sein Hoffen und
das Ziel seines Wirkens in einem in der Gattung des Volks-
klageliedes gehaltenen und sich erst zukünftig realisie-
renden, idealen Reuebekenntnis seines Volkes"[1]. Im V.25
wird ein unfassendes Urteil gesprochen. Es wird mit zwei
Perfecta ausgedrückt. Diese zwei Tempora "zählen gleichge-
wichtige Fakten auf"[2]. Der erste Satz schildert die Zeit-
spanne der Sünde; diese negative Haltung umgreift eine
längere Zeit; sie ist eine dauernde Haltung. Das alles
wird in dem parallelen Satz mit לא שמע בקול... geäußert.
Die Wendung beschreibt also eine grundsätzlich verkehrte
Haltung vor Jahwe, indem man einen anderen Kult ausübt
(siehe die Belege in Dtn 13), eine Haltung, die dauernd
ist (von Jugend an...). Diese negative Haltung bezieht
sich auf die Hauptverpflichtung des Volkes Gottes.

Jer 22,21:   דברתי אליך בשלותיך אמרת לא אשמע
                          זה דרכך מנעוריך כי לא שמעת בקולי
"Ich habe dir zugeredet, als du dich noch sicher fühltest;
du aber hast gesagt: Ich höre nicht. So hast du es getrieben von Jugend an: Du hast dich nicht an mir gehalten (=auf
meine Stimme nicht gehört)".

Die Entstehungsfrage dieses Textes ist noch zu klären:
"Das Problem, ob dieser Spruch an dieser Stelle (22,20-23)

---

1) ITTMANN, Konfessionen 131.
2) MICHEL, Tempora 99.

schon der Sammlung zugehörte, die D vorlag, muß offenblei-
ben[1]. Diese Frage ist jedoch nicht entscheidend für die
Bedeutung der präpositionalen Wendung. Das Verb שמע ist
zweimal belegt. Das erste Mal ist es absolut konstruiert
und steht als Antwort für נורדי. Hier tritt das Impf. im
modalen Gebrauch auf(Ich will nicht hören[2]. Nachdem angenommen wird, daß es ständig so gewesen sei (von Jugend an...),
wird am Ende der Grund angegeben: כי לא שמעת בקולי. Zu
bemerken sind auch die Tempora: לא אשמע als Imperfectum
kann sich wiederholende Handlungen aussprechen[3]. Dagegen
steht כי לא שמעת בקולי dauernde Haltung und Ursache von
wiederholten Handlungen im Perfectum. Inhaltlich führt
diese Haltung zu Jerusalems Sturz. Dieselbe negative Haltung
gilt in 2 Kön 18,12 als Erklärung für den Niedergang des
Nordreiches.

Jer 38,15.20:   וכי איעצך לא תשמע אלי

שמע נא בקול יהוה לאשר אני דבר אליך

"Wenn ich es dir verkünde, läßt du mich bestimmt töten,
und wenn ich dir einen Rat gebe, hörst du nicht auf mich.
... Jeremia versicherte: Man wird dich nicht ausliefern.
Bejahe den Willen Gottes nach dem Wort, das ich zu dir
rede. Dann geht es dir gut, und dein Leben bleibt erhalten."
      Ganz deutlich unterscheidet der Text zwei präpositiona-
le Konstruktionen und zwei Bedeutungen: Auf jemanden hören
und ein Wort oder einen Rat annehmen, wird mit שמע אל ausgedrückt. Dagegen findet sich bei שמע בקול eine andere Betonung: Der König befürchtet, daß er den Juden ausgeliefert
wird, die bereits zu den Belagerern abgefallen sind. Die
Worte Jeremias zeigen den Willen Gottes. Ohne Vorbehalt
und Einschränkungen soll der König ihn befolgen; dieser

---

1) THIEL, WMANT 41,242.

2) MICHEL, Tempora 143-149.

2) Ibid. 150-152.

Wille wird in seinem Wort sichtbar. Die Gründlichkeit und
Intensität, die die Wendung verlangt, führt zu einer totalen
Entscheidung: sie verlangt eine radikale Einstellungsände-
rung von seiten des Königs; damit ist auch das Schicksal
des Volkes und der belagerten Stadt verbunden. Es wird
ein vollkommener Gehorsam ohne Alternativen gefordert.
Zusammenfassend kann man diesen Beleg so paraphrasieren:
Wenn der König bereit ist, den Rat von Jeremia anzunehmen
(שמע אל), dann soll er sein Wort, als Äußerung des Willens
Gottes, einlösen *(שמע בקול יהוה)*.

   Auch wenn das Vorkommen dieser Wendung nicht unbedingt
eine redaktionelle Schicht bedeuten muß, so zeigen die
meisten Belege doch eine redaktionelle Komposition. Während
in den Orakeln über die Völker (Kap. 46-51) kein Beleg
vorliegt, wird die Wendung in einigen Kapiteln der Baruchs-
berichte häufig gebraucht (8mal: in 42,1-43,7= 6mal)[1].

Jer 42,6:   אם טוב ואם רע
               בקול יהוה אלהינו אשר אנחנו שלחים אתך אליו נשמע
                                           למען אשר ייטב לנו
                                     כי נשמע בקול יהוה אלהינו

"Sei es gut oder schlimm, auf die Anweisung des Herrn,un-
seres Gottes, zu dem wir dich senden, wollen wir hören,
damit es uns gut gehe, weil wir auf Jahwe, unseren Gott,
hören wollen".

---

1)   In Beziehung zu 42,1-22 kommt THIEL zu folgenden Ergebnissen :
     "Ein urspünglicher Zusammenhang 42,1-5.7-9a.17* wurde von D in
     die gegenwärtige Gestalt gebracht. Sie entwickelte aus dem überlie-
     ferten Spruch, der den Ägyptenflüchtlingen restlosen Untergang
     ankündigte, eine Alternativ-Predigt, deren negativen Teil(v.13ff.)
     sie in Anlehnung an den Inhalt des Spruches gestaltete(bes. v.16.
     18). Von sich aus formulierte sie den positiven Teil der Alternati-
     ve(10-12) als eine Heilszusage für die im Lande Verbleibenden,
     denen ungestörtes Leben im Lande verheißen wird... Den Auswande-
     rungsentschluß kennzeichnet D stärker als der Bericht und wiederholt
     als Ungehorsam gegen Jahwe(6.13.21) und unterstreicht dieses Urteil
     in einem Schlußabschnitt(19-22)".

Die Wendung äußert zuerst die konkrete Haltung vor
dem Gotteswort, das der Prophet sprechen soll; am Ende
bezieht sich die Wendung nochmal auf die allgemeine Haltung
vor Gott.

Jer 42,13:　　　　　　　ואם אמרים אתם לא נשב בארץ הזאת

לבלתי שמע בקול יהוה אלהיכם

"Wenn ihr aber sagt: Wir bleiben nicht in diesem Land!,
so daß ihr damit nicht auf Jahwe, euren Gott, hört..."[1].

An der konkreten Verweigerung wird der grundsätzliche
Ungehorsam deutlich. Nach dieser Äußerung der negativen
und ablehnenden Haltung vor Gott, liegt in V.14 die typische
Konstruktion für die sinnliche Wahrnehmung vor: וקול שופר
לא נשמע. Eine weitere Konstruktion ist die Aufforderung
zum Hören von einem Wort oder einer Rede in V.15:

ולא שמעתם בקול יהוה אלהיכם ולכל אשר שלחני אליכם

"Heute nun habe ich euch den Bescheid gegeben, aber ihr
habt auf Jahwe, euren Gott, nicht gehört, auf nichts von
dem, womit er mich zu euch gesandt hat".

Jer 43,4:　　　　　ולא שמע יוחנן ... בקול יהוה לשבת בארץ יהודה

"Johanan, der Sohn Kareachs, alle Truppenführer und das
ganze Volk beachteten nicht den Befehl des Herrn, im Land
Juda zu bleiben".

Jer 43,7:　　　　　　　　　כי לא שמעו בקול יהוה

"Und sie zogen nach Ägypten, weil sie nicht auf Jahwe hören
wollten".

Jer 40,3:　　　　　כי חטאתם ליהוה ולא שמעתם בקולו

"Jetzt hat Jahwe seine Drohung eintreffen lassen und voll-

---

1) Die Übersetzung der EU ist nicht deutlich genug. Besser ist der Text
   RUDOLPHs (Jeremia 254): "Wenn ihr aber im Ungehorsam gegen die Stimme
   Jahwes, eures Gottes, sprecht: Wir bleiben nicht in diesem Land".

streckt; denn ihr habt gegen Jahwe gesündigt und nicht
auf ihn gehört. So mußte euch dieses Schicksal treffen".

Jer 44,23:   ולא שמעתם בקול יהוה
"Weil ihr Rauchopfer dargebracht und gegen Jahwe gesündigt habt, weil ihr auf Jahwe nicht gehört habt und euch
nicht nach seiner Weisung, seinen Gesetzen und Mahnungen
gerichtet habt, darum hat euch dieses Unheil getroffen,
wie es heute noch besteht".

     THIEL untersucht gründlich die Ähnlichkeiten und
Gleichheiten, die zwischen Jer 7; 11; 26 bestehen[1]. Gerade
in diesen Kapiteln finden sich noch 5 Belege (7,23.28;
11,4.7; 26,13); auch hier stammt der Text aus dem deuteronomistischen Bereich:

Jer 7,23:   שמעו בקולי והייתי לכם לאלהים
"Vielmehr gab ich ihnen folgendes Gebot: Haltet zu mir
(=hört auf meine Stimme), dann will ich euer Gott sein,
und ihr sollt mein Volk sein. Geht in allem den Weg, den
ich euch befehle, damit es euch gut geht".

     Was hier in V.23 gesagt wird, steht noch als Wiederho-
lung in V.24; auch in dieser Stelle ist die Wiederholung
ohne Präposition konstruiert. Es wird die Geschichte von
Israels Untreue nach deuteronomistischem Gedankengang erzählt:
Jer 7,24:   ולא שמעו ולא הטו את אזנם

Jer 7,26:   ולוא שמעו אלי ולא הטו את אזנם ויקשו את ערפם
Jer 7,27:   ולא ישמעו אליך וקראת אליהם ולא יענוכה
Jer 7,28:   הגוי אשר לוא שמעו בקול יהוה אלהיו
"Sie aber waren nicht gehorsam und neigten mir ihr Ohr
nicht zu, sondern folgten den Eingebungen und Trieben ihres

---

1)   THIEL, WMANT 41, 115ff.; 139ff.

bösen Herzens... Aber man hörte nicht auf mich und neigte
mir nicht das Ohr zu, vielmehr blieben sie hartnäckig...
Auch wenn du ihnen alle diese Worte sagst, werden sie nicht
auf dich hören. Wenn du sie rufst, werden sie dir nicht
antworten... Dies ist das Volk, das nicht zu Jahwe, seinem
Gott, hält und sich nicht erziehen ließ. Die Treue ist
dahin".

In Jer 7,21-29 (die Opfer-Polemik) sind die folgenden
Konstruktionen vertreten: שמע בקול(2×), לא שמע אל, לא שמע אל(2×),
In V.23 ist שמע בקול Ausdruck des Hauptgebotes an die Väter.
Im Gegensatz zu den zahlreichen Opfern wird die richtige
Haltung und Handlung vor Gott genannt. Das Ende dagegen
beschreibt das Verhalten in der Geschichte und in der Gegenwart. Auch die parallelen Ausdrücke in V.28 sind deutlich:
אבדה האמונה - לא לקחו מוסר. Der absolute Gebrauch in V.24
ist eine Wiederholung von V.23. Es geht hier um die Grundhaltung vor Gott und um die Folgen dieser Grundhaltung
im Leben; der Ausdruck, hier in Parallelismus mit לקח מוסר,
 wird in dieser Stelle gemeinsam mit dem Begriff Treue
(אמנה) gebraucht. Die Wendung kann wahrscheinlich nicht
als Bezeichnung für ein konkretes Gesetz verstanden werden,
sondern für eine allgemeine und zusammenfassende Haltung
vor Gott.
In den Vv.26.27 kommt die Beziehung zu den Propheten zum
Ausdruck. Gott sendet immer wieder ("Unermüdlichkeitsformel") seine Propheten. Aber das Volk hört nicht auf Gott
(auf mich, der ich die Propheten gesendet habe). So werden
sie auch nicht auf dich hören. Die Annahme eines (wahren
oder falschen) prophetischen Wortes oder eines Propheten
wird regelmäßig mit   ausgedrückt. Syntaktisch und
inhaltlich parallel zu Jer 7,26.27 ist Ez 3,6.7.
In Verbindung mit dieser Opfer-Polemik ist auch 1 Sam
15,22 zu betrachten:
1 Sam 15,22:   החפץ ליהוה בעלות וזבחים כשמע בקול יהוה
                           הנה שמע מזבח טוב להקשיב מחלב אילים

"Hat Jahwe an Brandopfern und Schlachtopfern das gleiche
Gefallen wie am Gehorsam gegenüber Jahwe? Wahrhaftig, Treue
(Gehorsam) ist besser als Opfer, Hinhören besser als das
Fett von Widdern".

Um die Bedeutung näher zu präzisieren, sollte man
etwas über Herkunft und Abhängigkeiten dieser Texte erfahren[1]. 1 Sam 15,22 ist ein wichtiger Text, um die Weite der
Wendung im religiösen Leben zu verstehen. Die Frage lautet:
Opfer oder שמע בקול? שמע בקול als religiöse Haltung hatte
auch sicher einen besonderen Inhalt. Die Belege von Ex
23,21.22 (nach dem Bundesbuch) und von Dtn 26 (Segen und
Fluch nach dem Gesetzescorpus) und Belege vom Jer-Buch
sprechen dafür, daß mit שמע בקול die Haltung des Gehorsams
zu den Gottesanweisungen verstanden werden soll[2].

Jer 11,4.7:   שמעו בקלי ועשיתם אותם ככל אשר אצוה אתכם

שמעו בקלי

ולא שמעו ולא הטו את אזנם

"...die ich euren Vätern aufgetragen habe, als ich sie
aus Ägypten herausführte, aus dem Schmelzofen des Eisens:
Seid gehorsam und handelt in allem nach meinen Geboten;
dann werdet ihr mein Volk sein, und ich will euer Gott
sein".
"Denn ich habe eure Väter, schon als ich sie aus Ägypten
herausführte und bis zum heutigen Tag, immer wieder beschwo-
ren: Seid gehorsam! Sie aber haben nicht gehört und mir

---

1) Für THIEL ist Jer 7,21-29 ein D-Text (WMANT 41, 121-128). Er unterstreicht die "Verwandtschaft der in 7,22f. formulierten Alternative
   zu 1 Sam 15,22, die bis ins Wörtliche hineinreicht. 7,22f. wirkt wie
   eine ins Prinzipielle erhobene Ausweitung dieses Spruches. Leider
   ist dessen Herkunft noch nicht genügend geklärt. Seine dtr. Herkunft
   ist nicht zu erweisen"(S.127). Für SEEBAß ist 1 Sam 15,18-22 "eine
   zweifellos dtr. Redaktion" (David, Saul 86). NOTH findet keine endgültige Entscheidung (Überl.Studien 63).

2) THIEL (WMANT 41,127) definiert den Text als "Gehorsamsforderung an
   die Gebote des Dtn".

ihr Ohr nicht zugeneigt; alle folgten dem Trieb ihres bösen
Herzens...".

Ausführlich behandelt THIEL[1], mit Hilfe der Arbeiten von Hyatt, die deuteronomistische Herkunft von Jer
11,1-14. "Die im Verlauf der Forschungsgeschichte geäußerten
Argumente, vor allem aber die Beobachtung eines durchgehenden dtr. Sprachgebrauchs und auffälliger Parallelen zu
Texten des Dtn. (bes. 27,15-26) wie des Buches Jeremia
(7,24-26; 2,27f.) führen zu derBehauptung, daß der Text-
(11,1-14) eine von D gestaltete und formulierte Einheit
darstellt"[2]. Das zeigt sich schon in den angeführten Belegen
durch die ständige Wiederholung derselben Ausdrücke. Besonders in den Vv.1-8(mit עשה - צוה), aber auch in 9-14(mit
anderen Wendungen) ist שמע überdurchschnittlich oft (9mal)
vertreten. In 11,1-8 heißt es:

שמעו את דברי הברית הזאת
ארור האיש אשר לא ישמע את דברי הברית הזאת
שמעו בקולי
שמעו את דברי הברית הזאת
שמעו בקולי
ולא שמעו

In 11,9-14 steht:

לשמוע את דברי
ולא אשמע אליהם
כי אינני שמע

Der Text unterscheidet zuerst ganz deutlich zwischen שמע את
(in V.2 als Aufforderung zum Hören, in V.3 am Anfang der
Rede und auch in V.6 am Anfang eines Wortes) und שמע בקול.
Diese Konstruktion gehört selbst zum Inhalt dieses Bundes.
Die Empfehlung steht in V.4 שמעו בקולי + עשיתם אותם. In
V.4 wie in V.7 kommt die Wendung שמעו בקולי nach dem Ausdruck לאמר, der eigentlich die Einführung des Inhalts oder
des Kerns des Wortes ist. Der V.8 wiederholt als Kurzform
ohne Präposition die Wendung und beschreibt das Verhalten

---

1) THIEL, WMANT 41,139-169.
2) Ibid. 140.

des Volkes. "In v.9 beginnt D mit der Wortereignisformel
einen weiteren Abschnitt"[1]. In V.10 steht der Satz לשמוע את
דברי. Wenn man den normalen Unterschied im Gebrauch der
Präpositionen ernst nimmt und die Belege von 11,1-8 daraufhin betrachtet, dann sollte man hier an eine Äußerung der
sinnlichen Wahrnehmung denken. Die Übersetzungen ("die
meinen Worten nicht haben gehorchen wollen"=Zürcher Bibel;
"die sich weigerten, meinen Worten zu gehorchen"=Einheits-
übersetzung) bevorzugen die Bedeutung "gehorchen". Die
Konstruktion dagegen spricht für "hören". Wenn die Konstruktion signifikant verwendet wird, kann man folgende Vermutung
wagen: Hier handelt es sich um Ablehnung des Hörens. Man
möchte eigentlich lieber andere Worte hören. Damit bricht
man den Bund und verstößt so gegen die Jahwezugehörigkeit.
In V.11 und V.14 liegen noch zwei Belege vor: zuerst שמע אל
als Erhörung und dann derselbe Begriff, aber ohne Präposition, in der Wiederholung.

Jer 26,13:   ושמעו בקול יהוה אלהיכם
"Nun also, bessert euer Verhalten und euer Tun, und haltet
zu Jahwe, eurem Gott (=hört auf die Stimme...). Dann wird
Jahwe das Unheil reuen, das er euch angedroht hat".

    Mit WELCH und HYATT betrachtet auch THIEL Jer 26,13
als dtr[2]. In diesem redaktionellen Text ist das Verb mehr-
fach vorhanden: אולי ישמעו
                                                   אם לא תשמעו אלי
                                         לשמע על דברי עבדי הנבאים
                                                        ולא שמעתם
Neben שמע אלי ist auch שמע על belegt. Diese Wendungen sind

---

1) THIEL, WMANT 41,151

2) THIEL, WMANT 52,3-4: "In K.26, den Parallelbericht zur Tempelrede in
    7,1-15, hat D relativ wenig eingegriffen. Sie fügte die Reflexion
    über die Wirkung der aufgetragenen Verkündigung in 3-5 ein, überar-
    beitete das Tempelwort in 6 und bereicherte die Verteidigung Jere-
    mias um einen Aufruf zum Rechttun".

noch weiter zu behandeln. Die Häufigkeit der Belege ist
auch hier bemerkenswert. Noch weitere 4 Belege als Äußerung
der sinnlichen Wahrnehmung stehen in dem vorredaktionellen
Text Jer 26,7-12:

וישמעו...את ירמיהו מדבר את הדברים האלה
וישמעו...את הדברים האלה
שמעתם באזניכם
את כל הדברים אשר שמעתם

So sind hier drei Bedeutungsstufen durch die Präpositionen
vertreten: die sinnliche Wahrnehmung durch שכע את; die
Annahme einer Person oder Sache durch שמע אל; die Durchführung des angenommenen Wortes in Gehorsam und Treue durch
שמע בקול.

Jer 9,12:   ולא שמעו בקולי ולא הלכו בה
"Jahwe erwiderte: Weil sie meine Weisung aufgaben, die
ich ihnen vorgelegt habe, zu mir nicht hielten (=auf meine
Stimme nicht hörten) und meine Weisung nicht befolgten,
sondern dem Trieb ihres Herzens folgten und den Baalen
nachliefen...".

   Die Wendung zeigt, besonders durch die parallelen
Ausdrücke, dieselbe Ausdruckskraft wie in den vorangegangenen Belegen. Auch Jer 32,23 hat ähnliche Merkmale.

Die Wendung in den Psalmen

   In den Psalmen liegen 4 Belege (95,7; 103,20; 106,25;
130,2) vor. 130,2 ist eine Bitte um Erhörung, die übrigen
Belege drücken das menschliche Verhalten vor Gott aus.

Ps 130,2:   אדני שמעה בקולי
"Aus der Tiefe rufe ich, Jahwe, zu dir: Herr, erhöre mich!
Wende dein Ohr mir zu, achte auf mein lautes Flehen!"[1]

---

1) MICHEL, Tempora 80: "Man müßte präziser übersetzen: 'Ich rufe dich
   hiermit an'".

Die Verwendung dieser Konstruktion in Gebet und Bitten
ist nicht häufig, aber nichts Außergewöhnliches (s.o.:
die Wendung mit Jahwe als Subjekt).

Ps 95,7:   אם בקלו תשמעו
"Denn er ist unser Gott, wir sind das Volk seiner Weide,
die Herde von seiner Hand geführt. Ach, würdet ihr doch
heute ihm die Treue halten (=auf seine Stimme hören)! Verhärtet euer Herz nicht wie in Meriba, wie in der Wüste
am Tag von Massa!".

Die Wendung beschreibt, was die Zugehörigkeit zu Gott
verlangt. Das Gegenteil wäre קשה לבב. Die richtige religiöse Haltung Israels wird mit diesem einen Wort zum Ausdruck
gebracht.

Ps 103,20:   עשי דברו לשמע בקול דברו
"Lobt Jahwe, ihr seine Engel, ihr starken Helden, die seine
Befehle vollstrecken, seinen Worten gehorsam!".

לשמע בקול דברו fehlt in der Syriaca. Die Wendung,
so wie sie hier strukturiert ist, ist nur einmal belegt.
Andere Gründe, den Satz wegzulassen, gibt es nicht.[1] Die
Verwandtschaft von שמע בקול - עשה ist geläufig. Belegt
ist die Konstruktion שמע בקול לשמר לעשות (Dtn 15,5; 28,1.
15; 13,19). In Ps 103, 20 wird wahrscheinlich weiter präzisiert, was hier עשו דברו bedeutet: das Wort/den Befehl
vollziehen, indem man treu danach handelt.

Ps 106,25:   לא שמעו בקול יהוה
"In ihren Zelten murrten sie, hielten nicht zu Jahwe".

Mit Ausnahme des Belegs in Ps 130,2 finden sich die
anderen drei Stellen der Psalmen in dem vierten Buch (Ps

---

1) Die Biblia Stuttgartensia vermutet hier eine Glosse.

90-106). KRAUS hält diese drei Psalmen für zeitlich spät[1].

Ps 95 und 106 wären dtr; der Ps 103 läßt "aramäisierende
Suffixe in 3ff" erkennen[2]. Zu Ps 106 sagt H.SCHMIDT: "...die
Zeit, in der man sich gewöhnt hatte, die ganze Geschichte
als ein Gericht über die furchtbare Schuld der Väter zu
empfinden"[3].

Die Wendung in Dan 9

Dan 9,10.11.14: ולא שמענו בקול יהוה אלהינו ללכת בתורתיו
וסור לבלתי שמוע בקלך
ולא שמענו בקלו

"Wir haben Jahwe, unserem Gott, nicht gehorcht, indem wir
seine Befehle nicht befolgt haben, die er uns durch seine
Knechte, die Propheten, vorgelegt hat".
"Ganz Israel hat dein Gesetz übertreten, ist davon abgewichen, so daß es die Treue gebrochen hat (=um auf deine
Stimme nicht zu hören)".
"Der Herr aber war wach und ließ dieses Unheil über uns
kommen. Denn der Herr, unser Gott, ist gerecht in allem,
was er tut. Wir aber hielten nicht zu ihm (=gehörten nicht
auf seine Stimme)".

Dan 9,4-19: "In einem Bußgebet...bekennt Daniel seine
und seines Volkes Sünden"[4]. Sprachlich ist der Text sehr
jung[5]. Dieses Gebet bietet die Gelegenheit, die Ähnlichkeiten und Unterschiede von שמע אל - שמע בקול zu beobachten.

---

1) KRAUS, BK 15,929.901.

2) Ibid. 872

3) SCHMIDT, psalmen 195.

4) BENTZEN, HAT 19,73.

5) "Das Gebet Daniels wird ganz allgemein...als spätere Einlage be-
    trachtet... Von dem übrigen Daniel-Buch unterscheidet sich 4b-19
    auch dadurch, daß es das Tetragramm gebraucht, das sonst nicht
    vorkommt. Das Gebet erinnert an ältere Stellen des AT, vor allem
    an Salomos Tempelweihegebet (2 R 82 Ch 6)"(BENTZEN, HAT 19,101).

In 9,6 steht: ‏ולא שמעוו אל עבדיך הנביאים אשר דברו בשמך‎. Die
Beziehung zu den Propheten oder die Haltung zu ihnen wird
mit ‏שמע אל‎ ausgedrückt; dagegen wird die Haltung und Handlung den Anweisungen und dem prophetischen Wort gegenüber
in V.10 als ‏שמע בקול‎ bezeichnet: "...die Befehle, die er
uns durch seine Diener, die Propheten, gegeben hat".
Für die Erhörung einer Bitte (V.17f.) wird, wie im Gebet
Salomos, ‏שמע אל‎ gebraucht. In den Psalmen wird (mit Ausnahme
von Ps 69,34) ohne Präposition konstruiert. Die Wendung
‏שמע בקול‎ bezeichnet die Handlung/Haltung, die in der Erfüllung der göttlichen Anweisungen besteht. Diese Anweisungen wurden von den Propheten übermittelt. Das wird besonders in 9,10 deutlich: "...seine Befehle, die er uns durch
seine Diener, die Propheten, gegeben hat". Der Inhalt dieser
Haltung wird gleichzeitig weiter bestimmt: ‏ללכת בתורתיו‎
ist die verlangte Folge oder die konkrete Entfaltung, die
von der Wendung gefordert wird.

Die Wendung in den Büchern Zef, Hag und Sach

‏שמע בקול‎ wird in prophetischen Büchern außerhalb vom
Buch Jer sehr wenig gebraucht. Jes 50,10 ist schon erwähnt
worden. Dazu kommen Zef 3,2 ;Hag 1,12; Sach 5,15. Hag 1,12
wird in Verbindung mit ‏שמע על‎ zitiert.

Zef 3,2:   ‏לא שמעה בקול לא לקחה מוסר ביהוה‎
"Weh der trotzigen, der schmutzigen, der gewalttätigen
Stadt. Sie ist nicht gehorsam und nimmt sich keine Warnung
zu Herzen. Sie verläßt sich nicht auf den Herrn und sucht
nicht die Nähe ihres Gottes".

Ganz auffällig ist an dieser Stelle, daß ‏בקול‎ ohne
Suffix bzw. Jahwe steht! Soll man annehmen, daß ‏שמע בקול‎
sich hier auch ohne nähere Angabe auf ‏קול יהוה‎ bezieht?
Der Ausdruck ‏לקח מוסר‎ (das Verb kann ein anderes sein)
ist in Spr-Buch 31mal, in Jer 8mal, Ez 1mal, in Zef 2mal,

in den Ps 1mal, in Dtn 1mal, in Jes 1mal, in Ijob 4mal,
in Hos 1mal (insgesamt 50mal belegt). Es wird zu einem
typischen Begriff der Weisheitslehre. "Das theologische
Profil der Wortsippe jsr/musar/jissor wechselt mit den
Anwendungsbereichen und -arten; ihr Grundgepräge ist aber
ordnungstheologischer Art; sie meint vornehmlich Einordnung
in die Lebensordnungen Gottes"[1]. נדר - בטח bilden weitere
Parallelsätze und kennzeichnen auch eine Haltung vor Gott.
Es ist vom Versagen der Stadt die Rede.

Sach 6,15:   והיה אם שמוע תשמעון בקול יהוה אלהיכם
"Das wird geschehen, wenn ihr beharrlich zu Jahwe, eurem
Gott, haltet (=auf die Stimme...hört)".

    Als normale Sprachkompetenz kann die Verstärkung durch
den Infinitivus absolutus angesehen werden. Dieser Aufbau
des Infinitivs ist auch in Ex 19,5; 23,22; Dtn 15,5; 28,1
zu finden.

    Die Überprüfung von שמע בקול in den prophetischen
Büchern kommt zum folgenden Ergebnis: Die Wendung, die
als Ausdruck der Sprache schon älter ist, wurde in den
ältesten Propheten (Hos; Am; Jes(1-39);Ez) als Fachausdruck für theologische Äußerungen noch nicht gebraucht.
Nur in einzelnen Fällen (Zef 3,2; Jer 38,20) wird die Wendung, auf Gott bezogen, gebraucht. Die Häufigkeit des Vorkommens im Buch Jeremia stammt aus der dtr Redaktion. Das
ist aber nicht nur bei שמע בקול der Fall. Ähnliches kann
man auch von שמע אל sagen. שמע אל ist bei den Propheten
des 8. Jh. nicht vertreten. Die vorhandenen Belege sind in
den Büchern von Jer (27mal), Ez (6mal) und Dt-Jes (7mal) zu
finden. In prophetischen Büchern gibt es noch die Konstruktion שמע ל (1mal in Hos) und שמע לקול (1mal in Jer). Auch
hier ist die Verwendung dieser propositionalen Konstruktionen unregelmäßig verteilt und in den Propheten sehr begrenzt.

---

1) SAEBO, THAT I 741.

ל-Sätze nach שמע בקול

Die Intensität der Handlung wird durch die Präposition
ausgedrückt. Der Inhalt dagegen wird in den vorhergehender
Sätzen formuliert oder kann auch nach der Wendung durch
ל-, לכל אשר, לאשר-Infinitiv geäußert werden:

Gen 27,80:	לאשר אני מצוה אתך
Ex 5,2:	לשלח את ישראל
Dtn 13,19:	לשמר את כל מצותיו אשר אנכי מצוך היום לעשות הישר
Dtn 15,5:	לשמר לעשות את כל המצוה הזאת אשר אנכי מצוך היום
Dtn 28,1:	לשמר לעשות את כל מצותיך אשר אנכי מצוך היום
Dtn 28,15:	לשמר לעשות את כל מצותיו וחקתיו אשר אנכי מצוך היום
Dtn 28,45:	לשמר מצותיו וחקתיו אשר צוה
Dtn 30,10:	לשמר מצותיו וחקתיו הכתובה בספר התורה הזה
Jos 22,2:	לכל אשר צויתי אתכם
1 Sam 8,7:	לכל אשר יאמרו
1 Sam 12,1:	לכל אשר אמרתם לי
Jer 35,8:	לכל אשר צונו לבלתי שתות יין
Jer 38,20:	לאשר אני דבר אליך
Jer 42,21:	לכל אשר שלחני אליכם
Jer 43,4:	לשבת בארץ יהודה
Dan 9,10:	ללכת בתורתיו אשר נתן לפנינו

Einige literarische Fakten sind:
- Im Dtn beginnt der Satz regelmäßig mit לשמר.
- Nur im Dtn tritt diese Konstruktion auf.
- לעשות ist fast immer die Begleitung von לשמר. Das ist
eine Eigenart vom Dtn und auch sonst besitzen diese Sätze
im Dtn eine eigene Prägung.
- לכל אשר ist sonst meist die Fortsetzung von שמע בקול.
- Ähnlich konstruiert sind Gen 27,8 und Jer 38,20.
Solche Regelmäßigkeit erklärt sich am besten aus dem Stil
eines Verfassers. Die Konstruktion mit ל nach שמע ist keine
Besonderheit von שמע בקול. Strukturmäßig findet sich dasselbe nach שמע אל in Gen 34,17; 39,10; Dtn 11,13; Jer 17,27;
26,4;34,10.17; nach שמע ל in Spr 8,34. Auch 2 Sam 14,16
sowie 1 Sam 30,24; Dan 1,14 gehören zu dieser Struktur.

Inhaltlich zeigen sich jedoch in den genannten Stellen
Betonungen, die für die Bedeutung von שמע בקול sprechen.

שמע בקול: *Wortfeld, Parallel- und Gegensätze*

Besonders in den theologisch geprägten Belegen wird
שמע בקול von anderen parallelen oder ergänzenden Ausdrücken
begleitet. Die wichtigsten dieser Begriffe[1] sind:

ע ש ה :

Ex 23,22:   כא אם שמוע תשמע בקלו
                                    ועשית כל אשר אדבר

Dtn 23,14:   שמעתי בקול יהוה אלהא
                                    עשיתי ככל אשר צויתני

Dtn 27,10:   ושמעת בקול יהוה אלהיך
                                    ועשית את מצותיו ואת חקיו

Dtn 30,8:   ...ושמעת בקול יהוה
                      ועשית את כל מצותיו אשר אנכי מצוך היום

1 Sam 15,19:   ...ולמה לא שמעת בקול יהוה
                                    ותעש הרע בעיני יהוה

1 Sam 28,18:   כאשר לא שמעת בקול יהוה
                                    ולא עשית חרון אפו בעמלק

2 Kön 18,12:   על אשר לא שמעו בקוד יהוה אלהיהם
                                    ולא שמעו   ולא עשו

Jer 11,4:   שמעו בקולי
                                    עשיתם אותם ככל אשר אצוה אתכם

Jer 18,10:   ועשה הרעה בעיני
                                    לבלתי שמע בקולי

Jer 32,23:   ולא שמעו בקולך
                      ...את כל אשר צויתה להם לעשות לא עשו

Bemerkenswert ist sicher die Häufigkeit dieses Vorkommens;
dieses Verb ist aber auch nach שמע אל zu finden.

צ ו ה :

Der Stamm צוה (als Verb oder als Nomen) gehört eng

---

1) Die עשה-Belege werden als Beispiel vollständig zitiert.

zu שמע בקול, besonders in Buch Dtn. Siehe: Gen 27,8; Dtn
4,30; 13,5; 13,19; 15,5; 26,14; 26,17; 27,10; 28,1; 28,15;
28,45; 30,2; 30,8; 30,10; Jos 22,2; Jer 7,23; 11,4; 32,23;
35,8. Auch bei שמע לקול in Ri 2,20; bei שמע ל in Lev 26,14;
die Wendung שמע אל מצוה wurde schon besprochen; siehe auch
שמע אל in Dtn 34.9.

ש מ ר :

Geläufig ist die Fortsetzung von שמע בקול mit לשמר.
Das Verb zeigt gelegentlich eine große Parallelität in
der Bedeutung mit שמע בקול; so in Jos 22,2:

אתם שמרתם את כל אשר צוה אתכם משה עבד יהוה
ותשמעו בקולי לכל אשר צויתי אתכם

Andere Belege sind: Gen 26,5; Ex 19,5; 23,21-22; Dtn 13,5;
26,17.

ה ל ך ב :

Dtn 13,5; 26,17; 1 Sam 15,19; Jer 9,12; 11,7; 32,23;
44,23.

האמין ל

Ex 4,1; Dtn 9,23; Jer 7,28; Ps 106,25. Auch bei שמע
לקול (Ex 4,8.9).

ע ב ד :

Dtn 13,5; Jos 24,24; 1 Sam 12,14.

ד ב ק ב :

Dtn 13,5; 30,20.

ה ט ה (א ת) א ז נ י ם :

Jer 11,7; Spr 5,13. Auch bei שמע אלי in Jer 7,26;
17,23; 25,4; 34,14; 35,15.

ש נ א / ל ק ח מ ו ס ר :

Jer 7,28; Zef 3,1; Spr 5,13. Auch in Jer 17,23; 32,33;
35,13 bei שמע אלי.

‫ב ו‬ :

    Dtn 30,2.8; siehe auch Dtn 4,30; (Ijob 36,10-12).

‫פ ש ע / ח ט א‬ :

    1 Sam 15,24; Jer 3,25; 40,3; 44,23; 1 Sam 15,24; (Jer 3,13).

‫מ ר ה‬ :

    Ex 23,21-22; Dtn 9,23; 1 Sam 12,14 (siehe auch Dtn 1,43...). In Ez 20,8 mit ‫שמע אלי‬. Dazu Ez 2,5.6.

‫י ט ב‬ als Folge von ‫שמע בקול‬:
    Jer 7,23; 26,13; 38,20; 42,6.

‫שמע בקול‬ kann auch von anderen Ausdrücken begleitet werden: ‫אהב‬ (Dtn 30,20); ‫לא בטח‬ (Zef 3,1); ‫עבר את ברית‬ (2 Kön 18,12); ‫עזב את תורה‬ (Jer 9,12); ‫אבדה האמונה‬ (Jer 7,28); ‫מאס - רגן‬ (Ps 106,25).
    Alle diese Ausdrücke zeigen deutlich, welche Vorstellungen mit ‫שמע בקול‬ verbunden werden, oder, um es in Anlehnung an die oben skizzierte sprachwissenschaftliche Theorie Wunderlichs zu sagen: sie zeigen, wie die Sprechhandlung aussieht, die mit ‫שמע בקול‬ gemeint ist: Wenn man ‫שמע בקול‬ macht, dann "tut man alles, was der andere gebietet", dann "bewahrt" man es, "wandelt" darin, "glaubt" ihm, "dient" ihm, "klebt" an ihm, dann "nimmt man Zucht an". Wie sehr mit ‫שמע בקול‬ eine Haltung und nicht ein Hören oder auch ein Gehorchen gemeint ist, kann man daran sehen, daß in Dtn 30,2.8; 4,30 die Menschen vor dem ‫שמע בקול‬ erst umkehren müssen!

Jes 42,24: Hapaxlegomenon
                              ‫ולא אבו בדרכיו הלוך ולא שמעו בתורתו‬
"Sie wollten nicht auf seinen Wegen gehen, sie hörten nicht auf sein Gesetz".

ELLIGER sagt: "Der Abschnitt gehört zu denjenigen,
deren Analyse noch immer stark umstritten ist"[1]. Zum V.24
meint er: "Der Unterschied im theologischen Hintergrund
bestätigt die oben schon aus formalen Gründen vorgenommene
Ausscheidung von 24f. als sekundär"[2].

Mit Ausnahme von Jes 42,24 kommt בקול שמע immer nur
mit קול als Ergänzung zu ב vor, also in der Wendung שמע
בקול. Ob die Wendung שמע ב mit einem anderen Objekt als
קול zur Sprachkompetenz des Hebräischen gehörte, können
wir aus Mangel an Belegen nicht mehr sagen. Vielleicht
ist es aber doch nicht zufällig, daß nur תורתו statt קול
vorkommt: wenn man auf die Weisung Gottes "hört", muß man
seine Weisung mit ganzem Einsatz und mit Treue erfüllen.

Zusammenfassung

BROCKELMANN meint: "Fast alle alten Präpositionen gehen
von räumlichen Anschauungen aus, doch sind nur ganz wenige
von ihnen auf ihre usprüngliche lokale Bedeutung beschränkt
geblieben... Fast überall geht die räumliche Bedeutung
zunächst in die zeitliche über, und an diese schließen
sich begriffliche Verhältnisse an"[3]. Diese Grundgedanken
verlangen eine Fortführung, um die echte Heimat einer Präposition zu entdecken[4]. BROCKELMANN präzisiert noch weiter
die allgemeine Bedeutung der Präposition bi in den semitischen Sprachen: "In allen westsem. Sprachen bezeichnet
bi ursprünglich die Ruhe an einem Ort"[5]. Diese Ruhe an
einem Ort kann auch einen Zeitraum verlangen; so ist in
dieser Räumlichkeit eine Zeitlichkeit nicht auszuschließen.
Diese Ruhe bedeutet auch etwas Bleibendes, etwas das nicht

---

1) ELLIGER, BK XI 275

2) Ibid. 290.

3) BROCKELMANN, Grundriß II 362.

4) BROCKELMANN (ibid.365) hält ב שמע als instrumental: Werkzeug, das
   man mit sich führt und mit dem man eine Arbeit ausführt". Diese

sofort vorübergeht. Diese Beziehung zu Ort und Zeit kann
also für Bleibendes sprechen, für eine größere Gründlichkeit. So ist eine Stimme oder ein Klang etwas Flüchtiges:
kaum hat man etwas wahrgenommen, so ist es schon weg. Anders
ist es bei בקול שמע, wo eine (neue) Situation oder etwas
Bleibendes oder Dauerndes betont wird.

Wenn man an שמע (hören) denkt, so verbindet sich das
bei uns mit einem Vorgang der sinnlichen Wahrnehmung. Anders
war es für einen hebräisch Sprechenden bei der Verwendung
von בקול שמע. Die Wendung war nicht als sinnliche Wahrneh-
mung gedacht. Die Belege zeigen mit Deutlichkeit, daß der
Ausdruck nie gebraucht wird, um lediglich eine sinnliche
Wahrnehmung auszudrücken.
- Als Steigerung einer sinnlichen Wahrnehmung ist 2 Sam
19,36 zu verstehen: mit Genuß hören, lauschen.
- In 1 Sam 25 haben wir die Erhörung bei einem schweren
Schicksal, wo der Tod eine dringende Drohung bedeutet.
Das bedeutet: äußerliche und innerliche Teilnahme mit tief-
greifender Änderung von Gefühlen.
- Die Erhörung ist so radikal wie die Gültigkeit eines
Schwurs (1 Sam 19,6). Sie führt durch Gottes Handeln vom
Tod zum Leben (1 Kön 17,22).
In wenigen Texten kommt diese Erhörung von seiten Gottes
vor. In Jos 10,14 wird ganz besonders die Einmaligkeit
dieses Vorgangs betont.

Gründlichkeit, Vollständigkeit, Bedingungslosigkeit
sind Kennzeichen dieser Belege. Nicht nur das Annehmen
von Worten wird betont, sondern die Vollständigkeit dieser
Annahme. Beim Eintreten solcher Erhörung, kann Gott oder
jemand, der die Befähigung dazu besitzt, Schicksal und
Lage ändern. Es gibt aber im Leben Verhältnisse, wo diese

Bedeutung käme vielleicht für den hifil-Stamm in Frage; für ב שמע
allgemein kann es aber nicht gelten.

5) BROCKELMANN, Grundriß II 363.

Gründlichkeit und Vollständigkeit nicht nur vorübergehend
sind, sondern als dauernder Zustand verlangt werden. Diese
Verhältnisse können mit בקול שמע ausgedrückt werden:
* Die Haltung des Gehorsams, die von einem Kind Eltern
gegenüber erwartet wird (Dtn 21,18-21).
* Die Haltung des Gehorsams, die ein Zustand der Treue
wird, zu dem Ahnvater (Jer 35,1-11).
* Diese Haltung ist auch die passende für einen Jünger
in bezug auf die Lehre des Weisheitslehrers (Spr 5,12).
* Die anerkennende und annehmende Haltung der Führung von
Mose. Loyalität und Treue sind die Folge.
* Die Entscheidung für den Gott Israels und der für immer
verpflichtende Gottesdienst oder die religiöse Treue vor
Gott (Jos 24,24).
Es kann auch nützlich sein, die Frage zu stellen, was שמע
בקול nicht bedeutet oder wo die Wendung nicht gebraucht
wird. So kann festgestellt werden, daß die Wendung nie
in Vertragstexten (wo die Rede von Verträgen unter den
Menschen die Rede ist) im Hebräischen gebraucht wird. In
solchen Sprechhandlungen ist nur שמע אל belegt. Darum ist
auch verständlich, daß der Pharao sich nicht von einem
unbekannten Gott verpflichten lassen will (Wer soll dieser
Gott sein, daß ich אשמע בקולו?: Ex 5,2).

     Der größte Teil der Belege dient dazu, die Beziehungen
Israels zu Gott zum Ausdruck zu bringen. Diesen Belegen
haben die Exegeten am meisten ihre Aufmerksamkeit geschenkt,
wobei sie den Gebrauch der Wendung in der nicht-theologi-
schen Sprache nicht immer genügend beachtet haben. Die
Zahl der Belege macht zwar das Gewicht dieser Wendung in
der theologischen Sprache deutlich, es darf aber nicht
vergessen werden, daß sie auch einen festen Platz in den
Erzählungen und allgemein in früheren Texten hat. Die Wendung hat mit der Zeit einen formelhaften Charakter gewonnen,
dabei ist dennoch die Grundbedeutung erhalten geblieben.
Die hebräische Sprache besitzt in dieser Wendung ein spezi-
fisches Sprachmittel, um die besonderen Beziehungen Israels

zu Gott zum Ausdruck zu bringen. Die Qualität der Beziehungen der Kinder zu ihren Eltern, der Beziehungen eines Jüngers zu seinem Lehrer, die Beständigkeit, Ausdauer und
überzeugte Treue verlangen, wird durch בקול שמע, auch in
Begleitung von parallelen Ausdrücken, am deutlichsten ausgesprochen. Dennoch ist die Wendung nicht das einzige Ausdrucksmittel solcher Beziehungen. Ein großer Teil der Botschaft im Alten Testament gebraucht nicht diese Wendung,
um die Beziehungen zu Gott zu beschreiben. So ist es z.B.
der Fall bei den meisten Propheten und bei vielen altt.
Büchern. Selbst in den Büchern Dtn und Jer, wo das Vorkommen
der Wendung die höchste Zahl erreicht, ist die Verteilung
der Belege sehr unregelmäßig. Nach einer nicht zu häufigen
Präsenz im Kernteil des Buchs Dtn, findet man eine größere
Häufung am Ende in dem Segen- und Fluchtext und besonders
in einigen Rahmenkapiteln. Ähnlich häufen sich im Buch
Jer in wenigen Kapiteln viele Belege, und das in Texten,
die einen markanten redaktionellen Charakter besitzen.

Zu bemerken ist, daß die Wendung nicht gebraucht wird,
um die Haltung vor den Propheten zu fordern. Hier wird
אל שמע mit Regelmäßigkeit benutzt. Eine Ausnahme könnte
Jes 50,10 sein. Ob hier der Knecht nicht mehr als Führer
der Gemeinde, wie Mose, und nicht unbedingt als Prophet,
verstanden wird?

Die Wendung bezeichnet dagegen die richtige Haltung
vor Gott. Es scheint sogar eine der gewöhnlichen Wendungen
zu sein für den Ausdruck dieser Beziehungen. Sind also
andere Wendungen auszuschließen? Auf Gott bezogen findet
man in Dt-Jes, Jer, Ez und Hos אל שמע. Wahrscheinlich ist
in diesen Fällen mit einer diachronischen Wandlung zu rechnen. Der Versuch einer Erklärung könnte sein: Als das Wort
eines Propheten ausdrücklich als ein aus Gott stammendes
Wort verstanden wurde, geschah es allmählich, daß auf den
Propheten hören bedeutete, gleichzeitig auf Gott hören.
Diese Doppeldeutigkeit zeigt sich schon in Dt-Jes, in den
entsprechenden Belegen in Jer und in Ez (Auf den Propheten

nicht hören wollen, weil auf Gott nicht hören wollen).

Zu der Präposition ב: Die Vielseitigkeit von ב שמע /
שמע בקול ist bekannt. Die Wendung,die mit Ausnahme von
2 Sam 19,36 und Jes 42,44 immer als שמע בקול erscheint,
wird in mehreren Arten von Sprechhandlungen gebraucht.
Man kann zwischen einmaligen und andauernden Handlungen
unterscheiden. Allen Handlungen gemeinsam ist die Gründlichkeit und Vollständigkeit. In einmaligen Handlungen ist die
Anteilnahme vollständig. Diese totale Anteilnahme geschieht
in den meisten Fällen in äußerst dringenden Verhältnissen.
Die bejahende Anteilnahme läßt allgemein eine Wende in
der Erzählung eintreten. Die verneinende Anteilnahme bringt
schwere Schäden mit sich. In den länger dauernden Handlungen wird besonders die Anteilnahme als Ausdauer betont.
Es ist wie ein ununterbrochener Akt des Gehorsams und des
richtigen Verhaltens, eine Haltung, die als Treue bezeichnet
werden kann. Sie erscheint auch in verschiedenen Lebensbereichen.

Zur Bedeutung: Wenn man nach Brockelmann die lokale
Bedeutung und die daraus sich entwickelnden temporalen
Aspekte als Hauptelemente der Präposition ב betrachtet,
könnte man für ב שמע die Grundbedeutung "bei dem Gehörten
bleiben" beanspruchen. Lokale und temporale Aspekte, die
nicht immer genau trennbar sind, wären in der Wendung prä-
sent. Gerade diese Nähe zur Sache, räumlich und zeitlich,
hätte zur Gründlichkeit geführt. So war wahrscheinlich
die Wendung eine Steigerung der sinnlichen Wahrnehmung.
In der biblischen Sprache ist die sinnliche Wahrnehmung
vorausgesetzt, aber nicht als selbständiges Element betont.
Es ist Aufgabe einer Übersetzung, diese Grundbedeutung
der Wendung so weit wie möglich wiederzugeben. Es ist nicht
sachgemäß, die gleiche Übersetzung für alle Belege zu gebrauchen. Wichtig ist, daß die Gründlichkeit und Vollständigkeit, ebenso wie die Bedingungslosigkeit der Wendung,

wiedergegeben wird. Gerade die Übersetzung "auf die Stimme
hören", die mit wenigen Ausnahmen am häufigsten benutzt
wird, ist sicher nicht die beste Wahl. Der Begriff "gehorchen" ist vielleicht in den Belegen passend, in denen die
Rede von Untertanen ist. AIn vielen Stellen kommt der Begriff "gehorchen" nicht in Frage. Selbst in den Fällen,
wo "gehorchen" passend ist, trifft m.E. die Übersetzung
"die Treue halten" das Gemeinte am besten. Es geht eigentlich um einen Gehorsam, der auf die Dauer geübt wird, so
daß es kein Akt des Gehorsams mehr ist, sondern eher ein
Zustand des Gehorsams. Die Sprechhandlung bestimmt von
Fall zu Fall die Auswahl der Begriffe. Wie sonst wird auch
hier jede Übersetzung nur eine Annäherung sein können.
Hier einige mögliche Übersetzungen:
  - b e h e r z i g e n
  - b e j a h e n
  - sich etwas z u H e r z e n n e h m e n
  - a u f j e m a n d e n / e t w a s h ö r e n
  - e r h ö r e n
  - g e h o r c h e n
  - d i e T r e u e h a l t e n
  - z u jemandem h a l t e n
  - sich a n jemandem h a l t e n
  - b e d i n g u n g s l o s für jemanden sein .
In diesen vielen Sprechhandlungen bleibt die syntaktische
Funktion von ב שמע / בקול שמע unverändert, die Bedeutung
ist dagegen vielfältig. Die Steigerung, die die Präposition
beibringt, führt zur Bedeutungserweiterung. Die sinnliche
Wahrnehmung wird übersteigert und die Ausdrucksmöglichkeiten des Verbs שמע werden durch die Präposition ב viel breiter.

Exkurs: ‏ר א ה ב‏

Durch die Präposition ‏ב‏ in der Wendung ‏שמע בקול‏ erreicht das Verb ‏שמע‏ eine Steigerung in seiner Bedeutung.
Es ist zu fragen, ob diese sprachliche Erscheinung nur
ein isolierter Fall ist, d.h. eine idiomatische Wendung,
die nur für ‏שמע‏ gilt, oder ob die Steigerung in der Bedeutung eine syntaktische Besonderheit der Präposition ‏ב‏ in
der hebräischen Sprache ist. Bekannt ist in der hebräischen
Sprache, daß mehrere Verben eine Doppelkonstruktion besitzen: einmal werden sie als transitive Verben mit Akkusativ-
Objekt konstruiert, sodann haben aber diese Verben auch
die Möglichkeit, "die Einführung des Objekts mit ‏ב‏"[1] zu
vollziehen. GESENIUS-KAUTZSCH spricht dabei von "Idiotismen
und prägnanten Wendungen"[2]. Die Frage lautet hierbei, ob
es sich um Idiotismen oder feste syntaktische Wendungen
handelt. GESENIUS-KAUTZSCH schreibt der Präposition ‏ב‏ die
Bedeutung des *Haftens an* etwas, des *Sich-anschließens an*
etwas zu[3]. Sollte das nicht eine feste Funktion der Präposition ‏ב‏ in der hebräischen Sprache sein? ‏ראה ב‏ will nur
ein Beispiel sein.

D.VETTER hat für ‏ראה ב‏ die Bedeutung *mit Freude/Schmerz
ansehen*[4] angegeben. Die Analyse der Texte wird zeigen,
daß diese Deutung für mehrere Stellen nicht brauchbar ist.
Man sollte aber versuchen, einen Grundbegriff zu formu-
lieren, der allgemeine Gültigkeit für alle Belege besitzt.
Etwas weiter geht die Beschreibung von JOÜON: "Avec
‏ב‏ se construisent les verbes exprimant l'idée de *se confier
en, dominer sur, se réjouir de*. Le ‏ב‏ avec les verbes de
perception, surtout *voir*, implique l'idée d'intensité ou

---

1) GESENIUS-KAUTZSCH, Hebr.Grammatik §119k.

2) Ibid. §119f.

3) Ibid. §119h.

4) D.VETTER, ThWAT II 694. Dieses Konzept war schon vor GESENIUS-KAUTZSCH

de plaisir"[1]. "Intensiv sehen" ist ein Begriff, der nicht
unmittelbar und unbedingt mit Freude oder Leid verbunden
ist. Die Intensität in der Tätigkeit des Sehens bringt
oft mit sich die Teilnahme und die Intensität der Gefühle,
d.h., Schmerz, Freude, Haß, Ablehnung, Zuneigung usw.

Ez 21,26:   קלקל בחצים שאל בתרפים ראה בכבד

"Denn der König von Babel steht an der Wegscheide, am Anfang der zwei Wege, und läßt das Orakel entscheiden: Er
schüttelt die Pfeile, befragt die Götterbilder und hält
Leberschau".

    Das "intensive Sehen" besteht hier im Erforschen der
Leber, um dadurch den konkreten Willen Gottes zu erkennen.
Intensität bedeutet diesmal Genauigkeit. Die Gefühlsteilnah-
me wird dabei nicht betont.

Ex 2,11:   וירא בסבלתם
                      וירא איש מצרי מכה איש עברי מאחיו

"Die Jahre vergingen, und Mose wuchs heran. Eines Tages
ging er zu seinen Brüdern hinaus und schaute ihnen bei
der Fronarbeit zu. Da sah er, wie ein Ägypter einen Hebräer schlug, einen seiner Stammesbrüder".

    Alles wird mit Wajjiqtolformen berichtet; es werden
also Fakten erzählt, die nacheinander folgen. ראה ב zieht
sich in die Länge: In der Zeit, in der Mose die Fronarbeit
beobachtet (= bewußt ansehen, nach der Lage der Fronarbeit
forschen), muß er wahrnehmen, wie ein Bruder den anderen
erschlägt (sinnliche Wahrnehmung). Die beiden Konstruktionen sind nicht gleichwertig.

Ps 128,5:   יברכך יהוה מציון וראה בטוב ירושלם
                 וראה בנים לבניך שלום על ישראל

(Hebr.Grammatik §119k) entwickelt worden: "ראה ב jemanden <u>ansehen</u>...,
gew. mit dem Nebenbegriff der Teilnahme, Freude, daher...<u>seine Lust
an jemand</u> oder <u>etwas sehen</u>..."

1) JOÜON, Grammaire §133c.

"Es segne dich der Herr vom Zion her. Du sollst dein Leben
lang das Glück Jerusalems erleben und die Kinder deiner
Kinder sehen. Frieden über Israel".

GUNKEL übersetzt ב ראה "mit innerer Beteiligung an-
schauen, sich weiden an"[1].

Hld 6,11:   לראות באבי הנחל
                              לראות הפרחה הגפן הנצו הרמנים

"Ich stieg hinab in den Nußgarten, mich zu ergötzen an
den Blüten im Tal, zu sehen, ob der Weinstock gesproßt,
ob die Granaten in Blüte stehen".
Das ganze Geschehen wird mit ב ראה ausgedrückt; anschließend werden aber mit ראה Teile des ganzen Erlebens genannt.
Vielleicht ist das Zeitliche unwichtig und es wird zwischen
genießen und sehen unterschieden.

Gen 34,1:   ותצא דינה בת לאה...לראות בבנות הארץ
                              וירא אתה שכם בן חמור...

"Dina, die Tochter, die Lea Jakob geboren hatte, ging aus,
um sich mit den Töchtern des Landes zu amüsieren. Sichem,
der Sohn (des Hiwiters) Hamor erblickte sie..., ergriff
sie und wohnte ihr bei und tat ihr so Gewalt an".

Ein zeitliches Verständnis von ב ראה ist auch möglich:
Dina ging aus, um bei den Töchtern des Landes zu sein.

In diesen vier Stellen findet sich immer dieselbe
Struktur: Zuerst kommt die präpositionale Konstruktion
ב ראה, dann folgt ראה. Vielleicht sind vier Belege für
die Aufstellung einer Regel etwas wenig - immerhin ist
es aber doch auffällig, daß die ungekehrte Reihenfolge (erst
ראה mit Akk., dann ראה ב) anscheinend nicht belegt ist.
Auf jeden Fall bezeichnet ראה ב in keinem der Belege eine
punktuelle Handlung des Sehens, eine bloße sinnliche Wahrnehmung. Das Hebräische scheint also deutlich zwischen
ראה und ראה ב zu unterscheiden.

---

1) GUNKEL, Psalmen 558.

Erhörung:

Gen 29,32:   כי אמרה כי ראה יהוה בעניי

"So war Lea schwanger und gebar einen Sohn; den nannte
sie Ruben. Denn sie sprach: Der Herr hat mein Elend angesehen; nun wird mich mein Mann lieb haben"[1].

Ps 106,44:   וירא בצר להם בשמעו את רנתם

"Doch als er ihr Flehen hörte, sah er auf ihre Not".

GUNKEL vermerkt hier die durch die Präposition ב ausgedrückte Steigerung: "ב ראה mitleidig ansehen"[2].

1 Sam 1,11:   יהוה צבאות אם ראה תראה בעני אמתך וזכרתני

"Jahwe der Heerscharen! Wenn du das Elend deiner Magd an-
siehst und meiner gedenkst...".

ראה בעני, ראה בצר, ראה בעניי: Diese Sätze haben Gott
als Subjekt. Gott nimmt an Leid und Not Anteil. Die Teilnahme Gottes wird zur Erhörung und ändert das konkrete Schicksal. Deutlich ist in diesen Stellen die Steigerung durch
die Präposition ב. Die ganze Sprechhandlung (Not der Menschen - Gebet - Teilnahme Gottes) soll als Erhörung gelten.

Teilnahme am Bösen und am Guten

Gen 21,16:   כי אמרה אל אראה במות הילד

"Sie ging weg und setzte sich in der Nähe hin, etwa einen
Bogenschuß weit entfernt; denn sie sagte: Ich kann den
Tod des Knaben nicht mit ansehen. Sie saß in der Nähe und
weinte laut".

So wird die tiefe Teilnahme einer Mutter am Sterben
des eigenen Kindes beschrieben.

Gen 44,34:   פן אראה ברע אשר ימצא את אבי

"Denn wie könnte ich zu meinem Vater hinaufziehen, ohne
daß der Knabe bei mir wäre? Ich könnte das Unglück nicht
mit ansehen (vertragen), das dann meinen Vater träfe".

---

1) In Gen 30,6 ist eine solche Erhörung mit שמע בקול beschrieben.

2) GUNKEL, Psalmen 468.

Num 11,15:   ואל אראה ברעתי
"Wenn du mich so behandelst, dann bring mich lieber gleich
um, wenn ich überhaupt deine Gnade gefunden habe. Ich will
mein Elend nicht länger ertragen".

Jes 33,15:   ועצם עיניו מראות ברע
"Wer sein Ohr verstopft, um keinem Mordplan zuzuhören,
und die Augen schließt, um sich mit Bösem nicht zu beschäftigen".

Obd 13:   אל תרא גם אתה ברעתו ביום אידו
"Dring nicht ein in das Tor meines Volkes am Tag seines
Unglücks! Sei nicht auch du schadenfroh über sein Unheil
am Tag seines Unglücks! Streck nicht die Hand aus nach
seinem Gut am Tag seines Unglücks!"

Est 8,6:   כי איככה אוכל וראיתי ברעה אשר ימצא את עמי
                        ואיככה אוכל וראיתי באבדן מולדתי
"Denn wie könnte ich das Unglück ertragen, das mein Volk
trifft, wie könnte ich den Untergang meines Stammes erleben?".
        ראה ברע liegt in verschiedenen Sprechhandlungen vor.
In allen diesen Fällen ist eine Steigerung der Bedeutung
durch die Präposition gegeben. Die verschiedenen Bedeutungen von רע und die Besonderheit der Sprechhandlungen bestimmen die genaue Übersetzung.

Ps 27,13:   לולא האמנתי לראות בטוב יהוה בארץ חיים
"Ich aber bin gewiß, die Güte des Herrn zu erleben (genießen) im Land der Lebenden!".

Koh 2,1:   לכה נא אנסכה בשמחה וראה בטוב
"Ich dachte mir: Ich will's doch mal mit Freude versuchen!
Genieß das Glück! Auch das war Nichtigkeit".
        Siehe ראה בטוב auch in Ps 106,5; 128,5.

Personen als Objekt der Handlung

Ez 28,17:   לפני מלכים נתתיך לראות בך

"Dein Herz hatte sich überhoben ob deiner Schönheit, du
hattest deine Weisheit um deines Glanzes willen zerstört.
Auf die Erde schleuderte ich dich hinab, vor Könige gab
ich dich hin, daß sie ihre Lust an dir schauten".

Ps 112,8:   סמוך לבו לא יירא עד אשר יראה בצריו

"Sein Herz ist getrost, er fürchtet sich nie; denn bald
wird er sich über seine Feinde belustigen"[1].

Ps 118,7:   יהוה לי בעזרי ואני אראה בשנאי

"Jahwe ist für mich unter meinen Helfern; ich werde mich
über meine Hasser belustigen".

Ähnliche Konstruktionen liegen in Spr 29,16; Jes 66,5.

Erleben, an etwas sich erfreuen, mit etwas sich beschäftigen

2 Kön 10,16:   ויאמר לכה אתי וראה בקנאתי ליהוה

"Und sagte: Komm mit mir, und erlebe meinen Eifer für den
Herrn!

Mi 7,9:   יוציאני לאור אראה בצדקתו

"Ich habe mich gegen den Herrn versündigt; deshalb muß
ich seinen Zorn ertragen, bis er meine Sache vertritt und
mir Recht verschafft. Er wird mich hinausführen ins Licht,
ich werde seine Heilstat erleben".

Siehe auch Ps 37,34; 2 Chr 7,3; Ijob 20,17.

Koh 11,4:   וראה בעבים לא יקצור

---

1) GUNKEL (Psalmen 489) übersetzt: "bis er seine Lust sieht an seinen
   Feinden". Dieselbe Wendung steht in der Zürcher Bibel. "Auf seine
   Feinde herabsehen/herabschauen" findet man in der Luther- und in
   der EÜ. Sie betonen immer noch das Verb ראה.

"Wer nach dem Wind schaut, kommt nicht zum Säen; wer bei
der Beobachtung der Wolken bleibt, kommt nicht zum Ernten".
Durch die Übersetzung soll das Moment der Dauer betont
werden. Vielleicht liegt aber auch Gefühlsanteilnahme vor:
"Wer (sorgenvoll) nach den Wolken schaut...

Ähnlich ist auch Ijob 3,9; kritisch sollte man auch
die Bedeutung von 1 Sam 6,19.

Die Belege zeigen klar, daß das Verb ראה durch die
Präposition ב eine Bedeutungssteigerung erfährt. Die Richtung dieser Steigerung wird vom Objekt und von der Sprechhandlung weiter präzisiert. Es ist eine Steigerung und
Intensivierung der Beziehung zum Objekt; so in bezug auf
die Wolken: man kann durch die Beobachtung eine Voraussage
des Wetters erreichen; die Beobachtung oder Erforschung
der Leber führt zur Kenntnis des göttlichen Willens. Gott
betrachtet barmherzig die Not und wirkt die Erhörung. Das
Böse, das Gute oder genießbare Gegenstände ergeben als
Bedeutung "mit Freude/Schmerz/Lust...ansehen, erleben,
genießen". Auch "institutionenspezifische Erwartungen und
Handlungsobligationen" spielen eine wichtige Rolle. Das
zeigten ganz unterschiedlichen Sprechhandlungen, in denen
die präpositionale Bildung gebraucht wird.

בקול שמע: *Abschließender Überblick*

Haltung des Gehorsams, Treue

- Zu den Anweisungen und Geboten der Vorfahren (Rechabiter:
Jer 35,8.10).
- Ein Kind zu den Eltern als notwendiger Raum fürs Leben
(Dtn 21,18.21).
- Die verlangte Haltung nach der Verkündigung eines Geset-
zescorpus (Ex 23,21.22; Dtn 28...).
- Ausdruck der richtigen religiösen Grundhaltung vor Gott
(formelhaft gewordene Äußerung der dtn-dtr Theologie).
- Haltung eines Jüngers zu der Weisheitslehre (Spr 5,13).
- Anerkennung einer politischen Führung: Mose (Ex 4.1.31).
- Anerkennung eines Leiters in der Gemeinde(?) (Jes 50,10).
- Feierliche Beteuerung der Treue zu Jahwe (Jos 24,24).

Akt des Gehorsams

- Gott zu Abraham: er soll sich nach dem Willen Saras ver-
halten (Gen 21,12).
- Abraham bei der Opferung Isaaks (Gen 22,18).
- Wegen des Umgehorsams stirbt der Prophet (1 Kön 20,36).
- Nach dem Befehl Jahwes soll der Pharao das Volk gehen
lassen (Ex 5,2).
- Mose soll Jitro gehorchen (Ex 18,19).
- Gott zu Samuel: Samuel bekommt die Anweisung, auf das
Volk zu hören (1 Sam 8,7.9.22).

Erhörung Gottes

- Das Leben kommt zurück zum Kind: Elija (1 Kön 17,22).
- Israel besiegt mit Josua die Amoriter (Jos 10,14).
- Sieg über den König von Arad (Num 21,3).

- Israel wird geschlagen und Gott will nicht helfen (Dtn
1,45).

- Manoach wird nach seiner Bitte von dem Boten Gottes be-
sucht (Ri 13,9).
- Ruf in schwerer Not (Ps 130,2).

Erhörung bei Menschen, eingehen auf Bitten

- Saul schwört dem Jonatan, David am Leben zu lassen (1
Sam 19,6).
- Amnon geht nicht auf die Bitten Tamars ein (2 Sam 13,14).
- Abigajil wird aus der schweren Lage befreit (1 Sam 25,35).
- Saul verweigert sich (1 Sam 28).

Intensivierung der sinnlichen Wahrnehmung, genießen

- Barsillai äußert seine Unfähigkeit, Musik zu genießen
(2 Sam 19,36).

Die Folgen

. Segen oder Fluch (Treue oder Untreue zu den Gesetzen).
. Steinigung (Umgehorsam des Kindes: Dtn 21,18-21; Kult
fremder Götter...).
. Rettung des Lebens (Abigajil; Elijaerzählung; Sauls-
schwur).
. Vermeiden von großem Schaden (Spr 5).
. Rettung des Volkes durch Sieg (über die Amoriter; über
den König von Arad).
 Die Nicht-erhörung führt zur Niederlage, zur Entehrung .

Das Ja oder Nein dieser Wendung bedeutet gleichzeitig ein
Ja oder Nein zum Leben oder zu den Lebensumständen.

2.2. שמע לקול

Überblick

Die Wendung שמע לקול ist sehr viel seltener belegt
als die Wendung שמע בקול. Diese schwache Bezeugung birgt
eine Gefahr: Möglicherweise reichen die Belege nicht aus,
um eine Bedeutungsdifferenz gegenüber שמע בקול herauszuar-
beiten, so daß dann שמע לקול nur als insignifikante Variante
zu שמע בקול erscheint; dieser Ansicht scheinen die Wörterbü-
cher zu sein. Die Frage nach einem eventuellen Unterschied
zwischen beiden Wendungen soll trotzdem gestellt und eine
Anwort versucht werden[1].

Die 16 Belege sind im AT so verteilt: Gen 2x; Ex 5x;
Ri 1x; 1 Sam 3x; Kön 2x; Jer 1x; Ps 2x.

Belege

Gen 3,17:   כי שמעת לקול אשתך   ותאכל מן העץ
"Weil du auf dein Weib gehört und von dem Baume gegessen
hast, von dem ich dir gebot: du sollst nicht davon essen,
so ist um deinetwillen der Erdboden verflucht".

Die Erzählung in Gen 3,6 berichtet: "Und sie nahm von seiner
Frucht und aß und gab auch ihrem Manne neben ihr, und er
aß". Der Text handelt von einem Angebot und von der Annahme
dieses Angebotes. Es gibt keinen Grund, hier von Gehorsam
zu sprechen. Das bestehende Gebot Gottes verbietet, das Ge-
genangebot als Gehorsam zu verstehen. Näher der Sprechhandlung ist der Begriff Verführung: als Angebot und Anreizung
zu einer verbotenen Tat.

Gen 3 als J-Text gehört zu den sehr alten Erzählungen.
Auch die Wendung שמע לקול ist als ein alter Ausdruck zu
betrachten.

---

1) N.LOHFINK (Ich bin Jahwe, dein Arzt, SBS 100) hat interessante Beobachtungen zur Wendung gemacht.

Könnte man hier die Wendung durch שמע בקול ersetzen?
Einen Vergleich und eine Antwort ermöglicht Gen 21,12.
Ähnlich ist dort, daß Abraham auf die Wünsche Saras eingehen
soll; es gibt aber wesentliche Unterschiede: Abraham tut
es nicht nach dem überzeugenden oder zuredenden Wort Saras,
sondern nach dem Befehl Gottes. שמע בקול in Gen 21,12 ist
die Folge eines Befehls Gottes. שמע לקול in Gen 3,17 dagegen
ist die Folge eines Angebots der Frau.

Gen 16,2:   וישמע אברם לקול שרי
"Und Sarai sprach zu Abram: Jahwe hat mir nun einmal Kinder
versagt. So gehe denn zu meiner Magd; vielleicht, daß ich
durch sie einen Sohn bekomme. Und Abram hörte auf Sarai".

Die Worte Saras wirken überzeugend und Abram geht
auf den Wunsch oder die Bitte seiner Frau ein. שמע לקול
ist die handelnde Reaktion auf das überzeugende Wort.

1 Kön 20,25:   וישמע לקלם ויעש כן
"Zum König von Syrien aber sprachen seine Diener: ...das
aber mußt du tun... Und er hörte auf ihren Rat und tat
so".
Nach der ersten Niederlage beraten die Diener eine
neue Kampfstrategie. Die Reaktion des Königs auf den Rat-
schlag wird mit שמע לקול ausgedrückt. Die Zürcher Übersetzung hat das richtig gesehen. Im Vergleich mit שמע בקול
besteht hier keine Gehorsamspflicht für den König. Es handelt sich vielmehr um ein freiwilliges Eingehen.

2 Kön 10,6:   אם לי אתם ולקלי אתם שמעים
"Da schrieb er einen zweiten Brief an sie, der lautete:
Wenn ihr für mich seid und auf mich hört, so nehmt die
Häupter der Söhne eures Herrn und kommt zu mir..."

Der Brief enthält die Bedingungen für eine mögliche
Zusammenarbeit. Man könnte auch übersetzen: "Wenn ihr für
mich seid, dann nehmt meine Bedingungen an...". Auch die

Konstruktion als Nominalsatz kann das bestätigen: Der Satz
ולקלי אתם שמעים als zusammengesetzter Nominalsatz kann
übersetzt werden: "Wenn ihr für mich seid, indem ihr jetzt
auf mich hört".

Ps 58,6:   אשר לא ישמע לקול מלחשים
"Wie eine taube Otter, die ihr Ohr verstopft, die nicht
hören will auf des Beschwörers Stimme, des gelehrtesten
Zauberbanners"[1].

     Der Beschwörer versucht, hier ohne Erfolg, auf die
Otter einzuwirken. Bei Menschen versucht man die Zustimmung zu gewinnen; bei Schlangen versucht der Beschwörer
mit "besänftigender Stimme"[2] die gewünschten Reaktionen
zu erreichen. Menschen oder Tiere werden für die eigene
Sache gewonnen. Die Reaktion auf diese "Überzeugungsarbeit"
ist שמע לקול (לא).

Ex 3,18:   ושמעו לקלך ובאת אתה וזקני ישראל אל מלך מצרים
"Und sie werden auf dich hören und du sollst mit den Ältesten Israels zum König von Ägypten hineingehen".

     Die Ältesten werden mit ihm einverstanden sein[3]. Man
kann hier auch mit dem Begriff 'zustimmen' übersetzen.

1 Sam 15,1:   ועתה שמע לקול דברי יהוה
"Samuel sprach zu Saul: Gerade mich hat Jahwe gesandt,
dich zum König über Israel, sein Volk zu salben; jetzt
sollst du Jahwes Worten zustimmen".

     שמע לקול muß so von einer Person, einem Suffix oder
Objekt determiniert wird. Dabei muß immer eine Bezugsperson
oder ein Bezugsobjekt vorhanden sein. Annahme und Zustimmung

---

1) GUNKEL, Psalmen 249.

2) Ibid. 249.

3) Zur Quellenzugehörigkeit siehe NOTH, Überlieferungsg. 76[203]. Der
   Text wird als J^s betrachtet.

sind immer Bestandteile dieser Wendung. In Sam 15,1 ist
דברי יהוה das Bezugsobjekt. Saul soll diesen Worten zustimmen. Eine Textänderung ist nicht nötig.

1 Sam 28,23:   וישמע לקלם ויקם מהארץ
"Er aber weigerte sich und sprach: Ich mag nicht essen.
Da nötigten ihn seine Diener und auch die Frau, und er
willfahrte ihnen. Und er stand auf von der Erde und setzte
sich auf das Lager".

     Nachdem die Frau alles (הנה שמעה שפחתך בקולך) für
Saul getan hatte und so ihr eigenes Leben aufs Spiel
setzte, hörte sie alle seine Wünsche an (ואשמע את דבריך).
Jetzt verlangt sie von ihm dieselbe Haltung שמע... קול
שפחתך Nach seiner ablehnenden Haltung dringen alle in
ihn. Diener und Frau überzeugen ihn. Die Haltung der
Überzeugung wird mit שמע לקול geäußert.

Ex 18,34:   וישמע משה לקול חתנו ויעש כל אשר אמר
"Mose willfahrte seinem Schwiegervater und tat alles,
was er sagte".

     Am Anfang der Erzählung (Ex 18,19) wird von Mose
vollständige Erfüllung verlangt (עתה שמע בקלי איעצך).
Die Folge dieser gehorsamen Haltung ist die Bereitschaft,
seinem Rat zuzuhören; dieser Rat wirkt überzeugend und
Mose gibt seine Zustimmung .

Jer 18,19:   הקשיבה יהוה אלי ושמע לקול יריבי
Proponitur ריבי pro יריבי.
"Habe du auf mich acht, Jahwe, nimm meine 'Streitsache'
an".

     Nach dem gewöhnlichen Sinn von שמע לקול (annehmen,
zustimmen) ist der überlieferte massoretische Text kaum
verständlich (=auf die Feinde hören oder die Feinde mit
ihren Ansprüchen annehmen). Der Sinn wäre : Jahwe solle

für die Widersacher eintreten. Dagegen ist nach der Septuaginta ריבי zu lesen. Der Ablauf der Gedanken ist:
Jeremia will vor Gott seine Sache vortragen. Durch seine
Worte soll der Rechtsstreit (ריבי) bei Gott überzeugend
wirken.

Nach Thiel[1] und Ittmann[2] sollte Jer 18,19-23 jeremianisch sein. In den Konfessionen Jeremias, die als
ursprüngliche jer. Texte betrachtet werden, findet sich
ריב 3mal (11,20; 15,10; 20,12). Dagegen wäre ריבי für
das Buch Jeremia ein Hapaxlegomenon. Alles spricht für
die Lesung der Septuaginta.

Ex 15,25.26:   ויאמר אם שמוע תשמע לקול יהוה אלהיך
"Dort legte er ihm auf Gesetz und Rechtsentscheidung,
und dort stellte er es auf die Probe. Und er sagte: Wenn
du Jahwe, deinem Gott, ganz zustimmst, indem du das Gerade
in seinen Augen tust und das Ohr leihst allen seinen
Geboten und achtest auf jedes seiner Gesetze - jede Krankheit, die ich auferlegt habe in Ägypten, nicht werde
ich sie legen auf dich. Denn Jahwe, der dich Heilende,
bin ich".

Wenn hier שמע בקול stände, dann wäre es eine ganz
gewöhnliche Wendung. So könnten z.B. Ex 19,5; 23,22;
Sach 6,15 und besonders Dtn 15,5; 28,1 verwandte Äußerungen sein. שמע בקול wäre eigentlich eine lectio facilior.
Darum findet sich in der geniza cairensis die Textänderung
שמע בקול. Von allen anderen Textzeugen unterstützt, ist
jedoch mit großer Wahrscheinlichkeit der massoretische
Text zu behalten[3].

Die bisher besprochenen Stellen waren Erzählungen
entnommen, wo schlicht (לא) שמע לקול... berichtet wurde.

1) THIEL, WMANT 41,210-218.

2) ITTMANN, Konfessionen 53.

3) LOHFINK, SBS 100,35.

In Ex 15,26 ist die Wendung in eine längere Periode eingebaut. Nach dem Konditionalsatz folgt ein zusammengesetzter
Nominalsatz (...ויהיש). So bilden ושמרת...והאזנת...תעשה
drei gleichförmige parataktische Sätze, die in der Funktion erläuternder Sätze zu ...שמע תשמע אם stehen. Es
geht nicht um neue Handlungen, die Sätze fügen eine "Sub-
jektspräzizierung" an[1]. So wird der vordere Satz in seiner
Weite und Bedeutung erklärt: es geht um die Zustimmung
und Treue zu Gott und zu seinen Geboten. Zum erstenmal
in den bisher besprochenen Belegen bezieht sich שמע בקול
auf Gott, und zwar auf gleiche Weise wie bei שמע בקול.
Darum halten die meisten Kommentatoren Ex 15,26 für einen
dtn/dtr Text[2]. N.LOHFINK überprüft sorfältig die Ähnlichkeiten von Ex 15,26 mit der dtr Tradition. Die Verwandtschaft ist auch für ihn klar. Diese Ähnlichkeiten reichen
aber nicht aus, um den Text als dtn-dtr zu betrachten.
Die Unterschiede lassen für ihn eine andere Herkunft
vermuten[3]. Der Vergleich mit Dtn 13,19 ermöglicht dem Autor,
die Ähnlichkeiten und Unterschiede zu dem Deuteronomischen
festzustellen[4].

---

1) MICHEL, Tempora 185.

2) BEER-GALLING, HAT I 3,85; NOTH, Überlieferungsg. 32[108]; NOTH, ATD 5
101f.

3) LOHFINK, SBS 100,35: "šm^c "hören" + qôl "Stimme" kann nicht als typisch deuteronomische Wortverbindung bezeichnet werden, sondern
dürfte ein umgngssprachliches Idiom gewesen sein. Zwar ist das Vorkommen dieser Wortverbindung in der Einleitung von bedingtem Segen
oder Fluch typisch deuteronomisch. Stets aber findet sich dann die
Verbindung šm^c b qôl, nie šm^c l qôl wie in Ex 15,26. sm^c l qôl
für Gehorsam gegen Gott, dagegen 12mal für Gehorsam gegenüber anderen Wesen. Die Belege für Intensivierung von š m ^c "hören" durch
Infinitiv am Anfang von bedingten Segensverheißungen, die nicht
sehr zahlreich sind, reichen von protodeuteronomistischen Texten
bis ins Nachexilische. Insgesamt haben wir hier bei eindeutiger
Anlehnung an deuteronomische Sprache doch eine eigenwillige Variante.

4) Dieser Vers ist wohl in Anlehnung an und im Blick auf Deuteronomi-
sches von jemand formuliert worden, der selbst schon eher von prie-
sterschriftlichem Sprachgefühl herkam. Zwar nicht absolut notwendig,

Wichtig scheint hier zu sein, daß man es mit einem
redaktionellen oder nachredaktionellen Text zu tun hat.
Ist das priesterschriftlicher oder anderer Herkunft? Immer
sollte man sich die Tatsache vor Augen halten, daß in Texten, die allgemein als P erkannt werden, die Wendung שמע
לקול nicht vorkommt.

Ps 81,12:   ולא שמע עמי לקולי וישראל לא אבה לי
"Doch mein Volk hat mich nicht angenommen; Israel hat mich
nicht gewollt".

J.JEREMIAS behandelt den Psalm in Verbindung mit anderen Festpsalmen (95; 50; 82). Er sieht in Ps 81 auch seinen Grundgedanken bestätigt: "So findet auch von hier aus
unsere Vermutung eine Stütze, daß die genannten Festpsalmen
von Leviten gedichtet und gesprochen wurden, nicht aber
von Kultpropheten"[1]. JEREMIAS bemerkt den Einfluß anderer Sprachen. "Sie erinnert stark an Diktion und Vorstellungen des Dt, des DtrG und der C-Schicht im Jeremiabuch"[2].
Er nennt den Vers "Hören auf Jahwes Stimme" als ein Argument
für die Ähnlichkeit, ohne zu erkennen, daß in Ps 81,12 שמע
לקול steht, in gewöhnlichen dtn-dtr Texten dagegen שמע בקול.
Aus anderen literarischen Beobachtungen gewinnt JEREMIAS
die Überzeugung, "auch sonst finden sich in beiden Psalmen
(81; 95) so viele von Dt, DtrG und Jeremia-C abweichende
Spracheigentümlichkeiten, daß literarische Abhängigkeit
der Psalmen etwa vom Dt ganz unwahrscheinlich ist"[3]. Dazu
LOHFINK: "Sein Schluß auf levitische Kreise der Königszeit im Anschluß an die Deuteronomiumstheorien von

---

aber doch mit großer Wahrscheinlichkeit haben wir also an die eigentliche Pentateuchredaktion oder nach ihr liegende Überarbeitung
zu denken".

1) JEREMIAS, Kultprophetie, WMANT 35.127.

2) Ibid. 126.

3) Ibid. 126.

A.BENTZEN und G. von RAD   scheint mir durch die Parallelen
nicht verifizierbar zu sein"[1]. Wichtig ist die Tatsache,
daß JEREMIAS und LOHFINK die Verwandtschaft von Ps 81 und
Ex 15,26 richtig bemerkt haben. Sprachlich und inhaltlich
sind beide Texte verbunden; in dieser Frage sind JEREMIAS
und LOHFINK einig: "Ps 81 steht in lockerem Bezug zum deuteronomischen Sprachbereich, und zwar weisen die Parallelen
eher in ein Spätstadium. So setzt die Form von Ex 15,26
zwar die deuteronomische Sprachwelt voraus, gehört selbst
aber in eine nach-, allerhöchstens spätdeuteronomistische
Entwicklungsstufe"[2].
Beide Autoren bringen auch Ps 81 in Verbindung mit Lev
26[3]. Ps 81 hat neben der Wendung לקול שמע noch 3mal die
Wendung לי שמע. Sie wiederholt sich auch in Lev 26. Diese
schon anerkannte Beziehung ist für die diachronische Frage
wichtig.

        Einen ähnlichen Sinn und ähnliche redaktionelle Proble-
me findet man auch in Ri 2,20.

        Zu Ex 15,26; Ps 81,12; Ri 2,20 ist zu bemerken: eine
Zusammengehörigkeit dieser Texte ist nicht auszuschließen.
Das ist in Ex 15,26 und Ps 81,12 besonders deutlich. Diese
Verse gehören wohl nicht zu den dtn-dtr Belegen von בקול שמע
Gegenstand der Handlung ist in diesen drei Belegen Gott.
Man kann als sicher annehmen, daß sie nicht alten Schichten
zugehören. Aus dem Ganzen ergibt sich, daß diese drei Stellen einen Abstand zu den meisten der anderen Belege von
לקול שמע halten. So wie bei בקול שמע eine Wendung der Umgangsprache mit der Zeit fast ausschließlich im theologischen Bereich verwendet wurde, so kann man auch hier
eine ähnliche Entwicklung beobachten, auch wenn der theolo-
gisierte Gebrauch weniger Raum einnimmt.

---

1) LOHFINK, SBS 100,34.

2) Ibid. 34.

3) JEREMIAS, Kultprophetie 174-175; LOHFINK, SBS 100,34.

Zusammenfassung

Die Belege beschreiben die folgenden Umstände:
- Der Mann vor der Frau
- Abram vor Sarai
- Der König vor seinen Ratgebern
- Die Bewohner der Stadt vor dem Eroberer
- Die Schlange vor dem Zauberer
- Die Ältesten vor dem Auftrag Moses
- Das Volk vor dem Zeichen und vor Mose selbst
- Saul vor Samuel und vor dem Gotteswort
- Saul vor der Wahrsagerin und vor den Dienern
- Mose vor seinem Schwiegervater Jithro
- Die Söhne Elis in Silo vor ihrem Vater
- Gott vor dem Rechtsstreit Jeremias
- Der Mensch vor Gott (3mal)

Die Wendung לקול שמע zeigt zwei Bereiche, wo sie in
der Sprache des Alten Testaments gebraucht wird: a)in der
Umgangsprache (die Mehrzahl der Belege), b)in der theologisch geprägten Sprache (in wenigen späten Texten).

In der Grundbedeutung steht der Gedanke der Zustimmung
im Vordergrund; zu ihm können die Überzeugungskraft, Ver-
lockung, Empfehlung oder gelegentlich die Notwendigkeit
führen. Der Gedanke des Gehorsams ist nicht als Hauptgedanke eingeschlossen. Besonders in den theologischen Belegen
ist die Zustimmung zu den Geboten gleichzeitig eine Tat
des Gehorsams, so daß die Übersetzung "gehorchen" den Sinn
des Textes richtig wiedergibt. Besonders in 1 Kön 20,25
wird aber deutlich, daß der König seinen Dienern und Bera-
tern nicht gehorchen muß, jedoch die Ratschläge sind nützlich und sie verdienen so die Aufmerksamkeit des Königs
und seine Zustimmung. Ähnlich ist es auch bei der Kunst
des Zauberes; sie soll die Schlange verlocken. Nicht das
"muß", sondern mehr das "es lohnt sich" ist in der Wendung
enthalten. לקול שמע kann auch einen neuen Zustand anzeigen,
aber ohne die radikale Haltung und Wende von בקול שמע zu beinhalten. Es handelt sich um die Annahme eines Angebots.

Die theologisch geprägten Stellen zeugen von einer
bestimmten diachronischen Entwicklung in dem Bereich der Bedeutung und in dem Bereich des Verwendungsgebietes (Beziehungen zu Gott). Damit zeigt sich, daß לקול שמע eine semanti-
sche Selbständigkeit in der hebräischen Sprache besitzt.

Die Frage der Quellenscheidung

J.JEREMIAS verbindet Ps 81 und Lev 26 mit levitischen Krei-
sen von Jerusalem. LOHFINK plädiert bei Ps 81 und ausdrücklich bei Ex 15,26 für eine nachdeuteronomistische Fassung
in möglicher Verbindung mit spätpriesterschriftlichen Krei-
sen. Nun ist noch die Frage zu stellen, ob allgemein eine
Wendung und in unserem Fall die Wendung שמע לקול zu einem
bestimmten Sprachkreis gehört und als Indiz für einen bestimmten Verfasser genommen werden kann. Dabei sind allerdings viele Unsicherheiten zu überwinden . NOTH zeigt sich in
dieser Frage skeptisch[1]. Bei שמע בקול war klar geworden,
daß die Wendung aus der Umgangssprache zu einer festen
Wendung der dtn-dtr Theologie geworden ist. Die Wendung
ist im chronistischen Werk nicht mehr vertreten. In den
Büchern Gen-Ex gehört die Mehrzahl der Fälle zur E-Quelle.
Von einem ausschließlichen Gebrauch kann man aber nicht
sprechen. Die P-Schrift verwendet die Wendung nicht. In
den Texten von Qumran kommt sie nicht vor.
      Wie sieht es bei שמע לקול aus? Eines wurde deutlich:
Die Quelle J (NL) scheint eine Vorliebe für שמע לקול zu
haben. Sichere J-Belege sind Gen 3,17; 16,2; Ex 3,8; 4,8;
4,8; dagegen wird Ex 18,24 von NOTH für E-Sondergut gehalten[2]. Ex 15,26 gemeinsam mit Ps 81,12 und Ri 2,20 sind
wahrscheinlich die jüngsten Belege dieser Wendung. Der

---

1)   "Selbst die Untersuchung von Sprache und Stil bringt bei der Analyse
     des alten Pentateuchgutes kaum eine entscheidende Hilfe; denn die
     vorliegende Stoffmasse ist doch zu gering und das Fehlen wirklich
     charakteristischer Worte und Wendungen bei der im großen ganzen
     vorherrschenden Schlichtheit und Landläufigkeit der Ausdrucksweise
     doch zu empfindlich, als daß nach sprachlichen und stilistischen
     Gesichtspunkten eine Aufgliederung des Gesamtmaterials möglich
     wäre... Immerhin liegen hier wenigstens Hinweise auf die literari-
     sche Uneinheitlichkeit vor"(Überlieferungsg. 20-21).

2)   NORTH, Überlieferungsg. 150.

Gebrauch der Wendung ist auch in Qumran belegt (CD 3,7;
20,28)[1]. Die Wendung scheint in kleinen Sprachbereichen
des Alten Testaments benutzt worden zu sein. Auch in Qumran
liegt sie nur in einem einzigen Buch vor, während die שמע-Belege in Qumran ziemlich häufig sind. Man kann wohl zwei
Zeiten in der Geschichte der Wendung unterscheiden: Eine
Zeit, wo die Wendung in der Umgangssprache benutzt wurde
(dazu gehören mehrere sehr alte Texte); eine sehr späte
Zeit, wo die Wendung mit theologischem Sinn gebraucht wurde.
Die geringe Zahl der Belege ist ein Hinderniß für überzeugende Ergebnisse. Aber die Bedeutung der Wendung scheint
mir klar zu sein.

----

1) Damaskusschrift. Siehe K.G.KUHN, Konkordanz zu den Qumrantexten,
   Göttingen 1960,224. Ähnlich wie in Ps 81 sind auch in der Damaskusschrift die Wendungen שמע לקולי und שמע לי zu finden.

2.3. שמע אל

Überblick

105mal ist die Konstruktion שמע אל in dem hebräischen
Text des Alten Testaments belegt. Die Stellen verteilen
sich nach folgender Häufigkeit: Gen 10x; Ex 10x; Dtn 16x;
Jos 1x; Ri 3x; 1 Kön 7x; 2 Kön 4x; Jes 1X; Dt-Jes 7x; Jer
27x; Ez 6x; Ps 1x; Dan 2x; Neh 2x; 2 Chr 8x. Diese in einigen Büchern häufige Wendung fehlt in mehreren: Lev, Num,
1-2 Sam, Jes(in 36-39 nur 1mal), Trito-Jes, Dodekaprofeton,
Ps(nur 1mal), Spr, Ijob, Koh, Est, Esra, 1 Chr, Hld. In
manchen Büchern wird nur שמע ל verwendet (Spr, Ijob...).
In anderen Fällen wird שמע לקול benutzt. Bemerkenswert
ist die Häufigkeit in den Büchern Dtn und Jer. Auffallend
sind die 7 Belege in Jes 40-55, wogegen Jes 1-35 und 56-66
keine enthalten.

Belege

Gen 23,16: וישמע אברהם אל עפרון
"Ein Stück Land, vierhundert Lot Silber wert, was bedeutet
das zwischen mir und dir? Begrabe nur deine Toten. Und
Abraham willfahrte dem Efron, und Abraham wog Efron die
Summe dar, die er vor den Hetitern genannt hatte".
        Es handelt sich um einen Kaufvertrag. Die Annahme
von Angebot + Bedingungen (= Kaufvertrag) wird mit שמע אל
beschrieben[1].

Gen 34,17.24: ואם לא תשמעו אלינו להמול
"Wenn ihr euch aber nicht, wie wir verlangen (=wenn ihr
nicht auf uns hört), wollt beschneiden lassen, so nehmen
wir unsere Tochter und ziehen von dannen".

---

1) NOTH, Überlieferungsg. 121: "Allenfalls könnte man die literarisch
   erst ganz spät in Gen. 23P bezeugte Grabtradition...für inhaltlich
   ganz alt halten".

Mit einer freien Übersetzung gibt die Zürcher Bibel
richtig den Sinn des Satzes wieder (= wenn ihr nicht auf
uns hört, indem ihr euch beschneiden laßt). Die Beschnei-
dung ist die Bedingung oder der Brautpreis. Auf uns hören
= unsere Bedingungen erfüllen/annehmen.

וישמעו אל חמור ואל שכם בנו כל יצאי שער עירו

"Da willfahrten sie Hamor und seinem Sohne Sichem, alle
die im Tore seiner Stadt aus und ein gingen, und ließen
sich beschneiden, alles, was männlich war, alle, die im
Tore seiner Stadt aus und ein gingen".

In den Vv.21-23 wird an das Volk appelliert, um alle
Bürger für die eigene Sache zu gewinnen. Die Rede hat Erfolg, so daß sie sich überzeugen lassen. Die Annahme vom
Angebot und von den Bedingungen wird mit שמע אל ausgesprochen[1]. Auch hier drückt es das Einverstandensein mit Angebot
und Bedingungen der Rede aus.

Gen 39,10:   ולא שמע אליה לשכב אצלה להיות עמה
"Und ob sie auch täglich Josef zuredete, hörte er nicht
auf sie, daß er sich zu ihr gelegt hätte, um mit ihr Umgang zu pflegen".

Von den Wünschen der Frau läßt sich Joseph nicht über-
reden. Dieses "auf die Wünsche nicht eingehen" wird mit
לא שמע אל ausgedrückt. Das Objekt der Ablehnung oder der
Annahme wird hier mit ל-Infinitiv konstruiert. לא שמע אל...ל.
= er lehnte das Beiwohnen ab. Statt des Infinitivs kann
auch wajjiqtol stehen, wie z.B. Gen 34,24.

Ri 11,28:   ולא שמע מלך בני עמון אל דברי יפתח
"Aber der König der Ammoniter beherzigte nicht die Botschaft, die Jiftach ihm entbot".

Die Botschaft mit ihren Bedingungen wird abgelehnt.
Ein Friedensvertrag kommt nicht zustande.

_____

1) NOTH, Überlieferungsg. 31[99]: "Gen. 34 ist zwar nicht einheitlich;
   aber neben dem Grundbestand haben wir nicht die Elemente einer selb-
   ständigen zweiten Erzählung, sondern eine Serie von Zusätzen". Die
   Vv. 17.24 gehören zu diesen Zusätzen.

Im gleichen Text (Ri 11,17) wird für dieselbe Bedeutung
שמע ohne Präposition verwendet. Die Sprechhandlung und
die parallele Aussage sorgen dort für das richtige Verständnis der Äußerungen: ולא שמע מלך אדום

וגם אל מלך מואב שלח ולא אבה

"Da sandte Israel Boten an den König von Edom und ließ
ihm sagen:... Aber der König von Edom willfahrte nicht.
Auch an den König von Moab sandten sie, aber er wollte
nicht".

2 Kön 16,9:   וישמע אליו מלך אשור
"Und der König von Assur willfahrte ihm; er rückte heran
gegen Damaskus".
        Ahas sandte Boten an Tiglat-Pileser(V.7). Er läßt
die Botschaft mit reichen Geschenken begleiten, so daß
der Assyrer sich für das Ja entscheidet. Die Einwilligung
oder Zurückweisung einer Botschaft wird mit שמע אל beschrieben. Es geht hier um Verträge (Friedensvertrag, Vertrag
für gegenseitige Verteidigung...), auch wenn der Begriff
ברית nicht ausdrücklich genannt wird.
        In ähnlicher Sprechhandlung und in einem ähnlichen
Satz, aber ohne präpositionale Konstruktion, kommt שמע
in 2 Kön 14,11 vor: ולא שמע אמציהו
"Aber Amazja wollte nicht hören. Da zog Joasch, der König
von Israel, heran, und sie maßen sich miteinander".
        Das Angebot der Botschaft(Vv. 8-10) wird abgelehnt,
d.h. לא שמע. Die Sprechhandlung ist ohne Präposition deutlich.

1 Kön 15,20:   וישמע בן הדד אל המלך אסא
"Und Ben-Hadad willfahrte dem König Asa; er sandte seine
Heerführer wider die Städte Israels...".
        Asa sendet eine Botschaft und die entsprechenden Ga-
ben(V.19).Ein neuer Vertrag (ברית) und als Folge ein neues
Bündnis sollen die Verhältnisse mit Israel ändern. Hier wird
ausdrücklich ein neuer Vertrag oder die Erneuerung des schon

bestehenden (V.19a wird verschieden ausgelegt)von Asa ver-
langt. V.19 lautet: ברית ביני ובינך בין אבי ובין אביך
"Zwischen mir und dir, zwischen meinem Vater und deinem
Vater, soll ein Bündnis sein. Ich schicke dir Silber und
Gold als Geschenk. Löse also dein Bündnis mit Bascha, dem
König von Israel, damit er von mir abzieht".

שמע אל ist hier mit Deutlichkeit die Bestätigung eines
Bündnisses, eines Vertrages[1].

Jer 38,15: וכי איעצך לא תשמע אלי
"Jeremia antwortete Zidkija: Wenn ich es dir verkünde,
läßt du mich bestimmt umbringen, und wenn ich dir einen
Rat gebe, hörst du nicht auf mich".

In verschiedenen Belegen war von Botschaften die Rede.
Die Anregung geschieht hier in der Form eines Rats. Der
Hörende kann den Rat schätzen oder nicht, ihn annehmen
oder ablehnen; solche Sprechhandlung wird mit שמע אל geäußert. Als Objekt der Annahme oder der Ablehnung steht
allgemein die Person (hier: auf mich hören, und nicht:
auf meinen Rat hören); seltener, aber möglich, ist die
Konstruktion "auf etwas hören" (2 Chr 35,22: ולא שמע אל דברי
נכו).

Die Annahme oder Ablehnung eines Rats wird mit שמע אל
bezeichnet. In Ex 18,19.24 wird auch ausdrücklich von Beratung gesprochen. Dort steht שמע לקול; auch in anderen Stellen bei Beratungen fand sich שמע לקול. Das spricht für
eine Gleichwertigkeit von שמע אל - שמע לקול.

Jer 37,14: ולא שמע אליו   ויתפש ירמיה בירמיהו
"Du willst zu den Chaldäern überlaufen. Jeremia entgegne-
te: Das ist nicht wahr; ich laufe nicht zu den Chaldäern
über. Doch Jirija glaubte ihm nicht (=hörte nicht auf ihn)
und nahm Jeremia fest".

---

1) Eine ähnliche Äußerung liegt in 2 Chr 35,22 vor: Necho sendet die Boten zu Joschija. Er zeigt sich aber nicht bereit, die Botschaft anzunehmen. Siehe auch 2 Kön 18,31.32.

Die Worte Jeremias finden keinen Glauben; das wird
als Ablehnung mit שמע אל ausgesagt. Hier würde die Übersetzung "Jirija aber hörte nicht auf ihn" (vgl. Zürcher Bibel
und EÜ) im Deutschen einen falschen Akzent setzen. Ausge-
zeichnet überträgt RUDOLPH in seinem Kommentar: "...aber
ohne seinem Einwand zu beachten, nahm Jirija den Jeremia
fest"[1].

Jer 36,25:   ולא שמע אליהם
"Elnatan, Delaja und Gemarja bestürmten den König, die
Rolle nicht zu verbrennen, er hörte aber nicht auf sie".
    Dem Wort der Beamten fehlte die Überzeugungskraft,
so daß der König לא שמע אליהם.

1 Kön 12,15.16:   ולא שמע המלך אל העם
                              וירא כל ישראל כי לא שמע המלך אליהם
"Er sagte zu ihnen nach dem Rat der Jungen:... Also hörte
der König nicht auf das Volk...Als aber ganz Israel sah,
daß der König nicht auf sie hören wollte".
    Jerobeam und das Volk kommen zu Rehabeam, um bessere
Bedingungen für das Volk zu erreichen. Der König gibt eine
harte Antwort nach dem Rat der jungen Berater. In der Rede
wird nicht die Ablehnung der Bedingungen ausgesprochen,
sondern die Ablehnung der Vortragenden, d.h. des Volkes,
wie oben schon bemerkt.

2 Chr 24,17:   אז שמע המלך אליהם
"Nach dem Tode Jojadas aber kamen die Fürsten Judas und
huldigten dem König; da hörte der König auf sie".
    Bei der Huldigung versuchen die führenden Männer, die
Befreiung von der joschianischen Reform zu erreichen. Der
König nimmt ihre Vorschläge an.

Über שמע אל läßt sich aus den behandelten Stellen eine
vorläufige Bilanz ziehen. Es spielt keine besondere Rolle,
wer das handelnde Subjekt von שמע אל ist:
- Abraham vor Efron und den Hetitern;

- die Jakobsfamilie vor Sichem und den Sichemitern;
- Josef vor der Frau des Pharao;
- ein König zu einem anderen (Asa - Ben-Hadad; Ahas - Tiglat
Pileser; Necho - Joschija...);
- Bürger vor dem eigenen König (Worte Rabschakes);
- der König vor dem Propheten Jeremia;
- der Torhüter vor Jeremia;
- der König vor bekannten Persönlichkeiten (Verbrennung
der Rolle).

Voraussetzung für die Sprechhandlung ist , daß etwas
angeboten oder vorgetragen wird. Das wird mit Worten oder
mit einer Schrift reicht: Preisangebot, um die Höhle zu
erwerben; Bedingungen oder Kaufpreis für die Braut (Sichem);
verführerische Worte der Frau des Pharao; Botschaft an einen
König (gelegentlich von Geschenken begleitet); Ratschläge
oder Beratung; Worte, die versuchen, jemand zu überzeugen:
unter diesen verschiedensten Umständen des Lebens erfolgt
die Annahme oder die Ablehnung; das ist die eigentliche
Äußerung der präpositionalen Bildung אל שמע.

Das, worauf man hier mit "hören" eingeht und was also
als Dependenz von אל erscheint, sind in der Regel nicht
"Worte" oder Ratschläge (Ausnahme: Ri 11,28; 2 Chr 35,22),
sondern die in Rat oder Angebot sich hören lassenden Personen: אל שמע wird in der überwiegenden Mehrzahl der Fälle
personal konstruiert. Wenn man Ratschläge oder Angebote
akzeptiert, akzeptiert man denjenigen, von dem diese ausgeh-
en. Das muß keineswegs immer bedeuten, daß die Person,
"auf die man hört", sozial höher stehend ist (vgl. z.B.
Jer 36,25; 1 Kön 12,15.16.).

Mose, der Pharao, die Israeliten: ein Motiv der P-Schrift

10mal ist אל שמע im Buch Exodus belegt. Alle diese
Texte gehören zur P-Schrift[2]. Das Motiv: zuerst das Volk

---

1) RUDOLPH, Jeremia 238.

2) Einstimmig wird es von NOTH und EIBFELDT bestätigt.

und dann der Pharao sind nicht bereit, die Hinweise Gottes
anzunehmen, um die Befreiung der Israeliten zu erreichen.

Ex 6,9:   ולא שמעו אל משה מקצר רוח ומעבדה קשה
"Mose sagte dies den Israeliten; aber sie hörten nicht
auf Mose, aus Kleinmut und vor harter Arbeit".

    In 9,2-8 ist die Rede Gottes an Mose enthalten. Die
Worte werden von Mose dem Volk weitergegeben.

Ex 6,12:   הן בני ישראל לא שמעו אלי ואיך ישמעני פרעה
"Wenn schon die Israeliten nicht auf mich hörten, wie sollte dann der Pharao auf mich hören, zumal ich ungeschickt
im Reden bin?"
Die Aufgabe, den Pharao zu überzeugen, ist als schwierig
dargestellt. Der Grund wird genannt: Er ist ungeschickt
im Reden. Parallel zu שמע אל hat der Text die Suffixkonstruktion ישמעני. Beide Konstruktionen besitzen auch die
gleiche Bedeutung. Die Suffixkonstruktionen mit שמע sind
nicht häufig (siehe unten), aber bei der P-Schrift gebräuch-
licher(siehe z.B. Gen 23).

Ex 6,30:   הן אני ערל שפתים ואיך ישמע אלי פרעה
"Mose aber antwortete Jahwe: Ich bin doch ungeschickt im
Reden; wie soll der Pharao auf mich hören?"
    Die Wiederholung eines Schemas oder eines Satzes ist
ein Kennzeichen von P; auch die folgenden Sätze zeigen
das. Die Konstruktion ישמע אל in 6,30 korrespondiert exakt
mit 6,12.

Ex 7,4:   ולא ישמע אלכם פרעה
"Ich will aber das Herz des Pharao verhärten, und dann
werde ich meine Zeichen und Wunder in Ägypten häufen. Der
Pharao wird nicht auf euch hören"[1].

---

1) Die Konstruktion wiederholt sich fast als ritornello in Ex 7,13;
    7,22; 8,11; 8,15. Ähnlich ist der Ausdruck auch in Ex 11,9; 16,20.
    Alle diese P-Texte verdienen eine gemeimsame Aufmerksamkeit.

Dtn 34,9:   עָ ו אליו בני ישראל

                                       ו כאשר צוה יהוה את משה

"Josua, der Sohn Nuns, war vom Geist der Weisheit erfüllt
denn Mose hatte ihm die Hände aufgelegt. Die Israeliten
hörten auf ihn und taten, was der Herr dem Mose aufgetragen hatte"[1].

Nach dem oben über שמע בקול Ausgeführten würde man
erwarten, daß hier die Wendung gebraucht wird: die Israeliten hören auf ihn und tun, was Jahwe dem Mose aufgetragen
hat; diese Verbindung von "Hören" - "Gehorchen" und "Tun"
wird sonst durch שמע בקול ausgedrückt. Warum nicht hier?
Vielleicht aus Gründen der Sprachentwicklung; denn die
Priesterschrift verwendet שמע בקול nie! Vielleicht war
der Gebrauch der Wendung zu ihrer Zeit allgemein seltener
geworden oder gar ausgestorben, vielleicht sollte er für
eine exklusive theologische Verwendung aufgespart werden.
Hier liegt vermutlich ein Indiz für die Notwendigkeit einer
diachronischen Fragestellung vor, worauf noch zurückzukommen
ist. Vielleicht treten in Jos 1,17 ähnliche Probleme auf:

Jos 1,17:   ככל אשר שמענו אל משה כן נשמע אליך
"Ganz wie wir für Mose gewesen sind, so wollen wir auch
für dich sein. Der Herr aber, dein Gott, möge mit dir sein,
wie er mit Mose gewesen ist"[2].

Hier scheint שמע אל die Nuance *zu jemandem halten,*
sich an jemanden halten auszudrücken (vgl. auch 2 Kön 18,
31.32). Außerdem ist wohl damit zu rechnen, daß im dtr.
Sprachgebrauch die Wendung שמע בקול (zunehmend) für die
Beziehung zu Gott reserviert wurde.

Wiederholungen und Begründungen כבד, חזק לב, ערל שפתים*
אל לב) im Buch Exodus lassen mehr an theologische Urteile

---

1) Auch der Text gehört zur P (NOTH, Überlieferungsg. 19.244; EIßFELDT,
Synopse, 201*). "So bleibt nur noch die P-Erzählung von der Einsetzung
Josuas zum Nachfolger Moses in Num. 27,15-23; Dtn. 34,9" (Überliefe-
rungsg. 193.

2) Nach NOTH (Überlieferungsg. 42.102) gehört der Text zur dtr Tradition.

als an Erzählungen denken. Die Wendung ist sprachlich dieselbe, aber sie wird fast formelhaft verwendet.
Ex 16,20 zeigt eine andere Gebrauchsmöglichkeit von שמע אל,
und zwar als Antwort auf ein verpflichtendes Wort (= Gehorsam). Die nächsten Belege sollen es weiter zeigen.

Ausdruck des Gehorsams

Gen 28,8:   וישמע יעקב אל אביו ואל אמו
"Jakob hörte auf seinen Vater und seine Mutter und begab
sich auf den Weg nach Paddan-Aram".

Gen 49,2:   הקבצו ושמעו בני יעקב
                            ושמעו אל ישראל אביכם
"Kommt zusammen, ihr Söhne Jakobs, und hört, hört auf Israel, euren Vater!".

Haltung vor Propheten, Traumseher...

Dtn 17,12:   והאיש אשר יעשה בזדון לבלתי שמע אל הכהן
                    או אל השפט ומת האיש ההוא
"Ein Mann aber, der so vermessen ist, nicht zu hören auf
den Priester, der dort steht, um vor dem Herrn, deinem
Gott, Dienst zu tun, oder auf den Richter, dieser Mann
soll sterben".
     Widerstand oder Ungehorsam dem amtierenden Priester
oder Richter gegenüberbedeutet nach dem Gesetz die Todes-
strafe. Es handelt sich wahrscheinlich in beiden Fällen
um von Priestern und Richtern ausgesprochene Rechtsurteile.
Die Gültigkeit dieser Urteile wird in diesem Gesetz garan-
tiert.

Dtn 13,4:   לא תשמע אל דברי הנביא ההוא או אל חולם החלום ההוא
"Dann sollst du nicht auf die Worte dieses Propheten oder
Traumsehers hören; denn Jahwe, euer Gott, prüft euch".

Dtn 13,9:   לא תאבה לו ולא תשמע אליו

"Dann sollst du nicht nachgeben und nicht auf ihn hören".

In V.9 bezieht sich das Suffix (אליו) auf die Person
des falschen Propheten (=gewöhnliche Form); in V. 4 dagegen
werden אל דברי הנביא - אל חולם חלום חולם als Ablehnungsobjekt
benutzt. Wahrscheinlich will das Gesetz die verschiedenen
Fälle genauer benennen.

Ri 2,17:   ...וגם אל שפטיהם לא שמעו

אשר הלכו אבותם לשמע מצות יהוה

"Doch sie hörten nicht auf ihre Richter, sondern gaben
sich anderen Göttern hin und warfen sich vor ihnen nieder.
Rasch wichen sie von dem Weg ab, den ihre Väter, den Geboten des Herrn gehorsam, gegangen waren".

M.NOTH hält den Text für einen Zusatz. Der Begriff
"Richter" ist terminus technicus geworden. In der Aussage
sind Theologisierung und Verallgemeinerung zu bemerken[1];
sie hat mit der Praxis der Rechtsprechung nichts mehr zu
tun[2].

Jer 44,16:   הדבר אשר דברת אלינו בשם יהוה איננו שמעים אליך
"Was das Wort betrifft, das du im Namen Jahwes zu uns gesprochen hast, so hören wir nicht auf dich".

Der Text beginnt mit einem Nominalsatz[3]. In der Mitte
der Aussage steht הדבר. Die Ablehnung wird mit איננו שמעים
אליך ausgedrückt. Dieser Vers ist aufschlußreich hinsichtlich des Verhältnisses von Wort und Person bei שמע אל: An
dem Wort, auf das man nicht hört, wird deutlich, daß man
nicht auf den Redenden hört und ihn ablehnt.

Der Text gehört zu den älteren Schichten des Buches[4];

---

1) NOTH, Überlieferungsg. 49; THIEL, WMANT 52,48.

2) שמע מצות: Das Verb wird in seinem Bedeutung vom Objekt beeinflußt.

3) MICHEL, Tempora 178: "Nominalsatz nennen wir einen Satz, der eine
   Aussage über ein Subjekt macht".

4) THIEL, WMANT 52,73: "In Jer 44,15-19 trifft man auf einen Text, der
   ...anerkanntermaßen älteren, der Redaktion vorliegenden Wortlaut darstellt".

ihnen gegenüber zeigt sich in den redaktionellen Texten
eine Neigung zur Wiederholung von Wendungen. So ist es
auch bei שמע אל der Fall, wie sich bei Jeremia zeigt.

Redaktionelle Texte im Buch Jeremia

Jer 7,26.27:   ולא שמעו אלי ולא הטו את אזנם
                              ולא ישמעו אליך וקראת אליהם ולא יענוכה

"Aber man hörte nicht auf mich und neigte mir nicht das
Ohr zu, vielmehr blieben sie hartnäckig und trieben es
noch schlimmer als ihre Väter. Auch wenn du ihnen alle
diese Worte sagst, werden sie nicht auf dich hören. Wenn
du sie rufst, werden sie dir nicht antworten".

   Der dtr Einfluß in diesem Abschnitt ist deutlich[1]. Zu
bemerken ist die Parallelität zwischen לא שמעו אלי (=auf
mich -Gott- nicht hören) und derselben Konstruktion לא ישמעו
אליך (=auf dich -den Propheten- nicht hören). Ein neues Element tritt hier in Erscheinung: zum erstenmal ist שמע אל
auf Gott bezogen und zwar in der Bildung שמע אלי.

Jer 16,12:   והנכם הלכים איש אחרי שררותעצץ לבלתי שמע אלי
"Weil sie fremden Göttern nachliefen, ihnen dienten...
Und ihr, ihr habt es noch ärger getrieben als eure Väter!
Seht, ihr folgt ja ein jeder der Verstocktheit seines bösen
Herzens und hört nicht auf mich".

   Die Bildung לבלתי שמע אלי (auf Gott bezogen), die
Begriffe 'Väter', 'hinter anderen Göttern gehen'... sind
auch hier typische Elemente der D-Bearbeitung[2].

---

1) Rudolph (HAT 12,XIV-XVIII)hält den Text für eine Rede Jeremias
    mit deuteronomistischer Bearbeitung (= Mowinckels Quelle C). Thiel
    (WMANT 41,121-128)behandelt ausführlich diesen Text. "Die Einheit
    21-29 ist... fast durchgehend von D verfaßt. Authentischer Text
    findet sich nur am Anfang (21b) und am Ende (28b.29)". Jahwe warnt
    sein Volk durch die Propheten ("Unermüdlichkeitsformel"). "Überra-
    schend ist hier der Neueinsatz mit Anrede an den Propheten, jedoch
    hatte D einen solchen harten Übergang schon in v.16 konstruiert".

2) THIEL, WMANT 41,198-199: ""Abfall von Jahwe, Verehrung anderer Götter,
    Nichtachtung der Thora, Wandel im Starrsinn, Nicht-Hören auf Jahwes
    Stimme".

Jer 17,24.27:   ולא שמעו ולא הטו את אזנם ויקשו את ערפם

לבלתי שומע (שמוע) ולבלתי קחת מוסר

והיה אם שמע תשמעון אלי...לבלתי...

"Doch sie haben nicht gehört und ihr Ohr mir nicht zugeneigt, sondern ihren Nacken versteift, ohne zu gehorchen
und ohne Zucht anzunehmen. Ihr aber, wenn ihr bereitwil-
lig auf mich hört, ... und nicht...".

ואם לא תשמעו אלי לקדש...

"Wenn ihr aber nicht auf mich hört, den Sabbattag heilig
zu halten und euch nicht mit Lasten zu beladen (einzugehen)".

In V.24 kommt das Verb שמע mehrmals vor. Die Bedeutung
bleibt wahrscheinlich unverändert. Typische D-Merkmale sind:

אם שמע תשמעון אלי
לא חטו את אזנם
ויקשו את ערפם
(לקח מוסר)

Jer 35,13.14.15.16.17:   הלוא תקחו מוסר לשמע אל דברי

כי שמעו את מצות אביהם

ואנכי דברתי אליכם השכם ודבר ולא שמעתם אלי

... ולא הטיתם את אזנכם ולא שמעתם אלי

...והעם הזה לא שמעו אלי

יען דברתי אליהם ולא שמעו ואקרא להם ולא ענו

יען אשר שמעתם על מצות יהונדב אביכם

"Wollt ihr nicht Zucht annehmen und meinen Worten gehorchen?"
"Sie sind ihres Ahns Gebot gehorsam gewesen. Ich aber
habe zu euch geredet früh und spät, doch ihr habt nicht
auf mich gehört. Und ich habe alle meine Knechte, die
Propheten, zu euch gesandt früh und spät... Doch ihr
habt mir das Ohr nicht geneigt und mir nicht gehorcht...
Dieses Volk aber hat nicht auf mich gehört".
"Denn ich habe zu ihnen geredet, aber sie haben nicht
gehört, ich habe zu ihnen gerufen, aber sie haben nicht
geantwortet... Weil ihr dem Gebot Jonadabs, eures Ahns,
gehorcht habt...".
    Der Text hat die folgenden שמע-Konstruktionen:

- לא שמע אלי   (3×)

- לא שמע

- שמע אל דברי

- שמע את מצות

- שמע על מצות

Dazu kommen Ausdrücke, die auch in den zitierten Texten
geläufig sind:

- לקח מוסר (in gleicher Umgebung auch in 17,24)

- Unermüdlichkeitsformel

- לא הטיתם את אזנכם

- ואקרא להם ולא ענו (in gleicher Umgebung auch in 7,27)[1].

Andere Texte mit der Wendung שמע אלי und mit ähnlichen
redaktionellen Merkmalen sind Jer 25,3b-7; 26,3-5.

Sehr hoch ist in allen diesen Texten die Zahl des
Vorkommens von שמע: 7,21-29 = 5x; 16,10-13 = 1x; 17,24-27
= 4x; 25,3b-7 = 4x; 26,3-5 = 4x; 34,14-17 = 2x; 35,13-18
= 7x. In diesen 7 Texten ist שמע אלי 11mal vorhanden. Nur
in 7,21-29 liegt die Wendung gemeinsam mit שמע בקול (2mal)
vor. Auf dem ersten Blick verraten die dtn-dtr Belege von
שמע בקול wichtige Unterschiede zu den שמע אלי-Texten. Ein
Vergleich dieser unter sich gleichen und gegenüber der
anderen Wendung ungleichen Texte führt zu folgenden Beobachtungen:
- Die häufige Wiederholung von שמע geschieht nicht bei
den שמע בקול-Texten.
- שמע אלי findet sich immer in Abschnitten, wo besondere
Sprachmerkmale vorhanden sind. THIEL identifiziert diese
Sprache mit dieser Zusammenfasssung: Im Buch Jeremias gibt

1.) "Ein vorgegebener Text, diesmal ein Selbstbericht, wurde von D mit
ihrer Überschrift versehen und um einen Predigtabschnitt (v. 13ff.)
bereichert. Daß die gegenwärtige Textform keine ursprüngliche Einheit darstellt, wurde schon früh erkannt und ist so ausreichend
begründet, daß an diesem Urteil kaum noch zu zweifeln ist. Erwar-
tungsgemäß finden sich im Predigtteil wieder gehäuft D-Elemente,
so daß dieser Abschnitt wohl fast ausschließlich von der Redaktion formuliert sein wird, während die konkreten Einzelheiten über
Personen, Räumlichkeiten des Tempels und Lebensweise der Rekabiter
in v.1-11 diesen Bericht als den Grundbestand erweisen"(THIEL, WMANT
52,44).

es "Termini und Wendungen, für die überhaupt keine Abhängigkeit, weder von dtn. und dtr. noch von jer. oder sonst
prophetischen Vorbildern, nachgewiesen werden kann. Diese
Sprachelemente, die uns erstmalig oder gar ausschließlich
in Texten der dtr. Redaktion des Buches Jeremia begegnen,
dürften der sprachschöpferischen Leistung der Redaktion
entstammen bzw. eine gegenüber dem Dtr etwas gewandelte
sprachliche Situation widerspiegeln"[1]. Wo diese Termini
und Wendungen auftreten, ist auch fast regelmäßig der Ausdruck אלי שמע vorhanden[2].
- Begriffe die bei שמע בקול vorkommen -חטא(3x), יסב(5x)-,
sind bei שמע אל nicht vertreten.
- שמע אלי bezieht sich auf Gott; dieses "auf mich (= Gott)
hören" hat immer mit dem durch die Propheten gesprochenen
Wort zu tun. Auf Gott hören bedeutet: der Gläubige nimmt
die Botschaft der Propheten(in der Mehrzahl) auf. Die Texte
zeigen schon eine Reflexion oder Theologie des Propheten-
tums. Diese Lehre erscheint noch nicht in den שמע בקול-Kom-
positionen.

Eine andere Frage ist, warum die Präposition אל gebraucht wird. Man kann nur eine Antwort vermuten: Die Aufnahme von wahren und falschen Propheten wird immer mit
שמע אל geäußert. Weil hier die enge Verbindung mit der
Predigt der Propheten ausdrücklich betont wird, bleibt
auch die Konstruktion, die für die Propheten benutzt wird.

Daß in 7,21-29 und 11,1-14 שמע אל - שמע בקול in demselben Kontext vorkommen, ist wahrscheinlich mit der redaktionellen Geschichte des Textes zu erklären; so z.B. in 7,21-

---

1) THIEL, WMANT 52,97.

2) THIEL, WMANT 52,97-98 zitiert die Wendungen und Stellen die zu
   dieser Sonderschicht gehören. An den unterstrichenen Stellen ist
   mit der genannten Wendung auch שמע אלי vertreten: "Als wichtigste
   Beispiele wären zu nennen: die Unermüdlichkeitsformel (חשכם + zweiter Inf.abs.), a)in Verbindung mit einem Sprechen Jahwes...: 7,13;
   11,7; 25,3; 32,33; 35,14; b) in Verbindung mit der Prophetensendung
   ("Jahwe sandte seine Knechte, die Propheten"): 7,25; 25,4; 26,5;
   29,29; 35,15; 44,4 (2 Chr 36,15); "sie hörten nicht und sperrten
   ihre Ohren nicht auf": 7,24.26; 11,8; 17,23; 25,4; 34,14; 35,15;
   44,5; "sie hörten nicht und nahmen keine Zucht an": 7,28; 17,23;
   32,33; 35,13; (Zef 3,2)".

29: Zuerst liegt das Thema "Opfer" mit שמע בקול vor, dann
von V.24 an שמע אלי und sein typischer Kontext. Hier ist
das Thema "Opfer" zu Ende[1].

In bezug auf Propheten wird שמע אל noch in einigen
weiteren Belegen benutzt:

Jer 27,9.14.16.17:   ואתם אל תשמעו אל נביאיכם ואל קסמיכם

ואל חלמתיכם ואל ענניכם ואל כשפיכם

"Ihr aber, hört nicht auf eure Propheten, Wahrsager, Träu-
mer, Zeichendeuter und Zauberer, die zu euch sagen: Ihr
werdet dem König von Babel nicht dienen müssen! Denn sie
lügen, wenn sie euch weissagen".

ואל תשמעו אל דברי הנבאים האמרים אליכם לאמר

"Hört nicht auf die Reden der Propheten, die zu euch sagen:
Ihr werdet dem König von Babel nicht dienen müssen! Denn
was sie euch weissagen ist Lüge".

אל תשמעו אל דברי נביאיכם הנבאים לכם לאמר...

כי שקר המה נבאים לכם אל תשמעו אליהם...

"Hört nicht auf die Worte eurer Propheten, die euch weissagen: Wahrlich, die Geräte des Hauses des Herrn werden
jetzt bald wieder von Babel zurückgebracht werden! Denn
Lüge weissagen sie euch. Hört nicht auf sie!"[2].

Jer 29,8.12.19:   ואל תשמעו אל ילמתיכם אשר אתם מחלמים

"Laßt euch nicht täuschen von den Propheten, die unter
euch sind, und von euren Wahrsagern. Hört nicht auf die
Träume, die sie träumen. Denn Lüge ist das, was sie euch
in meinem Namen weissagen. Ich habe sie nicht gesandt".

תחת אשר לא שמעו אל דברי נאם יהוה...

---

1) THIEL (WMANT 41,128) hat zu dieser Änderung folgendes bemerkt:
   "Strenggenommen verläßt D dieses Thema 'Opfer' in 24ff., um in geläufigen Wendungen den Ungehorsam Israels zu beschreiben".

2) THIEL, WMANT 52,5-6: "Der kompositionelle Charakter von K.27 liegt
   auf der Hand. Wie ein Leitmotiv durchzieht die Warnung "hört nicht
   auf die Worte eurer Propheten" den ganzen Text(9.14.16f.), jeweils
   gefolgt von der Begründung "denn Lüge prophezeien sie"(10.14.16)".

ולא שמעתם נאם יהוה

"Dafür, dass sie nicht auf meine Worte gehört haben, spricht
der Herr, mit denen ich meine Knechte, die Propheten, zu
ihnen sandte früh und spät, ohne dass sie darauf hörten,
spricht der Herr"[1].

Jer 37,2:   ולא שמע הוא ועבדיו ועם הארץ אל דברי יהוה
"Aber weder er noch seine Diener, noch das Volk des Landes
hörten auf die Worte, die der Herr durch den Propheten
Jeremia redete".

    Es handelt sich um die Aufnahme des Wortes des Prophe-
ten. Auf den Propheten hören bedeutet gleichzeitig auf
Gott (= auf die Worte Gottes) hören. Eine ähnliche Äußerung
findet sich in Jer 44,16 (= du sprichst in Namen Gottes,
wir aber hören nicht auf dich). Die Wendung שמע אל דברים
ist auch in Jer 27,14.16; 29,19; 35,13 anzutreffen, immer
in redaktionellen Texten. Redaktionell kann darum auch
37,2 sein.

    Ganz allgemein sollte man zwei Gruppen von Belegen
im Buch Jeremias unterscheiden:
    a) Belege, die nicht zu redaktionellen Schichten gehö-
ren: 14,12; 36,25; 37,14; 38,15; 44,16. Für THIEL, MOWINCKEL
und RUDOLPH sind diese Belege vordeuteronomistisch. Mit
Ausnahme vielleicht von 14,12[2] gehören diese Texte zu den
Erzählungen über Jeremia. Diese Texte sind unverzichtbare
Teile der Erzählungen und beschreiben die An/Aufnahme oder
Ablehnung einer Person (ein nicht persönliches Objekt nur
in 14,12).
    b) Die übrigen 21 Belege im Buch Jeremia sind anders

---

1) THIEL, WMANT 52,18: "V.19 macht überraschend klar, daß dieser Abschnitt und darüber hinaus die D-Fassung dieses Kapitels sich an die
   im Lande Gebliebenen als Hörer wendet"

2) THIEL, WMANT 41,182: "Der prägnante Inhalt dieses Halbverses(12a)...
   legen die Annahme nahe, daß er einen authentischen Spruch... reprä-
   sentiert".

zu beurteilen. Sehr starke redaktionelle Spuren sind leicht
erkennbar. Belege: 7,26.27; 11,11; 16,12; 17,24.27; 25,7;
26,4; 27,9.14.16.17; 29,8.12.19; 34,14.17; 35,13.14.15.16;
37,2. Diese Texte bieten ein ganz anderes Bild: theologische
Behauptungen mit stereotypen Wiederholungen[1].

Ein Beispiel für eine diachronische Beurteilung ist
in der Erzählung von den Rechabitern(Jer 35) zu finden:
In 35,1-11 legen die Rechabiter in einem Bericht Rechenschaft über ihre Treue ab. Einmal wird die Treue mit שמע
נקבל bezeichnet und dann am Ende des Erzählungsablaufs
ohne Präposition wiederholt. Anders in 35,12-19; dort zeigen
sich alle redaktionellen Merkmale: Wiederholungen und formelhafte Wendungen, verwechselnde Konstruktionen (על-מצות
את מצות). So wird die theologische Anpassung eines älteren
Textes (35,1-11) an seine neue Benutzung erreicht; auch
die Sprache findet ihre Anpassung an die zeitgenössischen
Sprachentwicklungen.

שמע אל in Deutero-Jesaja

Oben wurde schon darauf hingewiesen, daß diese Wendung
eine Besonderheit von Jes 40-55 ist. Weder Jes 1-35 noch
Jes 56-66 kennt diese Konstruktion. Das richtige Verständnis
der Wendung verlangt den Vergleich mit einer ähnlichen
Form, d.h. die Einführung durch Imperativ ohne Präposition.

Jes 46,3:   שמעו אלי בית יעקב וכל שארית בית ישראל
"Hört auf mich, du Haus Jakob, und alle, die ihr vom Hause
Israel übrig seid, die ihr vom Mutterschoß an (von mir)
getragen und von Geburt an gehegt worden seid".

---

1) THIEL, WMANT 52,98: "Durch die Verwendung von formelhaft erstarrten
   oder topisch gebrauchten Wendungen und die vielen Wiederholungen
   wirkt die Diktion... auf uns monoton und schwerfällig... Aussagen und
   Appelle sollen dem Hörer immer wieder eingehämmert und ins Gedächt-
   nis gerufen werden".

Jes 46,12:   שמעו אלי אבירי לב הרחוקים מצדקה
"Hört auf mich, ihr Verzagten, denen die Heilstat noch
fern ist".

Jes 48,12:   שמע אלי יעקב וישראל מקראי
"Höre auf mich, Jakob, und Israel, den ich berufen!".

Jes 49,1:   שמעו איים אלי והקשיבו לאמים מרחוק
"Hört auf mich, ihr Inseln, merkt auf, ihr Völker in der
Ferne! Der Herr hat mich schon im Mutterleib berufen; als
ich noch im Schoß meiner Mutter war, hat er meinen Namen
genannt".

Jes 51,1:   שמעו אלי רדפי צדק מבקשי יהוה
"Hört auf mich, die ihr der Gerechtigkeit nachjagt und
die ihr den Herrn sucht. Blickt auf den Felsen, aus dem
ihr gehauen seid, auf den Schacht, aus dem ihr herausge-
bohrt wurdet".

Jes 51,7:   שמעו אלי ידעי צדק עם תורתי בלבם
"Hört auf mich, die ihr das Recht kennt, du Volk das mein
Gesetz im Herzen trägt. Fürchtet euch nicht vor der Beschim-
pfung durch Menschen, erschreckt nicht vor ihrem Spott!".

Jes 55,2:   שמעו שמוע אלי...שמעו...
"...Hört auf mich, dann bekommt ihr das Beste zu essen
und könnt euch laben an fetten Speisen. Neigt euer Ohr
mir zu, und kommt zu mir, hört, dann werdet ihr leben.
Ich will einen ewigen Bund mit euch schließen...".
      Der Infinitivus absolutus und die Wiederholung von
שמע machen am Ende des Buches die Einladung eindringlicher.

      Das Problem bei der Erläuterung von שמע אלי in Deutero-
Jesaja ist, daß die Wendung am Anfang von Texten auftritt
und manchmal nicht leicht von einer Einführungsformel zu
unterscheiden ist. Man könnte denken es handele sich nur um

eine Einladung zum Hören. Neben שמע אלי findet sich in
Dt-Jes die imperativische Wendung שמעו/שמעי זאת: (44,1);
47,8; 48,1; 48,16; 51,21

Es ist anzunehmen, daß die Präposition auch hier in
den gleichen Sprechhandlungen gebraucht wird, wie sonst
in der hebräischen Sprache: Aufnahme oder Ablehnung von
einem Propheten oder von prophetischem Wort. Der prophetische Lehrer lädt die Jünger zu einer begeisteten Aufnahme.

Für שמע אלי - שמע זאת im Buch Dt-Jes kann folgendes
gelten: Bei שמע אל (Jes 46,3; 46,12; 48,12; 49,1; 51,1;
51,7; 55,2) folgt immer ein Hinweis auf das Handeln des
Redenden oder auf seine Wesensart, so daß שמעו אלי fast
schon die Bedeutung "Stimmt mir zu, glaubt mir" o.ä. hat.
Das ist bei שמע זאת 47,8 nicht der Fall; dort wird Babel
Unheil angekündigt. Auch in Jes 48,1 und 48,16 geht es
nicht um eine Aufforderung zum Zustimmen, sondern um eine
objektivierende Darlegung; ähnlich bei 51,21. Hier liegt
also eine andere Sprechhandlung vor!

שמע אל *im Buch Ezechiel*

Ez 3,6.7:   אשר לא תשמע דבריהם
                              אם לא אליהם שלחתיך   המה ישמעו אליך
                                             ובית ישראל לא יאבו לשמע אליך
                                                      כי אינם אבים לשמע אלי

"...Auch nicht zu vielen Völkern mit fremder Sprache und
unverständlicher Rede, deren Worte du nicht verstehst.
Würde ich dich zu ihnen senden, sie würden auf dich hören.
Doch das Haus Israel will nicht auf dich hören, es fehlt
ihnen der Wille, auf mich zu hören...".

Zwei verschiedene Konstruktionen und zwei Bedeutungen
sind hier vorhanden: mit Objektakkusativ = eine Sprache
verstehen; mit Präposition אל (3mal) = auf jemand hören.
Als parallele Begriffe kommen "auf den Propheten hören"
- "auf Gott hören" vor. Damit ist die Aufnahme des prophetischen Wortes gemeint.

Ez 20,8:   וימרו בי ולא אבו לשמע אלי

"Sie aber waren widerspenstig gegen mich und wollten nicht
auf mich hören".
Die Wendung beschreibt die falsche Einstellung zu Gott
und den Umgang mit anderen Göttern.

Ez 20,39   ואחר אם אינכם שמעים אלי

"So geht nun und dienet ein jeder seinen Götzen! Aber nachher werdet ihr gewiß auf mich hören, und meinen heiligen
Namen werdet ihr nicht mehr entweihen..."[1].

Die Wendung hat in Ez 3,6.7; 20,8.39 die bekannte
Bedeutung, Aufnahme/Ablehnung eines Propheten oder Aufnah-
me/Ablehnung Gottes gegenüber fremden Göttern/Götzen. Die
fünf Belege sind in zwei Kapiteln konzentriert. Sind diese
Texte von Ezechiel selbst? Zu 3,6.7 meint ZIMMERLI: Es
handelt sich um einen ursprünglichen Text. Man hat das
"Vokabular aus dem Berufungsbericht"[2]. Es ist zu bemerken:
שמע אלי ist keine geläufige Wendung in Ez; שמע-qal ist
in Ez 2-3 häufig vertreten (13mal von 44 Belegen in Ez); wie
bei der P-Schrift auch Ez kennt die Wendung שמע בקול nicht.

שמע אל im Buch Daniel

Dan 9, wie auch Ez 2-3, ist durch das häufige Vorkommen von שמע-qal gekennzeichnet. Es ist zu vermuten, daß
diese auffällige Häufigkeit auch mit einem Sondertext zu
tun hat. שמע אל ist in 9,6 und 9,17 vorhanden.

Dan 9,6:   ולא שמענו אל עבדיך הנביאים אשר דברו בשמך

"Wir haben gesündigt und Unrecht getan, wir sind treulos
gewesen und haben uns gegen dich empört; von deinen Geboten und Gesetzen sind wir abgewichen. Wir haben nicht auf

---

1) Ez 19,4 sollte man wahrscheinlich als hif vokalisieren.

2) ZIMMERLI, Ezechiel, BK XIII,446.

deine Diener, die Propheten, gehört, die in deinem Namen
zu unseren Königen und Vorstehern, zu unseren Vätern und
zu allen Bürgern des Landes geredet haben".

Der Satz hat einen hochtheologischen Klang und spricht
ein zusammenfassendes Urteil mit allgemeinem Charakter
aus. Der Text erinnert an die "Unermüdlichkeitsformel",
auch wenn hier weitere Begriffe gesammelt sind.
Dan 9 unterscheidet, sicher absichtlich, die Ablehnung
der Propheten *(שמע אל)* von der Untreue in bezug auf Gott
(שמע בקול: 9,10.11.14).

שמע אל mit Gott als Subjekt: Erhörung

Gen 30,17:   וישמע אלהים אל לאה
"Gott erhörte Lea. Sie wurde schwanger und gebar Jakob
einen fünften Sohn".

Gen 30,22:   ויזכר אלהים את רחל וישמע אליה אלהים
"Nun erinnerte sich Gott an Rahel. Gott nahm sich der Rahel
an und öffnete ihren Mutterschoß".

Dtn 3,26:   ויתעבר יהוה בי למענכם ולא שמע יהוה אלי
"Doch euretwegen zürnte mir Jahwe und erhörte mich nicht".

Dtn 9,19:   וישמע יהוה אלי גם בפעם ההוא
"Denn ich hatte Angst vor dem glühenden Zorn des Herrn.
Er war von Unwillen gegen euch und wollte euch vernichten.
Doch der Herr erhörte mich auch diesmal".

In Dtn 10,10 hat man noch den selben Ausdruck.

Ri 9,7:   שמעו אלי בעלי שכם
                                         וישמע אליהם אלהים
"Hört auf mich, ihr Bürger von Sichem, daß auch Gott auf
euch höre!".

Der erste Satz kann am Anfang einer Rede den Eindruck
erwecken, es handle sich um eine Einladung zum Hören. In
Wirklichkeit ist es, wie die Präposition andeutet, eine

Aufforderung, die Worte anzunehmen und danach zu handeln.
Nur so können die Sichemiter die Strafe Gottes vermeiden.
Die Sichemiter tun es aber nicht und darum kommt über sie
die Strafe Gottes; so wird es am Ende der Erzählung (Ri
9,56-57) geklärt: "Auf die Einwohner von Sichem ließ Gott
alles Böse, das sie getan hatten, zurückfallen. So kam
über sie der Fluch Jotams, des Sohnes Jerubbaals".

2 Kön 13,4:   ויחל יהואחז את פני יהוה וישמע אליו יהוה
"Aber Joahas flehte den Herrn an, und der Herr erhörte
ihn; denn er sah, wie Israel bedrängt war, weil der König
von Syrien es bedrängte".

Ps 69,34:   כי שמע אל אביונים יהוה ואת אסיריו לא בזה
"Denn der Herr hört auf die Armen, er verachtet die Gefangenen nicht".
    Nur hier kommt die Wendung in den Psalmen vor. Kon-
struktion und Bedeutung unterscheiden sich nicht von den
anderen Belegen. Die Erhörung war bisher immer die Antwort
auf eine konkrete Notlage gewesen; in diesem Text dagegen
ist eine allgemeine Überzeugung oder theologische Aussage
vorhanden. Auch das Partizip betont eine Eigenschaft (=
Jahwe ist einer, der für die Armen eine Antwort hat).
    Andere Beispiele kann man in Jer 29,12; Jer 11,11;
2 Chr 30,20 lesen.

    In allen Belegen war die Erhörung immer auf Perso-
nen bezogen. Schon oben wurde bemerkt, daß das gewöhnliche
Objekt von שמע אל eine Person ist. Man erhört weniger die
Bitte, als den Bittenden. Das ist aber keine allgemein
geltende Regel; in Gen 16,11; 1 Kön 8 (2 Chr 6); Jer 14,12;
Dan 9,17; Neh 1,6 ist ein anderes Objekt für die Erhörung
angegeben.

Gen 16,11:   כי שמע יהוה אל עניך
"Und sprach der Engel des Herrn zu ihr: Du bist schwanger,

du wirst einen Sohn gebären und ihn Ismael nennen; denn
der Herr hat auf dein Leid gehört".

Merkwürdig und einmalig ist die Konstruktion שמע אל
עניך. Die Etymologie ist sinnmäßig und grammatikalich leichter zu verstehen, wenn אל als Gottesname und עניך als Akkus.-Objekt angenommen wird. Dieser Vermutung gemäß hätte
der ursprüngliche Text besagen können: Du wirst ihn Ismael
nennen, weil El seine Not wahrgenommen/angenommen hat.
In dem Fall hätte der Jahwist 'El' in 'Jahwe El' umgewan-
delt.

1 Kön 8,14-53:

Auffallend sind in diesem Text[1] besonders die Wiederholungen und die theologisch geprägten Aussagen. שמע spielt
dabei eine wichtige Rolle:

8,28:	לשמע אל הרנה ואל התפלה אשר עבדך מתפלל לפניך היום
8,29:	לשמע אל התפלה אשר יתפלל עבדך אל המקום הזה
8,30:	ושמעת אל תחנת עבדך ועמך ישראל
	ואתה תשמע אל מקום שבתך אל השמים
	ושמעת וסלחת
8,32:	ואתה תשמע השמים ועשית ושפטת את עבדיך
8,34:	ואתה תשמע השמים וסלחת
8,36:	ואתה תשמע השמים וסלחת
8,39:	ואתה תשמע השמים מכון שבתך וסלחת ועשית
8,42:	ישמעון את שמך הגדול ואת ידך החזקה
8,43:	אתה תשמע השמים מכון שבתך ועשית...
8,45:	ושמעת השמים את תפלתם ואת תחנתם ועשית משפטם
8,49:	ושמעת השמים מכון שבתך את תפלתם ואת תחנתם
8,52:	לשמע אליהם בכל קראם אליך

---

1) NOTH, Studien 5: Auch für 1 Kön 8 gilt "daß Dtr an allen wichtigen
   Punkten des Geschichtsverlaufs die führend handelnden Personen mit
   einer kürzeren oder längeren Rede auftreten läßt, die rückblickend
   und vorwärtsschauend den Gang der Dinge zu deuten versucht und die
   praktischen Konsequenzen für das Handeln der Menschen daraus zieht".

[28]"Wende dich, Herr, mein Gott, dem Beten und Flehen deines
Knechtes zu! Höre auf das Rufen und auf das Gebet, das
dein Knecht heute vor dir verrichtet. [29]Halte deine Augen
offen über diesem Haus bei Nacht und bei Tag...Höre auf
das Gebet, das dein Knecht an dieser Stätte verrichtet.
[30]Achte auf das Flehen deines Knechtes und deines Volkes
Israel, wenn sie an dieser Stätte beten. Höre sie im Himmel,
dem Ort, wo du wohnst. Höre sie, und verzeih!..... [32]...so
höre du es im Himmel, und greif ein! Verschaff deinen Knechten Recht.... [34]...so höre du es im Himmel! Vergib... [36]...
so höre du sie im Himmel! Vergib... [39]Höre sie dann im
Himmel, dem Ort, wo du wohnst, und verzeih!... [42]...denn
sie werden von deinem großen Namen, deiner starken Hand...
hören... [43]Höre sie dann im Himmel, dem Ort, wo du wohnst,
und tu alles... [45]...so höre du im Himmel sein Beten und
Flehen, und verschaff ihm Recht.... [49]Höre dann im Himmel,
dem Ort, wo du wohnst, ihr Beten und Flehen!... [52] Halte
deine Augen offen für das Flehen deines Knechtes und für
das Flehen deines Volkes Israel! Erhöre sie, sooft sie
zu dir rufen".

In dem parallelen Text 2 Chr 6 fehlen 1 Kön 8,42; 8,52.
Die Präposition אל in אל השמים שבמך מקום אל 1 Kön 8,30
wird in in 1 Chr 6 durch den deutlichen Ausdruck השמים מן
ersetzt.

Zu den präpositionalen Bildungen: In den Versen 28.29.
30 sind die folgenden Ausdrücke vorhanden:

שמע אל הרנה
שמע אל התפלה
שמע אל תחנה

Es handelt sich um Erhörung. Gegenstand der Erhörung sind
hier Gebete und Bitten. 5mal wird שמע absolut gebraucht.
In 8,42 kommt שמע את vor.

In 8,45.49 ändert sich die Präposition:

שמע את תפלתם
שמע את תחנתם

Diese Änderung der Präposition ist damit zu begründen,
daß hier nicht von Erhörung die Rede ist, sondern von sinn-

licher Wahrnehmung; das Gebet findet hier nicht mehr im
Tempel statt, sondern in der Richtung zum Tempel, an den
Orten des Gebets außerhalb von Jerusalem:

דרך העיר אשר בחרת בה והבית אשר בנתי לשמך

("zur Stadt hinwendet, die du erwählt hast, und zu dem
Haus hin, das ich deinem Namen gebaut habe"). Gemeint ist:
auch wenn das Gebet weitweg gesprochen wird, Gott wird
es hören. Darum ist es klar, daß diese Konstruktion auch
in 2 Chr 6 die sinnliche Wahrnehmung bezeichnet. In V.52
steht wieder שמע אל. Die sinnliche Wahrnehmung von seiten
Gottes ist nicht das letzte Wort; in V.52 wird die Erhörung
verlangt, und zwar mit der entsprechenden Präposition[1].

Auch in Jer 14,12; Neh 1,6; Dan 9,17 ist die Bildung
שמע אל תפלה / אל רנתם. Der Ausdruck 'auf eine Bitte hören'
ist derselbe von 1 Kön 8. Die gewöhnliche Form war 'auf
eine Person hören'. Weil Dan 9 und Neh 1 spätere Texte
sind, ist die Frage berechtigt, ob diese שמע אל-Konstruktion
nicht eine spätere Entwicklung der Sprache bedeutet.

שמע את/אל מצוה

Dtn 11,13:   והיה אם שמע תשמעו אל מצותי
"Und wenn ihr auf meine Gebote hört, auf die ich euch heute
verpflichte, so daß ihr Jahwe, euren Gott, liebt und ihm
von ganzem Herzen und von ganzer Seele dient...".

---

1) NOTH,Studien 105: "Nun kann man gewiß sagen, daß Dtr hierbei die Situation seiner eigenen Zeit im Auge hatte, in der der Tempel zerstört, ein Opferkult im vollen Umfange daher nicht mehr in Jerusalem
durchzuführen war, wohl aber die Gebete der Leute im Lande und der
Deportierten in der Ferne im Gedanken an die Vergangenheit sich nach
der Stätte des alten Heiligtums hinwendeten und nicht mehr durch
Bittopfer unterstützt werden konnten"... "Die Bedeutung des Tempels
als Gebetsrichtung ist in der Folgezeit festgehalten worden, vgl.
Dan 6,11 und noch die Orientierung der aus nachchristlicher Zeit bekannten Synagogen nach Jerusalem".

Dtn 11,26-28:   את הברכה אשר תשמעו אל מצות יהוה אלהיכם

                     והקללה אם לא תשמעו אל מצות יהוה אלהיכם

"Seht, heute werde ich euch den Segen und den Fluch vorle-
gen: den Segen, weil ihr auf die Gebote des Herrn, eures
Gottes, auf die ich euch heute verpflichte, hört, und den
Fluch für den Fall, daß ihr nicht auf die Gebote des Herrn,
eures Gottes, hört, sondern von dem Weg abweicht...".

Dtn 28,13:   כי תשמע אל מצות יהוה אלהיך

"Wenn du auf die Gebote des Herrn, deines Gottes, auf die
ich dich heute verpflichte, hörst, auf sie achtest und
sie hältst...".

שמע אל מצות ist eine sehr seltene Wendung. Die Begriffe
Segen und Fluch und die begleitenden Ausdrücke zeigen,
daß שמע אל מצוה und שמע בקול im Dtn eine ähnliche Bedeutung
besitzen. Daß die Wendung שמע אל מצות im Buch Deuteronomium
nur hier gebraucht wird, kann ein Indiz dafür sein, daß
diese Texte zusammengehören und von demselben Verfasser
geschrieben wurden.

Neh 9,16:   ולא שמעו אל מצותיך ויתאנו לשמע

"Unsere Väter aber wurden hochmütig; sie waren trotzig
und hörten nicht auf deine Gebote. Sie weigerten sich zu
gehorchen...".

Neh 9,29:   והמה הזידו ולא שמעו למצותיך

                     ...וערפם הקשו ולא שמעו

"Du warntest sie, um sie zu deinem Gesetz zurückzuführen.
Sie aber waren stolz; sie hörten nicht auf deine Gebote...;
sie waren starrsinnig und gehorchten dir nicht".

     Neh 9,29 ist fast eine Wiederholung von 9,16. Als
gleichwertig zeigen sich die Wendungen שמע אל - שמע ל.

Ri 2,17:   ...וגם אל שפטיהם לא שמעו

                     אשר הלכו אבותם לשמע מצות יהוה לא עשו כן

"Aber auch auf ihre Richter hörten sie nicht, sondern gaben

sich andern Göttern hin und beteten sie an. Gar bald wichen
sie ab von dem Wege, den ihre Väter, gehorsam den Geboten
des Herrn, gewandelt waren; sie taten nicht ein Gleiches".

    Zuerst ist שמע אל 'auf die Propheten hören', ein klassi-
scher Ausdruck, vertreten. An zweiter Stelle tritt שמע
מצות.   Hier prägt das Objekt die Bedeutung des Verbs.
Auch in Ri 3,4 liegt die selbe Form vor.

Ri 3,4:   הישמעו את מצות יהוה
"Durch diese sollte Israel geprüft werden, damit es sich
zeige, ob sie auf die Gebote hören würden, die der Herr
ihren Vätern durch Mose gegeben hatte".

    In Jer 35,14.18 finden sich die Konstruktionen שמע את
מצות, שמע על מצות. Warum stehen zwei verschiedene Konstruktionen nebeneinander? שמע על מצות ist ein Hapaxlegomenon.
Gibt es schon in dieser Zeit eine Verwechselung der Präpositionen?[1]

    Die Konstruktion von מצוה mit שמע erfolgt durch präpo-
sitionale und nicht-präpositionale Formen:
- שמע אל מצוה (Dt 11,13; 11,27.28; 28,13; Neh 9,16)
- שמע למצותיך (Neh 9,29)
- שמע (את) מצות (Ri 2,17; 3,4; Jer 35,14)
- שמע על מצות יהונדב (Jer 35,18).

    In diesen Belegen ist bei Änderung der Präposition
nicht eine Änderung der Bedeutung zu spüren. Ri 2,17; 3,4
sollen zur dtr Theologie gehören[2], Jer 35,14.18 zur redaktionellen Schicht[3], in Neh 9,16.29 sind nachexilische Kompo-
sitionen zu vermuten, die Belege von Dtn gehören zum Rahmen-
text des Gesetzescorpus. Über den Gebrauch und die Entwicklung dieses Ausdrucks ist eine diachronische Entwicklung
der Sprache zu vermuten.

Dtn 4,1:   ועתה ישראל שמע אל החקים ואל המשפטים
"Und nun Israel, höre auf die Gesetze und Rechtsvorschriften, die ich euch zu halten lehre".

Diese Konstruktion שמע אל החקים ואל המשפטים ist nut
in Dtn 4,1 vertreten. Inhaltlich ist es so, als ob man sagen
würde: auf einen Propheten hören oder auf die Worte eines
Propheten hören. Als Ausdruck ist es jedoch ein hapaxlegomenon. Hier handelt es sich wahrscheinlich um eine Mahnung,
wie es in der Weisheitslehre üblich war. Die Haltung vor
dem Weisheitslehrer war dann שמע אל - שמע ל. Ein ganz ähnlicher Satz wird in Dtn 5,1 mit שמע את konstruiert. Dort
scheint die Wahrnehmung zuerst betont zu sein (=die ich
heute vor euren Ohren rede). Auch die Entstehungszeiten
von Dtn 4,1 und 5,1 sind verschieden: "Dtn 4 gehört zu
einer sehr späten Schicht des Deuteronomiums, die schon
in die Nähe der Priesterschrift gestellt werden muß"[4].

שמע אל und שמע את innerhalb desselben Kontexts

Die gemeinsame Verwendung der beiden Präpositionen
kann dazu helfen, die Absicht des Verfassers und die Abstufung der Bedeutung besser zu ermessen. Daß der gleiche
Verfasser nebeneinander verschiedene Präpositionen benutzt,
zeigt, daß die Sprache diese Gelegenheit anbietet. Voraussetzung bleibt, daß der Text einheitlich ist.

Gen 21,17:   וישמע אלהים את קול הנער
                      כי שמע אלהים אל קול הנער באשר הוא שם
"Gott hörte den Knaben schreien; da rief der Engel Gottes
vom Himmel her Hagar zu und sprach: Was hast du, Hagar?
Fürchte dich nicht, Gott hat auf das Schreien des Knaben
gehört, in seiner dortigen Lage".
Gen 21,1-20 gehört zur E-Schicht und ist deutlich einheit-

---

1) מצוה als Objekt wird am häufigsten mit שמר konstruiert. Siehe Konkor-
    danzen.

2) NOTH, Studien 32.

3) THIEL, WMANT 52,48.

4) LOHFINK, SBS 100,34.

lich[1]. Zwei Konstruktionen sind vorhanden, eine bedeutet
die sinnliche Wahrnehmung: שמע את קול, die andere, Entgegenkommen Gottes, Erhörung: שמע אל.

Dtn 18,14-19:   כי הגוים האלה... אל מעננים ואל קסמים ישמעו
                                 נביא מקרבך...יקים... אליו תשמעון
                                 לא אסף לשמע את קול יהוה אלהי
                                 והיה האיש אשר לא ישמע אל דברי

"Denn diese Völker...hören auf Wolkendeuter und Orakelle-
ser. Du aber... Einen Propheten aus deiner Mitte...wird
dir der Herr erstehen lassen. Auf ihn sollt ihr hören...
Ich möchte die Stimme des Herrn, meines Gottes, nicht mehr
hören und dieses große Feuer nicht länger sehen, daß ich
nicht sterbe... Einen Mann aber, der nicht auf meine Worte
hört, die der Prophet in meinem Namen verkünden wird, ziehe
ich selbst zur Rechenschaft".

Vier Konstruktionen sind hier zu unterscheiden: auf
die Wahrsager hören: שמע אל; auf den Propheten hören: שמע אל;
die Stimme hören, das Feuer sehen (sinnliche Wahrnehmung):
שמע את; auf die Worte hören, die im Namen Gottes gesprochen werden: שמע אל.

Jer 36,24.25:   וכל עבדיו השמעים את כל הדברים האלה
                                 ולא שמעו אליהם

"Niemand erschrak, und niemand zerriß seine Kleider, weder
der König noch irgendeiner seiner Diener, die all diese
Worte gehört hatten. Selbst als Elnatan, Delaja und Gemarja
den König bestürmten, die Rolle nicht zu verbrennen, hörte
er nicht auf sie".

Dem Vorlesen des Buches entspricht das Zuhören: שמע את;
den Bitten entspricht die Ablehnung des Königs: לא שמע אל.

Diese Belege zeigen, daß die Sprache bewußt diese
Präpositionen gebraucht. Es wird bestätigt, was schon oben
deutlich geworden war. שמע אל ist der Ausdruck des Entgegenkommens, der Erhörung, des Einverstandenseins.

---

1) NOTH, Überlieferungsg. 38; EIßFELDT, Synopse 34*-35*.

Wechsel von שמע אל mit anderen Ausdrucksformen

שמע אל wird durch ein Verbalsuffix ersetzt:

Ex 6,12:   הן בני ישראל לא שמעו אלי

ואיך ישמעני פרעה ואני ערל שפתים

"Wenn schon die Israeliten nicht auf mich hörten, wie sollte dann der Pharao auf mich hören, zumal ich ungeschickt
im Reden bin?".

    Bei gleicher Bedeutung wird die Konstruktion gewech-
selt. Ähnliche Umstände sind in Gen 23 zu beobachten: Nach
einer Reihe von Suffixbildungen mit שמע (Vv.6.8.11.13.15)
kommt man zum Abschluß der Verhandlung. Dann wird in V.16
שמע אל benutzt. In Ex 6 und Gen 23 handelt es sich um P-Texte.

שמע אל wird durch שמע ל ersetzt:

1 Kön 12,16:   וירא כל ישראל כי ולא שמע המלך אליהם

2 Chr 10,16:   וכל ישראל (ראו) כי ולא שמע המלך להם

"Als aber ganz Israel sah, dass der König nicht auf sie
hören wollte...".

    Daß in späterer Zeit אל durch ל ersetzt wird, spricht
für eine bestimmte Vorliebe in dieser Zeit für den Gebrauch
von ל. Sonst würde man den übernommenen Text treu wiederholen.

Dtn 23,6:   ולא אבה יהוה אלהיך לשמע אל בלעם

Jos 24,10:   ולא אביתי לשמע לבלעם

"Doch Jahwe, dein Gott, hat sich geweigert Bileam zu erhören".
"Ich habe mich geweigert, Bileam zu erhören".

    Diese Präpositionen drücken die gleiche Bedeutung
aus und sind ersetzbar. Wenn Jos 24,10, wie viele annehmen,
dtr ist, dann ist es jünger als Dtn 23,6. So wäre auch
hier der spätere Text mit ל aufgebaut. Damit zeigt die
Sprache nicht nur ihre mehrfachen Ausdrucksmöglichkeiten,
sondern gleichzeitig auch eine diachronische Entwicklung.

Man kann aber nicht behaupten, daß in späteren Zeiten אל שמע
verschwunden sei. Ein Beispiel ist Neh 9,16.19; im selben
Text sind beide Konstruktionen vorhanden. Die Diachronik
der Sprache kann sich daran zeigen, daß jede Zeit eine
Vorliebe für bestimmte Wendungen hat, ohne damit die früheren Wendungen in Vergessenheit geraten zu lassen. Es konnte
schon die Regelmäßigkeit von שמע אלי in Jes 40-55 und Ez
festgestellt werden; unten wird sich die gleiche Regelmäßigkeit für שמע לי im Buch Spr und im Buch Ijob zeigen.

Zusammenfassung

     Es gibt viele Bereiche, wo שמע אל gebraucht wird:
Man kann von privaten und öffentlichen Bereichen, von welt-
lichen und theologischen Bereichen sprechen; das Subjekt
kann Gott oder der Mensch sein. *Zustimmung, Einwilligung,
Annahme, Aufnahme, Billigung, Ablehnung* sind einige Begriffe, mit denen שמע אל wiedergegeben werden kann. Soll die
Zustimmug durch soziale oder religiöse Beziehungen verpflichtend sein, dann ist die Übersetzung *gehorchen* passend.
Wenn aber Gott der Zustimmende ist, gilt die Bedeutung
erhören. Diese Grundbedeutung der Wendung kommt in den
verschiedensten Lebensbereichen vor. Die Belege des Alten
Testaments zeigen sehr verschiedene Sprechhandlungen: Braut-
preisvertrag; Kaufvertrag; Schließung eines Bündnisses
zwischen zwei Königen; Haltung vor einer Einladung oder
Verführung;Antwort oder Haltung nach einer Beratung. Allgemein gesagt: Wo Einladungen, Angebote, Verhandlungen, Bitten, Empfehlungen und Ähnliches zu einer Antwort verpflichten, übernimmt שמע אל - לא שמע אל diese Rolle. Entscheidend
sind hier nicht die handelnden Personen oder Gruppen. Für
die Antwort und für die Sprechhandlung ist wichtig die
überzeugende Kraft der Handlung, wie Anrede, Botschaft,
Geschenke, Aufnahmebereitschaft oder Einstellung des Han-
delspartners. In dem Maß, wie die Gründe überzeugend wirken
oder als überzeugend befunden werden, wird die Antwort-Reak-

tion positiv oder negativ sein (שמע אל - לא שמע אל). Die
Zustimmung oder Ablehnung bezieht sich allgemein nicht
auf das Angebot, auf den Rat o.ä. Zugestimmt oder abgelehnt
wird die Person, die dieses Angebot macht oder die als
Ratgeber wirkt. Das kann aber nicht als absolute Regel
angenommen werden. Jedoch bei etwa 75% der Belege bezieht
sich die präpositionale Wendung auf eine Person.

    Die Übersetzung soll die Einwilligung oder Ablehnung
wiedergeben. "Auf jemand hören" ist in vielen Belegen passend. Je nach der Sprechhandlung ist auch eine andere Übersetzung möglich.

    Grund für die Äußerung der Zustimmung kann die Autori-
tät des Redenden oder Sprechers sein. Die Wendung kann
besagen:
- Ungehorsam gegenüber den Anweisungen Moses;
- das Verhalten des Kindes gegenüber den Eltern;
- die Haltung gegenüber dem prophetischen Wort;
- die Aufnahme oder Ablehnung von falschen Propheten, Zaube-
rern und Traumdeutern;
- die Haltung gegenüber dem verpflichtenden Wort und Urteil
der Priester und Richter (= Gehorsam gegenüber den Priestern
und Richtern); besonders in den Erzählungen bedeuten Zustimmung oder Ablehnung eine einmalige Handlung. Wenn aber
die Wendung in gesetzlichen Vorschriften vorkommt, dann
sind die Handlungen wiederholbar und sie können auch zu
Haltungen werden. So ist es in einigen der schon genannten
Fälle; so ist es auch in diesen Sprechhandlungen:
- Josua wird als Führer angenommen (Dtn 34,9 = P-Text);
- "nicht auf mich hören" in dem Wort der Propheten (redaktionelle Texte im Buch Jeremia);
- die Gebote bewahren (שמע אל מצות; ...)

    In füheren Belegen sind konkrete Handlungen beim Ge-
brauch der Wendung stärker vertreten. In späteren Texten
haben Haltungen und allgemeine Aussagen einen privilegierten
Platz. Konkrete Aussagen werden später zu allgemeinen Aussagen. Auch hier ist eine Theologisierung der Wendung im

Gang. Das wird besonders im Buch Jeremia sichtbar. Bei
den Propheten des 8. Jhs ist die Wendung nicht belegt.
Erst Dt-Jes hat von der Wendung reichlich Gebrauch gemacht.
In Ezechiel sind die Belege nicht häufig, aber vorhanden.
Im Buch Jeremia sind die Belege, die wahrscheinlich aus
Jeremia stammen, von der allgemeinen Sprache geprägt; ein
prophetischer Sonderstil ist nicht zu erkennen. Eine große
Zahl der formelhaften Aussagen אלי שמע hat redaktionellen
Charakter. In den späteren Büchern vorhandene Belege (Dan
9, Neh 9) zeigen nur den theologischen Gebrauch der Wendung
und die Äußerung hat einen allgemeinen Charakter. Zusammenfassend kann man sagen: Die Grundbedeutung der präpositionalen Bildung שמע אל bleibt in der hebräischen Sprache unverändert. Die Sprechsituationen, wo die Wendung gebraucht
wird, verändern sich in Laufe der Zeit; die Sprache bleibt
im Dienst dieser veränderten Äußerungsbedürfnisse. In späteren Texten gibt es eine Neigung, שמע ל anstelle von שמע אל
zu benutzen.

Noch ein Bereich muß genannt werden, wo die Wendung
gebraucht wird:
- die Erhörung, das Entgegenkommen Gottes. Die meisten
der Erhörungstexte in Gen sind elohistisch (Gen 21,17; 30,17;
30,22; dagegen Gen 16,11 J). In Ex sind alle שמע אל-Belege
P. Die Mehrzahl der שמע לקול-Texte sind J.

In den Büchern Gen-Ex und in Ps 69,34 ist die Erhörung
durch "auf jemanden hören" ausgedrückt. In 1 Kön 8 / 2
Chr 6; Jer 14,12; Dan 9,17; Neh 1,6 ist die Wendung in
der Form "auf eine Bitte/ein Gebet hören" ausgedrückt.
שמע אל kann nicht als normale Wendung für die Äußerung
der Erhörung im Gebet betrachtet werden. Nur in ganz bestimmten Texten wird die Wendung benutzt; im Buch der Psalmen ist sie nur 1mal belegt.

שמע אל - שמע לקול: Zwischen diesen präpositionalen
Konstruktionen lassen sich keine Bedeutungsunterschiede
feststellen. Nur die Zahl der Belege und die Verbreitung

der beiden Wendungen sind sehr unterschiedlich. Auch die
Bildung שמע אל קול ist 1mal (Gen 21,17) belegt.

שמע אל - שמע בקול: Die These von Fenz, שמע בקול werde
besonders beim Schließen von Bündnissen und Verträgen benutzt, wird in den Texten nicht bestätigt. Viel mehr ist
שמע אל die gewöhnliche und eindeutige Wendung in solchen
Sprechhandlungen. Auf die Propheten bezogen wird immer
שמע אל und nicht שמע בקול verwendet. In Bereichen, in denen
beide Konstruktionen belegt sind, z.B. bei der Erhörung,
bedeutet שמע בקול eine Steigerung: das zeigen die extremen
Bedingungen und die Folgen solcher Erhörungen. In der Mehrzahl der Texte sind Bedeutung und Verwendung der Konstruktionen klar trennbar. Etliche Schwierigkeiten machen einzelne Texte und besonders redaktionelle Texte im Buch Jeremia.
Der Verfasser besitzt auch die Freiheit, eine Äußerung
mehr oder weniger zu unterstreichen und von der Steigerung
gelegentlich Gebrauch zu machen. Dialektale Einflüsse sind
bei der Wahl einer Wendung nicht ganz auszuschließen.

Drei verschiedene Ebenen der Sprechhandlungen: Bei
einer immer geltenden Grundbedeutung lassen sich mindestens
drei verschiedene Situationen in dem Gebrauch der Wendung
unterscheiden:
1.- Eine erste Gruppe bilden die Belege, in denen die positive oder negative Antwort auf freiwilliger Basis erfolgt.
Ein Angebot, eine Beratung, eine Erklärung, eine Behandlung
können akzeptiert oder abgelehnt werden.
2.- Die Wendung kann eine Abhängigkeitsbeziehung ausdrücken:
Das Verhältnis zu den Eltern, die Haltung zu Richtern und
Priestern, das Verhältnis zu Propheten, die Verpflichtung
gegenüber den gesetzlichen Anordnungen u.a.
3.- Ist aber der Antwortende ein Oberer, dann nimmt er
eine Bitte an. Besonders bei Gott wird die Sprechhandlung
zu einer Erhörung.

2.4. שמע ל

Überblick

Die präpositionale Konstruktion שמע ל ist in dem hebrä-
ischen Text des Alten Testaments 31mal in qal belegt. Die
Mehrzahl der Belege hat die Form שמע לי. Die Verteilung:
Lev 26: 4x(immer שמע לי); Jos 24: 1x; Ri 1x; 1-2 Sam 2x;
Hos 1x; Ps 3x(immer שמע לי); Spr 7x(Spr 1-8: 5x שמע לי);
Ijob 8x(immer שמע לי); Dan 1x; Neh 1x; 2 Chr 2x.

Die Streuung der Belege ist auffällig: Mit Ausnahme
von Lev 26 kommt die Wendung im Pentateuch nicht vor; in
den geschichtlichen Büchern ist sie sehr selten; in 1-2
Kön fehlt sie ganz; in den prophetischen Büchern ist Hos
9,17 der einzige Beleg. Es fällt die Häufung der Belege
in Lev 26, in Spr 1-8 und in Ijob auf.

Belege

Lev 26,14.18.21.27:   ואם לא תשמעו לי
ואם עד אלה לא תשמעו לי
ואם תלכו עמי קרי ולא תאבו לשמע לי
ואם בזאת לא תשמעו לי והלכתם עמי בקרי

[14]"Aber wenn ihr auf mich nicht hört und alle diese Gebote
nicht befolgt... [18]Wenn ihr dann immer noch nicht auf mich
hört, fahre ich fort , euch zu züchtigen; siebenfach züchtige ich euch für eure Sünden... [21]Wenn ihr mir feindlich
begegnet und nicht auf mich hören wollt, werde ich noch
weiter Schläge über euch kommen lassen, siebenfach, wie
es euren Sünden entspricht... [27]Und wenn ihr daraufhin
noch immer nicht auf mich hört und mir immer noch feindlich
begegnet, begegne auch ich euch im Zorn und züchtige euch
siebenfach für eure Sünden".

Jos 24,10:   ולא אביתי לשמע לבלעם
"Dann erhob sich Balak...und ließ Bileam ben Beor rufen,

damit er euch verflucht. Ich aber wollte auf Bileam nicht
hören. Darum mußte er euch segnen, und ich rettete euch
aus seiner Gewalt".

Ri 19,25:   ולא אבו האנשים לשמע לו
"An diesem Mann dürft ihr keine solche Schandtat begehen.
Doch die Männer wollten nicht auf ihn hören".

1 Sam 30,24:   ומי ישמע לכם לדבר הזה
"Wer würde in dieser Sache auf euch hören?"

2 Sam 13,16:   ולא אבה לשמע לה
"Sie erwiderte ihm: Nicht doch! Wenn du mich wegschickst,
wäre das ein noch größeres Unrecht als das, das du mir
schon angetan hast. Er aber wollte nicht auf sie hören".

Hos 9,17:   כי לא שמעו לו
"Mein Gott wird sie verstoßen, weil sie nicht auf ihn hörten; unstet müssen sie umherirren unter den Völkern".

Ps 34,12:   לכו בנים שמעו לי
"Kommt, ihr Kinder, hört auf mich! Ich will euch in der
Furcht Jahwes unterweisen".

Ps 81,9.14:   שמע עמי ואעידה בך
                                   ישראל אם תשמע לי
                                      לו עמי שמע לי
"Höre, mein Volk, ich will dich mahnen! Israel, wolltest
du doch auf mich hören!"
"Ach daß doch mein Volk auf mich hörte, daß Israel gehen
wollte auf meinen Wegen!"

Spr 1,33:   ושמע לי ישכן בטח ושאנן מפחד רעה
"Wer auf mich hört, wohnt in Sicherheit, ihn stört kein
böser Schrecken".

Spr 5,7:   ועתה בנים שמעו לי
"Nun denn, ihr Söhne, hört auf mich, weicht nicht ab von
den Worten, die mein Mund spricht".

Spr 7,24:   ועתה בנים שמעו לי

"Nun denn, ihr Söhne, hört auf mich, achtet auf meine Reden!"

Spr 8,32.33.34:   ...ועתה בנים שמעו לי

שמעו מוסר וחכמו ואל תפרעו

אשרי אדם שמע לי

"Nun, ihr Söhne, hört auf mich! Wohl dem, der auf meine
Wege achtet. Hört die Mahnung, und werdet weise, lehnt
sie nicht ab!
Wohl dem, der auf mich hört, der an meinen Toren wacht...."

Spr 12,15:   ושמע לעצה חכם

"Wer aber auf guten Rat hört, der ist weise".

Spr 23,22:   שמע לאביך זה ילדך

"Hör auf deinen Vater, der dich gezeugt hat, verachte deine
Mutter nicht, wenn sie alt wird".

Ijob 15,17:   אחוך שמע לי

"Verkünden will ich dir, höre auf mich! Was ich geschaut,
will ich erzählen".

Ijob 29,21:   לי שמעו ויחלו

"Auf mich hörten und warteten sie, lauschten schweigend
meinem Rat".

Ijob 31,35:   מי יתן לי שמע לי

"Gäbe es doch einen, der auf mich hört! Das ist mein Begehr,
daß der Allmächtige mir Antwort gibt: Hier ist das Schrift-
stück, das mein Gegner geschrieben".

Ijob 32,10:   לכן אמרתי שמעה לי

"Darum sage ich: Hört auf mich! Beweisen will auch ich
mein Wissen".

Ijob 33,31.33:   ...הקשב איוב שמע לי

אם אין אתה שמע לי

"Merk auf, Ijob, hör auf mich, schweig still, daß ich rede!
...Wenn aber nicht, hör du auf mich! Schweig still, damit
ich dich Weisheit lehre".

Ijob 34,10:   לכן אנשי לבב שמעו לי

"Darum hört auf mich,ihr Männer mit Verstand!

Ijob 34,34:   אנשי לבב יאמרו לי   וגבר חכם שמע לי
"Verständige Männer werden zu mir sagen, und wirklich ist
weise der auf mich hört".

Dan 1,14:   וישמע להם לדבר הזה
"Und er willfahrte dieser ihrer Bitte und versuchte es
zehn Tage lang mit ihnen".

Neh 9,29:   והמה הזידו ולא שמעו למצותיך
"Du warntest sie, um sie zu deinem Gesetz zurückzuführen.
Sie aber waren stolz; sie hörten nicht auf deine Gebote".

2 Chr 10,16:   וכל ישראל כי לא שמע המלך להם
"Als alle Israeliten (sahen), daß der König nicht auf sie
hörte, gaben sie ihm zur Antwort:...".

2 Chr 25,16:   כי עדית זאת ולא שמעת לעצתי
"Ich weiß, daß Gott dein Verderben plant, weil du das getan
und auf meinen Rat nicht gehört hast".

Zur Bedeutung

לא אבה לשמע ל findet sich in Lev 26,21, Jos 24,10,
Ri 19,25, 2 Sam 13,16. Es zeigt sich deutlich, daß diese
Belege sich im Bereich des Wollens bewegen. Der Ausdruck
gehört nicht zum Bereich der sinnlichen Wahrnehmung. In
Dtn 23,6; Ez 3,7; 20,8 liegt die Satzbildung לא אבה לשמע אל
vor. אל und ל zeigen sich in diesen Texten gleichwertig.
Das ist in Dtn 23,6 und Jos 24,10 besonders deutlich: derselbe Satz kann אל oder ל erhalten. Das zeigt die Gleichbe-
deutung beider Präpositionen.

שמע לעצה: 2 Chr 25,16; Spr 12,15 zeigen, daß diese
Konstruktion als Beratung oder Mahnung gebraucht wird,
wie es bei שמע אל der Fall war.

שמע אל - שמע ל: Wie in Dtn 36,6 und Jos 24,10 so wechseln die Präpositionen auch in 2 Chr 10,14 und 10,16. In
2 Chr 10,14 (שמע אל) wird der Text von 1 Kön 12,14 übernommen. 2 Chr 10,16 dagegen verwendet שמע ל. So benutzt der

Chronist in 2 Chr 10,14 den Text von 1 Kön 12,14(= שמע אל);
in V.16 schreibt er nach eigenem Stil(= שמע ל). Auch in
2 Chr 25,16, ohne Parallele im Buch der Könige, gebraucht
der Chronist שמע ל. Anscheinend ist in späterer Zeit häufig
שמע ל statt שמע אל verwendet worden; hier dürfte eine dia-
chrone Entwicklung vorliegen. Auch Jos 24,10, das als jünger
gilt als 23,6[1], benutzt שמע ל.

ולא שמעו למצותיך: Neh 9,29 übernimmt und ändert eine
Konstruktion, die in Dtn 11,13; 11,27.28; 28,13; Neh 9,16
als שמע אל מצות vorkommt.

שמע לי im Buch Ijob: Diese Bildung (Präposition +
Suffix 1. sing.) wiederholt sich in allen (8mal) Belegen.
Dieselbe Bildung, wie eine formelhafte Wendung, ist auch
in Lev 26; Ps 34; 81; Spr 1-8 vertreten. Im Ijob-Buch kommen
6 von 8 Belegen in den Reden Elihus (Kap. 27-32) vor. Zur
Bedeutung des Ausdrucks sind einige Bemerkungen zu machen.
Die Wendung ist keine Äußerung einer sinnlichen Wahrnehmung.

Ijob 31,15 ist der Abschluß von Ijobs Rede (Kap. 29-
31). Es ist am Ende eine Bitte um Erhörung, keine Einladung
zum Hören, wie am Anfang der Lieder. Ijob sucht eine Hilfe
bei Gott.

29,21: Die Vv.21ff schildern das Bild eines angesehenen
Lehrers. Auch diese Konstruktion muß im oben beschriebenen
Zusammenhang verstanden werden. Jedes Wort, das aus dem
Munde Ijobs kommt, wird nicht nur mit Aufmerksamkeit gehört,
sondern angenommen und bewahrt. עצתי - שמע לי gehören in
V.21 zusammen. Der gute Rat wird angenommen, es wird auf
den Lehrer gehört ("sie hörten auf mich").

Die erste Rede Elihus: In Ijob 32-33 finden sich 5
שמע-Belege, die gemeinsam zu prüfen sind, und zwar: 32,10;
33,1; 33,8; 33,31; 33,33. 3mal steht שמע לי. Der erste
Beleg (32,10) dient dazu, Elihu als Weisen darzustellen,
bevor die erste Rede beginnt. Am Ende der ersten Rede (33,
31; 33,33) kommt die Empfehlung, auf die Rede zu achten
und alles zu bewahren. Der Zuhörer(Schüler-Jünger) soll
die Lehre annehmen und nicht in Vergessenheit geraten las-

sen. Dagegen haben die übrigen Belege eine andere Konstruktion und andere Funktion und Bedeutung. 33,1 (שמע + Akkus.)
bedeutet den Anfang der Rede und ist als solcher eine Einladung und Aufforderung zum Hören, wie es sonst vor Liedern
oder verschiedenen Redearten in der Sprache des Alten Testaments gebräuchlich ist. Diese Einladung besteht aus zwei
Verben und wird mit Objekt konstruiert. Dagegen bezieht
sich 33,8(אשמע מלי וקול באזני אמרת אך) auf eine sinnliche
Wahrnehmung. Es wird die unmittelbare Wahrnehmung betont("du
sprachst in meiner Gegenwart und ich vernahm das Wort").
Die Worte des Gegners oder des anders Denkenden werden
wahrgenommen, aber mehr wird nicht ausgesagt. Die zweite
Rede Elihus (Ijob 34): Wie die erste Rede beginnt auch
die zweite mit der Aufforderung zum Hören (שמע + Akkus.).
Auch hier werden zwei Verben und eine ähnliche Konstruktion
verwendet wie in 33,1 (שמע + Akkus.); es ist die Eröffnung eine Rede. In 34,5-9 wird die Meinung Ijobs geäußert.
Dann folgt die eigene Meinung mit der Einladung, sein Wort
aufzunehmen (לי שמע (auf mich hören) in V. 10).

Ijob 32-34 scheint deutlich zu unterscheiden zwischen
Einladung zum Hören und Aufforderung, dem Wort zuzustimmen.
Akkusativobjekt und die präpositionale Konstruktion sind
die Mittel dieser Differenzierung.

Es ist ferner offensichtlich, daß im Buch Ijob שמע לי
regelmäßig die Konstruktion שמע אלי ersetzt. Diese vielsei-
tige Verwendung des Verbs und seiner Konstruktionen in
verschiedenen Sprechhandlungen zeigt ein Sprachbewußtsein
des Schriftstellers, das für uns nur mit großen Schwierigkeiten zu spüren ist. Für Gelehrte im Alten Testament,
die mit sehr wichtigen Fragen zu tun hatten, waren sicher
die Betonungen und Unterschiede der Sprache nicht gleichgül-
tig.

שמע ל im Buch der Sprüche: Zu unterscheiden sind die
Belege in Spr 1-8(5mal) und die übrigen Belege(2mal). In

---

1) NOTH, Überlieferungsg. 82^{222}: Der Text ist ein deuteronomistischer
   Zusatz.

1,33; 5,7; 7,24; 8,32.34 liegt immer die Konstruktion לי שמע
vor. In Spr 1 steht zuerst eine allgemeine Einführung.
1,8-33 bildet dann eine Einheit. Die Mahnungen und Empfehlungen gehen zu Ende mit dem Versprechen: wer auf den Lehrer
hört (שמע לי), kann sicher leben. Es ist die Mahnung, auf
die Weisheitslehre d.h. auf den Weisheitslehrer, zu achten.
In 5,7 steht die Wendung am Anfang der Mahnungen und der
Belehrung. Auch am Ende einer Reihe von Belehrungen wiederholt sich die Wendung(7,24). Noch einmal spricht der Weisheitslehrer in 8,32 und 8,34 die Aufforderung aus, auf
ihn zu hören. Mit diesem Kapitel geht ein wichtiger Teil
des Spr-Buchs zu Ende. Das Kap.9 hat einen eigenen Charakter. Mit dem Kap. 10 beginnt ein neuer Teil.

Die Beziehung zu anderen Wendungen: In Spr 1-8 steht
zuerst die Bildung שמע מוסר. In 1,8 wird die Lehre mit
שמע מוסר eröffnet und mit שמע לי beendet. In 8,32-34 sind
beide Ausdrücke eng verbunden, sodaß das Hören auf den
Lehrer und die richtige Haltung vor der Zucht zwei wichtige
Forderungen der Weisheitslehre bedeuten. 4,1 gebraucht
ebenfalls noch die Wendung. מוסר ist ein typischer Begriff
vom Spr-Buch(30mal in Spr,20mal sonst im AT). Auch diese
Verbindung (שמע לי - מוסר) zeigt, welche Sprechhandlung
שמע לי ausdrückt: keine sinnliche Wahrnehmung, sondern
Aufnahme der Lehre (= des Lehrers). Sollte man auf den
Weisen nicht hören, dann besteht die Gefahr, daß man die
Zucht haßt und die Warnung verschmäht (5,12). Der danach
folgende Zustand wäre ולא שמעתי בקול מורי = eine sehr ge-
fährliche Steigerung von לא שמע לי.

Außerhalb von 1-8 finden sich die folgenden Belege:
in 12,15 = שמע לעצה und in 23,22 = שמע לאביך. "Auf einen
Rat hören", "auf deinen Vater hören" sind Ausdrücke mit
mehreren Parallelen. Auch bei שמע אל bot sich die Gelegenheit, ähnliche Äußerungen zu bemerken. In Spr 10-31
findet sich nicht mehr die feste Wendung שמע לי, jedoch
bleibt ל und nicht אל an diesen zwei Stellen als Präposition.

In den Psalmen: Verwandt mit dem Gebrauch in Spr 1-8
ist der Beleg in Ps 34,12. Vokabular und Ausdrücke haben
viel gemeinsam: die Anrede(Söhne-Jünger), die Aufforderung
("hört auf mich"); dazu kommt die Absicht zu belehren ("ich
will euch in der Furcht des Herrn unterweisen"). Der Psal-
mist zeigt in diesem Psalm seine Vorliebe für שמע, in V.2:
"hören und sich freuen". V.7 und 18 bringen das Schema
der Erhörung in der Not (זעק-שמע-הציל - קרא-שמע-יששע).
Ps 66,16 hat die gleichen Ausdrücke wie Ps 34,12, aber
ohne präpositionale Bildung: לכו שמעו ואספרה כל יראי אלהים.
Wie in Ps 34 7.18 so ist auch in Ps 66,17-19 das Schema
קרא-שמע vertreten.

Ps 81,9.14: Die Vv.5-8 berichten die Heilsgeschichte.
In V. 9 beginnt eine Beratung in weisheitlichem Stil:
Eine Aufforderung zum Hören mit Absichtserklärung (wajjiqtol 1.sing). Es folgt eine präpositionale Bildung ("wolltest du doch auf mich hören!"). Jetzt folgt der Inhalt
der Mahnung. Die letzte Stufe des Textes bilden die negative Antwort des Volkes mit der Strafe Gottes und die Möglichkeit der Hilfe Gottes bei einer positiven Antwort des
Volkes. Für die negative Antwort steht ולא שמע עמי לקולי.
Als positive Antwort vor der Warnung (V.9) und am Ende
(V.14) steht שמע לי. Ganz klar sind die gleiche Bedeutung.
und die syntaktische Rolle von שמע לי - שמע לקולי. Die
Wortentsprechung קרא-שמע in den oben besprochenen Psalmen
ist hier mit קרא-ענה (V.8) vertreten.

Diachronische Frage

Auffällig ist schon bei שמע ל die Verteilung der Belege. In den Büchern, in denen mehrere Belege vorkommen,
sammeln sie sich in wenigen Kapiteln. Gerade in diesen
Kapiteln mit mehreren Belegen ist die Form שמע לי regelmäßig
wiederholt (und zwar 20x). Zu bemerken ist, daß die Konstruktion im Pentateuch (außerhalb von Lev 26) nicht belegt
ist. Dasselbe gilt von den prophetischen Büchern (mit Ausnahme von Hos 9,17). Jos 24,10 ist ein Zusatz oder ein

späterer Text[1]. Ri 19,25 gehört auch nicht zu der ursprünglichen Erzählung[2].Es ist nicht auszuschließen, daß ל שמע
in früheren Texten gebraucht wurde, aber die Zahl der Belege
ist sehr begrenzt. Dagegen ist die Häufigkeit in späteren
Texten leicht erkennbar.

Lev 26: Als Rahmenkapitel des Heiligkeitsgesetzes
ist Lev 26 von Lev 17-25 abhängig; Fluch und Segen setzen
das gesetzliche Corpus voraus, so daß Lev 26 später als
Lev 17-25 entstanden sein dürfte, auf keinen Fall früher[3].
Die לי שמע-Texte gehören nach allgemeiner Meinung zu den
jüngsten Schichten in Lev 26. Die Ähnlichkeiten im Vokabular,
die Satzbildung und die späte Herkunft verbinden Lev 26,
Spr 1-8, das Buch Ijob und die Ps 81;34.

Die Belege im Ijob-Buch stammen mit größter Wahrscheinlichkeit aus späterer Zeit. Die Endfassung des Spr-Buchs
gehört auch sicher zu dieser späten Zeit. Wenn auch einzelne Teile in Spr 1-8 sehr alt sein können, so gehört
unsere Wendung doch nicht zum Kern des sprichwörtlichen
oder weisheitlichen Guts, sondern zu den Rahmengebieten
der Texte. Sie stammen wahrscheinlich aus der Zeit der
letzten Fassung des Buchs.

Ps 81: J.JEREMIAS hat die Züge der levitischen Verkündigung erforscht. In bezug auf Ps 81 und 95 nimmt er an,
"daß literarische Abhängigkeit der Psalmen etwa vom Dt
ganz unwahrscheinlich ist... Dann hätte man,...mit leviti-

---

1) Die Meinungen sind hier nicht einig; siehe NOTH, Das System 133;
   PERLITT, Bundestheologie 273.274.

2) NOTH, das System 162-170.

3) Für NOTH (Überlieferungsg. 7-8) ist Lev 26 "kein ursprüngliches
   Glied der P-Erzählung". PERLITT (Bundestheologie 232) behandelt Lev
   26 als "eigenständige Synthese von Dtr und P". Auch JEREMIAS vertritt
   die gleiche Meinung (Kultprophetie 174-175): Die kollektive Fluch-
   verkündigung im Gottesdienst Israels ist wesenhaft nachprophetisch".

scher Abfassung der Psalmen 81 und 95 zu rechnen"[1]. Auch
LOHFINK hält Ps 81 für eine spätere Bildung[2].

Es wurde schon besprochen, daß spätere Texte gelegentlich שמע אל durch שמע ל ersetzen. Es ist aber kein Beleg
bekannt, wo ein früherer שמע ל-Text später durch שמע אל
ersetzt wurde. Das spricht auch dafür, daß שמע ל in späteren Zeiten geläufiger wurde.

Sprechhandlungen bei שמע ל

"Auf jemanden hören" oder "auf etwas hören" kann sich
auf verschiedenen Ebenen abspielen. Hier gibt es eine Über-
einstimmung mit dem Gebrauchsbereich von שמע אל:
- auf einen Rat eingehen (Spr 12,15; 2 Chr 25,16);
- auf einen Wunsch (oder eine Bitte) eingehen (1 Sam 30,24;
Dan 1,14);
- auf dringendes Verlangen (nicht) eingehen (Ri 19,25;
2 Sam 13,16; 2 Chr   10,16);
- auf den Wunsch-Willen der Eltern eingehen (Spr 23,22);
- auf die Lehre der Weisheit eingehen (Spr 1-8; Ijob; Ps
34,12);
- auf gesetzliche Anweisungen eingehen (Lev 26; Neh 9,29);
- auf den Willen Gottes eingehen (Hos 9,17; Ps 81).

Es gibt drei Hauptstufen der Beziehungen: Beziehungen
zwischen gleichgestellten Personen oder Gruppen; Beziehungen eines Untertans zu den Übergeordneten: Kinder zu den
Eltern, Jünger zu dem Lehrer, Ein Mensch vor dem Gesetz,
Ein Mensch vor Gott; Beziehungen eines Vorgesetzten zu
den Untergeordneten: der König zu den Vasallen, Gott zu
einem Menschen

Diese Verhältnisse und Beziehungen entscheiden auch
über die Übersetzung. Der Grundgedanke bleibt in allen

---

1) JEREMIAS, Kultprophetie 125-127.
2) LOHFINK, Ich bin Jahwe, SBS 100,34: "Ps 81 steht in lockerem Bezug
zum deuteronomischen Sprachbereich, und zwar weisen die Parallelen in
ein Spätstadium".

Belegen die gleiche, aber die Wiedergabe muß jeweils nach
den Beziehungen wechseln. Die Beziehung der Kinder zu den
Eltern wird mit "gehorchen" wiedergegeben. Die Beziehung
Gottes zu Bileam (Jos 24,10) bedeutet: Gott ging auf den
Willen Bileams nicht ein, das heißt, er gab ihm keine Er-
laubnis. Anders ist es bei Annahme oder Erhörung einer
Bitte. Die richtige Beurteilung der Beziehung soll auch
das Finden der richtigen Übersetzung ermöglichen.

Exkurs: Hört auf mich, ich will zu euch reden

Ps 34,12:   לכו בנים שמעו לי יראת יהוה אלמדכם
"Kommt, ihr Kinder, hört auf mich! Ich will euch in der
Furcht des Herrn unterweisen"[.][1]

       Anrede, Aufforderung und Absichtserklärung bilden die
Struktur des Satzes. Solche Satzbildungen finden sich besonders in Ijob und in einigen Psalmen.

Ps 81,8:   שמע עמי ואעידה בך ישראל אם תשמע לי
"Höre, mein Volk, ich will dich mahnen! Israel, wolltest
du doch auf mich hören!".

Ijob 13,17:   שמעו שמוע מלתי ואחותי באזניכם
"Hört nun genau auf meine Rede, ich will berichten vor
euren Ohren".

Ijob 15,17:   אחוך שמע לי וזה חזיתי ואספרך
"Verkünden will ich dir, höre auf mich! Was ich geschaut,
will ich erzählen!".

Ijob 32,10:   שמעה לי אחוה דעי אף אני
"Hört auf mich! Auch ich will mein Wissen verkünden!".

Ijob 33,31:   הקשב איוב שמע לי החרש ואנכי אדבר
"Merk auf, Ijob, hör auf mich! Schweig still, ich will
reden!".

Ijob 33,34:   אם אין אתה שמע לי החרש ואאלפך חכמה
"Wenn aber nicht, hör du auf mich, schweig still, ich will
dich Weisheit lehren!".

---

1) Ein ähnlicher Satzbau mit שמע tritt auch in Ps 50,7; 66,16 auf.

Diese syntaktische Satzbildung ist in dem Ijob-Buch
fest beheimatet. Sie ist mit der Aufforderung zum Hören
verbunden. Mehrmals ist sie mit לי שמע kombiniert. Die
Wendung scheint der weisheitlichen Literatur zuzugehören.
Auch in den Belegen der Psalmen, besonders in Ps 34 und
66, sind die weisheitlichen Züge deutlich erkennbar. Die
spätere Entstehungszeit des Psalms 34 wird auch durch die
Akrostik klar. Weil diese Satzbildung in anderen Büchern
und Stellen vom AT nicht vertreten ist, dürften die Belege
aus Ps 50 und 81 zur gleichen Umgebung gehören und sie
könnte indirekt noch ein Argument für die Spätdatierung
der לי שמע-Belege liefern.

שמע ל/אל/לקול: *Verteilung der Belege*

	ל ו ק ל	א ל	ל
Gen	2	10	
Ex	5	10	
Lev			4
Dtn		16	
Jos		1	1
Ri	1	3	1
1-2 Sam	3		2
1-2 Kön	2	11	
Jes 1-40		(1)	
Jes 40-55		7	
Jer	1	27	
Ez		6	
Hos			1
Ps	2	1	3
Spr			7
Ijob			8
Dan		2	1
Neh		2	1
2 Chr		8	2
	16	105	31

Aus einer statistischen Tabelle allein kann man keine
endgültigen Folgerungen ziehen; einige Beispiele dafür:
Die 27 אל שמע-Belege im Buch Jeremia sind zum großen Teil
Gut der sekundären Schichten; sie stammen nicht von Jeremia.
Die 10 אל שמע-Belege im Buch Exodus gehören alle zu P[1].

---

1) NOTH, Überlieferungsg. 7-19; EIßFELDT, Synopse 106*f.

In vielen Fällen ist die Verteilung der Belege innerhalb
eines Buches sehr unregelmäßig. Auffallend ist die Verwendung dieser präpositionalen Konstruktionen in den Psalmen
(= 6mal; שמע ist 78mal vertreten). Dasselbe ist in den
meisten der prophetischen Bücher zu beobachten. Warum kommt
שמע אל 11mal in 1-2 Kön vor, dagegen nie in 1-2 Sam? Die
Statistik kann einen ersten Eindruck bieten; sie muß dann
aber durch weitere Untersuchungen ergänzt werden.

שמע לקול - שמע אל - שמע ל: *gleiche Bedeutung*

Die inhaltliche Prüfung der Belege zeigt deutlich,
daß diese drei präpositionalen Konstruktionen gleiche Anwendung und gleiche Bedeutung besitzen. Am deutlichsten ist
das bei שמע אל und שמע ל. Es wurde schon behandelt, wie
an verschiedenen Stellen שמע אל durch שמע ל ersetzt wurde.
Die drei präpositionalen Wendungen drücken gleichwerti-
ge Sprechhandlungen aus. Einige Beispiele:
- In der Beratungsfunktion:
    1 Kön 20,25: שמע לקול;
    Jer 36,25: שמע אל;
    Spr 12,15: שמע ל;
- in der Zustimmung zu Bedingungen:
    2 Kön 10,6: שמע לקול;
    1 Kön 15,20: שמע אל;
    2 Chr 10,16: שמע ל;
- in der Zustimmung zu einem Angebot oder einer Einladung:
    Gen 3,17: שמע לקול;
    Gen 23,16: שמע אל;
    Ri 19,25: שמע ל;
- im den Verhältnis der Kinder zu den Eltern:
    1 Sam 2,25: שמע לקול;
    Dtn 21,18: שמע אל;
    Spr 23,22: שמע ל.
Alle drei Konstruktionen haben mit der sinnlichen
Wahrnehmung nichts zu tun, vielmehr regeln sie menschliche

Beziehungen: Zustimmung oder Ablehnung, Bitten oder Angebote, Einladungen, Ratschläge, Weisheitslehren oder Gebote
sind für den Partner eine Gelegenheit, Entscheidungen oder
entsprechende Haltungen als Antwort zu leisten. Die "Beziehung zu" mit mehreren weiteren Prägungsmöglichkeiten der
Bedeutung ist das Kennzeichen dieser präpositionalen Wendungen.

Die Diachronische Frage

Daß verschiedene Verfasser Vorliebe für eine bestimmte
Präposition oder Bildung zeigen, ist plausibel und deutlich:
- die P-Schrift benutzt regelmäßig שמע אל$^‘$
- Dt-Jes verwendet ausschließlich שמע אלי;
- in einer Gruppe von Texten aus dem Buch Jeremia ist שמע
אל/אלי ein typischer Ausdruck für die negative Haltung
zu dem prophetischen-göttlichen Wort;
- nur in ganz bestimmten Texten wird שמע אל gebraucht,
um die Haltung zu Geboten zu bezeichnen;
- dasselbe gilt für שמע אל als Ausdruck von Bitten und
Erhörungswünschen im Gebet;
- שמע לקול gehört im Buch Genesis immer zur J-Schicht;
auch in Ex ist die Mehrzahl J;
- שמע לי kommt sonst in wenigen Stellen vor, in diesen
Texten aber sehr häufig: in den letzten Reden im Buch Ijob,
in Einrahmungstexten in Spr 1-8, in Segens- und Fluchaussa-
gen in Lev 26, in einzelnen Psalmen.
Für eine diachronische Entwicklung im Gebrauch dieser
präpositionalen Wendungen sprechen einige Hinweise:
- die Sprachbereiche, wo שמע לקול in früheren und späteren Texten gebraucht wird; dasselbe gilt für שמע אל-Texte;
- die Neigung, in späteren Texten שמע אל durch שמע ל zu
ersetzen;
- die Häufigkeit von שמע ל in einigen späteren Texten.
Auch wenn eine diachronische Entwicklung spürbar ist,

verschwindet keine der drei Wendungen aus der Sprache.
So sind in der Sprache von Qumran in bezug auf שמע große
Änderungen bemerkbar. In der Damaskusschrift(CD) sind jedoch
die drei Wendungen belegt[1]:

CD 1,1:   ועתה שמעו כל ידעי צדק
CD 2,2:   ועתה שמעו אלי
Die Sätze erinnern an Dt-Jes, siehe z.B. 51,1; 51,7:

                                               שמעו אלי רדפי צדק
                                               שמעו אלי ידעי צדק
CD 2,14 erinnert ans Spr-Buch: ועתה בנים שמעו לי
Auch die Wendung שמע לקול ist in dem Buch vertreten:

CD 3,7:   ולא שמעו לקול עשיהם
CD 20,28:   וישמעו לקול מרה

     Zu bemerken ist die Tatsache, daß in dem Buch die
drei Wendungen gemischt benutzt werden. Dagegen tritt in
Dt-Jes nur eine Wendung auf, im Spr-Buch eine andere, aber
immer die gleiche. Das spricht dafür, daß in Qumran tradi-
tionelle Wendungen der heiligen Sprache ohne Gefühl für
Nuancierungen verwendet wurden -das Hebräisch aus Qumran
ist keine lebende Sprache mehr.

ל-Infinitiv

     Die meisten der שמע ל/אל/לקול-Belege sind personenbezo-
gen. Nicht auf die überzeugenden Ratschläge oder auf die
verlockenden Angebote wird gehört, sondern auf die Menschen,
die solche Angebote machen. Es wird auf den Gesprächs-
oder Handelnspartner gehört. Es gibt aber in diesen Wendungen inhaltsbezogene Sätze: Gen 16,11: "Jahwe hat auf deine
Not gehört"; Dtn 13,4: "Auf die Worte der Propheten hören";
Dtn 11,13: "Auf die Gebote hören"; 1 Kön 8,28: "Auf die
Bitte hören". Eine dritte Möglichkeit ist zu erwähnen;
der Inhalt wird mit einem ל-Infinitivsatz ausgedrückt:
Gen 34,17:   ואם לא תשמעו אלינו להמול...

---

1) K.G.KUHN, Konkordanz Qumrantexte. 244.

Gen 39,10: ולא שמע אליה לשכב אצלה

Jer 17,27: ואם לא תשמעו אלי לקדש את יום השבת

Jer 34,17: אתם לא שמעתם אלי לקרא דרר איש לאחיו

Spr 8,34: אשרי אדם שמע לי לשקד על דלתתי יום יום

Auch diese syntaktische Konstruktion zeigt, daß שמע
ל/אל zuerst Beziehungen, Vereinbarungen, Einwilligung zwischen Menschen, ausdrücken. Diese Einwilligung oder Verein-
barung unter Menschen bezieht sich auf etwas. In den angeführten Belegen wird diese Bezugssache oder der Bezugsvor-
gang mit dem ל-Infinitiv dargestellt.

Der Infinitiv kann durch ein Substantiv ersetzt werden:

1 Sam 30,24: ומי ישמע לכם לדבר הזה

Dan 1,14: וישמע להם לדבר הזה

Diese auf die Person bezogene Zustimmung oder Erhörung
kann gelegentlich ausfallen, dann konzentriert sich die
Erhörung auf den Inhalt:

2 Sam 14,16: כי ישמע המלך להציל את אמתי

Auch in dieser Konstruktion wird deutlich, daß eine
Sprache mehrere Möglichkeiten zum Ausdruck einer Sprechhandlung ausbilden kann. Gleichzeitig aber ist erkennbar, daß
diese verschiedenen Möglichkeiten nicht beliebig sind,
sondern bestimmten Satzbauplänen folgen, die vom Gedankengang bestimmt werden: normalerweise werden Zugeständnisse
an Menschen und nicht an Inhalte gemacht.

2.5. שמע על und andere Präpositionen

Über jemanden hören

שמע על kommt in nif und in qal vor. Die Präposition
על wird in qal nur gelegentlich gebraucht. Zuerst soll
die Bedeutung *etwas über jemanden hören* dargestellt werden.

Gen 41,15:   ...ואני שמעתי עליך לאמר
"Von dir habe ich aber gehört, daß..."
1 Kön 10,6(2 Chr 9,5):

                    אמת היה הדבר אשר שמעתי בארצי על דבריך ועל חכמתך
"Sie sagte zum König: Was ich in meinem Land über deine
Worte und deine Weisheit gehört habe, ist wirklich wahr".
Jes 37,9:   ...וישמע על תרהקה מלך כוש לאמר
"Und er hörte von Thirhaka, dem König von Äthiopien, daß..."

        Gen 41,15; Jes 37,9 zeigen den folgenden Satzbauplan:
...לאמר ... על ... שמע.

        Warum ist der Textו וישמע אל תרהקה מלך כוש לאמר in 2
Kön 19,9? Nicht nur Jes 37,9, sondern auch Q^{Or 1} sprechen
für על. Die Präposition אל gibt keinen Sinn, das kann als
Irrtum aufgefaßt werden. Man kann aber diesen Vorfall auch
diachronisch deuten: Die oben gezeigte, nicht ganz geläufige Konstruktion in der früheren Sprache wurde in der
späten Sprache vergessen. Ein späterer Redaktor oder Kopist
hätte ein bekannte Präposition bevorzugt[2].

Auf jemandem(die Worte) hören

        In Dtn 13,4; Jer 29,19; 35,13; 37,2; 2 Chr 35,22 kommt
die Wendung שמע אל דברי... vor. Es gibt aber auch einige
Belege,in denen שמע על דברי... erscheint. Eine Änderung

---

1) Siehe Biblia Hebr. Stuttg.
2) WÜRTHWEIN, ATD 12/2, 418.

in der Bedeutung ist bei beiden Präpositionen nicht zu
erkennen.

Jer 23,16:   אל תשמעו על דברי הנבאים הנבאים לכם
"Hört nicht auf die Worte der Propheten, die euch weissagen".

Jer 26,4-5:   אם לא תשמעו אלי ללכת בתורתי אשר נתתי לפניכם
                                לשמע על דברי עבדי הנבאים
                                          ולא שמעתם
"Wenn ihr nicht auf mich hört und nicht wandelt nach meinem
Gesetze, das ich euch gegeben habe, wenn ihr nicht hört
auf die Worte meiner Knechte, der Propheten, die ich zu
euch sende früh und spät -doch ihr hörtet nie-, so werde
ich diesem Haus tun".

Hag 1,12:   וישמע זרבבל... בקול יהוה אלהיהם ועל דברי חגי הנביא
"Serubbabel..., Jeschua... und alle, die vom Volk noch
übrig waren, hielten zu Jahwe, ihrem Gott und hörten auf
die Worte des Propheten Haggai; denn der Herr, ihr Gott,
hatte ihn gesandt, und das Volk fürchtete sich vor dem
Herrn."

     Deutlich unterscheidet der Text mit seinen Präpositio-
nen zwischen Haltung vor Gott und Haltung vor dem Propheten.
שמע בקול ist hier Ausdruck der richtigen religiösen Einstellung. שמע (אל) על ist die gewöhnliche Wendung, um die
Annahme eines prophetischen Wortes auszudrücken.

2 Kön 22,13:   על אשר לא שמעו אבתינו על דברי הספר הזה
"...weil unsere Väter auf die Worte dieses Buches nicht
gehört und weil sie nicht getan haben, was in ihm nieder-
geschrieben ist"[1].

Jer 35,18:   יען אשר שמעתם על מצות יהונדב
"Weil Ihr auf das Gebot Jonadabs gehört habt..."[2].

---

1)   2 Kön 22,13 gehört zur dtr Redaktion; siehe WÜRTHWEIN, ATD 12/2,458.

2)   Im gleichen Satz gebraucht Jer 35,14 שמע את מצות. Unterschiede in
     der Bedeutung sind nicht bemerkbar.

Biblisch-Aramäische Belege

Auch im Biblisch-Aramäischen ist שמע על vertreten
(Dan 5,14.16):   ...די עליך ושמעת

                                              ...די עליך שמעת ואנה
Eine entsprechende hebräische Konstruktion findet sich
in Gen 41,15 und Jes 37,9: שמע על... לאמר... In diesen
hebräischen Beispielen ist eigentlich kein Einfluß der
aramäischen Sprache zu vermuten, weil die hebräische Sprache
für die Bedeutung "von jemandem/über jemanden hören" keine
andere Konstruktion (Präposition) kennt. Nur für spätere
Texte wird ein Gebrauch von על anstelle אל unter aramäischem
Einfluß angenommen. Für Gen 41,15 und Jes 37,9 kommt eine
solche Erklärung nicht in Frage. Diese Belege sind einfach
als normale hebräische Sprachwendungen zu verstehen. Es
kann sein, daß שמע על keine alltägliche Wendung mit der
Bedeutung von "über jemanden hören" war; dennoch ist der Ausdruck wahrscheinlich als hebräisch anzusehen[1].

      Zu שמע על דברי...: Die Bedeutung ist die gleiche
wie die von שמע אל. Mit Ausnahme von Jer 35,18 (= על מצות)
wiederholt sich in allen anderen Belegen (Jer 23,16; Jer
26,45; Hag 1,12; 2 Kön 22,13) regelmäßig die Bildung שמע על
...דברי. Diese Regelmäßigkeit schließt die Möglichkeit
eines Zufalls oder Schreibfehlers aus. In dieser Wendung
mit der Bedeutung "auf jemanden hören" ist ein Wechsel
der beiden Präpositionen anscheinend möglich.

---

1) JOUON., Grammaire §133b: "On voit que אל concorde assez souvent
avec על. Le rapprochement des deux prépositions a probablement
été favorisé par les confusions graphiques. C'est surtout אל qu'on
trouve écrit pour על; cette confusion provient sans doute souvent
de copistes parlant la langue araméenne (où על a tous les sens
de la préposition אל, laquelle n'existe pas en aram.) et qui p.ê.
prononçaient le ע d'une façon très faible".

Ps 92,12, ein umstrittener Vers

Dieser Vers bietet einige Schwierigkeiten. GUNKEL[1]
hält Ps 92,12b für "überfüllt und syntaktisch bedenklich".
Richtig ist, was GUNKEL bemerkt: "שמע נ" wäre "nur hier"
belegt. Als Lösung macht er den Vorschlag: "die in 12c
überflüssigen Worte sind vielleicht ein Rest von 10d".

Wenn man sich die שמע על-Konstruktionen vergegenwär-
tigt, scheint der Vers 12 einen vollständigen Sinn ohne
Textänderungen zu ergeben: man kann עלי als dichterische
Form für על verstehen; die Konstruktion wäre dann שמע עלי
מרעים (= über die Übeltäter hören). Die zweimalige נ-Präpo-
sition bleibt als appositionale Bildung von ותבט abhängig.
So sind die beiden Halbverse gleichmäßig aufgebaut:

ותבט עיני בשורי בקמים

עלי מרעים תשמענה אזני

"Mit Lust schaut mein Auge auf meine Verfolger, die (gegen
mich) aufstehen; von den Übeltätern vernehmen meine Ohren".

שמע מאת/מן

Das "Woher" (das "Wo"?) einer Nachricht oder einer Auskunft
wird mit שמע מאת/מן ausgedrückt:

2 Sam 15,35:   והיה כל הדבר אשר תשמע מבית המלך
"Alles, was du aus dem Haus(im Haus) des Königs hörst..."

1 Sam 2,23:   אשר אנכי שמע את דבריכם רעים מאת כל העם אלה
"Wozu tut ihr solches, wie ich es vom ganzen Volke höre?".

Jes 21,10:   אשר שמעתי מאת יהוה צבאות אלהי ישראל
"Was ich gehört von dem Herrn der Heerscharen, dem Gott
Israels, das habe ich euch verkündigt".

שמע אל *in 1 Kön 8,30*

Es ist zu vermuten, daß das "Wohin" einer Kunde oder

---

1) GUNKEL, Psalmen 410.

eines Wortes mit der Richtungsangabe ausgedrückt wird.
So wäre wahrscheinlich in 1 Kön 8,30 die Wendung שמע אל
zu erklären; der Satz bleibt aber ein hapaxlegomenon.

1 Kön 8,30:   ואתה תשמע אל מקום שבתך אל השמים
"Du wirst es in der Stätte deiner Wohnung, im Himmel, hören".

    Der Text ist merkwürdig, und nicht nur für uns: der
Chronist hat darum die Konstruktion geändert:

2 Chr 6,21:   ואתה תשמע ממקום שבתך מן השמים

שמע אחרי/אחר

    Die Präposition אחרי/אחר wird allgemein als "hinter"
übersetzt. OLMO LETE[1] hat die Präposition mit der Verwendung
im Ugaritischen verglichen. Die Belege zeigen deutlich,
daß sie nicht nur mit der Bedeutung "hinter" als Gegensatz
zu "vorn" gebraucht wird, sondern auch den Gedanken der
Begleitung ausdrücken kann. Das lateinische "cum" kann
hier als Umgebung einer Person betrachtet werden. אחרי,
das hauptsächlich "hinter-hinten" bedeutet, kann alles
ausdrücken, was Gegensatz zu "vor-vorn" bedeutet: "hinter--
hinten", "an der Seite" oder "in der Umgebung". In diesem
Sinn scheinen die Belege שמע אחרי zu übersetzen zu sein.

Jes 30,21:   ...לקול זעקך   כשמעתו ענך ...
                           ...ואזניך תשמענה דבר מאחריך לאמר
"...wenn du (zu ihm) schreist; kaum vernimmt er es, hat
er dich schon erhört. Deine Ohren werden die Anweisung
um dich herum hören..."

    Es wird die Unmittelbarkeit des Erhörens, des Sehens
und auch des Hörens betont. Schon die Nennung der Ohren
deutet diese Unmittelbarkeit an (der gewöhnliche Ausdruck
wäre באזניך). Das Wort kommt zu den Ohren aus der Umgebung (מאחריך).

---

1) OLMO LETE, La preposición 'ahar 339-360.

Ez 3,12:   וָאֶשְׁמַע אַחֲרַי קוֹל רַעַשׁ גָּדוֹל
"Und ich hörte um mich ein gewaltiges Getöse".

    Bei einem großen Knall ist schwer genau zu schildern,
wo der Laut herkommt. Gerade diese Umbestimmtheit wird
wahrscheinlich von אחרי zum Ausdruck gebracht. Der Begriff
"hinten/hinter" bezeichnet alles was nicht vorne steht,
was nicht sichtbar oder genau definierbar ist.

3. KAPITEL

שמע qal: Spezifizierung der Bedeutung durch das Objekt

3.1. Das Substantiv-Objekt

שמע wird zu gewöhnlich als ein Verb der sinnlichen
Wahrnehmung oder verbum sentiendi[1] betrachtet. Wie aus
den obigen Sprechhandlungen hervorgeht, haben die präpositionalen Konstruktionen einen anderen Charakter, man konnte
nicht von sinnlicher Wahrnehmung sprechen. Es soll nun
untersucht werden, wie weit שמע als verbum sentiendi in
der hebräischen Sprache eine Rolle spielt.
Unter "sinnliche Wahrnehmung" sollen alle Stellen behandelt werden, an denen שמע den Vorgang des akustischen Hörens
bezeichnet.

Selbstverständlich liegt es in der Konsequenz dieser
Definition, daß das Objekt ein akustisches Phänomen sein
muß: man hört eine Stimme, ein Wort, ein Geräusch, einen
Knall etc. Im Deutschen kann aber darüber hinaus bei hören
in dieser Bedeutungsweise auch ein Phänomen oder (wohl
seltener) eine Personenbezeichnung stehen: "Peter ging
leise, um die schlafende Mutter nicht zu stören - aber
sie hörte *ihn*". Der Satz "sie hörte ihn" meint eigentlich:
sie hörte das Geräusch, das er machte. Möglich wäre auch:
"Die Mutter hörte Peter, als er nach Hause kam". Hier würde
"als er nach Hause kam" darüber informieren, unter welchen
Umständen die sinnliche Wahrnehmung zustande kam.

Wie wird in der hebräischen Sprache die sinnliche
Wahrnehmung ausgedrückt? Wie weit ist שמע ein Verb der
sinnlichen Wahrnehmung?

Von den 1.159 שמע-Belegen in der hebräischen Sprache
des AT zeigt fast ein Drittel die Konstruktion mit (את)
Akkus.objekt.Diese Masse von Belegen verdient sicher eine
große Aufmerksamkeit, auch wenn keine besonders auffälligen
Konstruktionen vorkommen sollten. Es wird zu prüfen sein, ob

diese große Zahl von Belegen in ihrer Bedeutung und auch
gelegentlich in ihrer Konstruktion differenzierbar ist.

Zahl und Verteilung der Belege

Gen 15x; Ex 10x; Lev 1x; Num 11x; Dtn 18x; Jos 10x;
Ri 4x; 1 Sam 13x; 2 Sam 5x; 1 Kön 20x; 2 Kön 11x; Jes 1-39
16x; Jes 40-55 4x; Jes 56-66 2x; Jer 58x; Ez 23x; Dodekapr.
20x; Ps 29x; Spr 13x; Ijob 16x; Klgl 3x; Koh 1x; Est 1x;
Dan 5x; Esra 1x; Neh 7x; 1Chr 2x; 2Chr 13.

Die nota accusativi

In diesen 335 Belegen finden sich grundsätzlich zwei
Konstruktionsarten:
- Akkusativobjekt mit את (oder 'nota accusativi');
- Akkusativobjekt ohne nota accusativi.
Wann wird die nota accusativi gebraucht? Das verlangt eine
ausführliche Untersuchung. Ein statistischer Überblick
soll hier nur einen Eindruck erwecken[2]: Gen 10+ 5-; Ex
8+ 2-; Lev 1-; Num 5+ 6-; Dtn 10+ 8-; Jos 10+; Ri 2+ 2-;
1 Sam 13+; 2 Sam 3+ 2-; 1 Kön 19+ 1-; 2 Kön 6+ 5-; Jes
4+ 17-; Jer 27+ 31-; Ez 8+ 15-; Dodekapr. 7+ 13-; Ps 3+
26-; Spr 13-; Ijob 1+ 15-; Klgl 3-; Koh 1+; Est 1+; Dan
3+ 2-; Esra 1+; Neh 6+ 1-; 1 Chr 2+; 2 Chr 10+ 3-; Gesamt-
zahl 164+ 171-.

In Erzählungen erscheint des öfteren את, besonders in
Jos, 1 Sam, auch in 1 Kön; dasselbe geschieht in den Erzäh-
lungen von Gen und Ex. Im Buch Ijob kommt nur 1mal die nota
vor, und das zwar in 2,1 in der Einführungserzählung.
Die nota accusativi folgt selten auf einen Imperativ. Die
Aufforderung zum Hören (=Imperativ) kommt etwa 96mal vor.
Sie kann mit oder ohne Objekt auftreten. Nur 10mal wird
את gebraucht.

---

1) GESENIUS-KAUTZSCH, Hebr.Gramm. §117f.

2) Das Zeichen '+' steht für את. '-' steht für ohne את.

Die bisherige Studien[1] benötigen bei dieser Frage weitere
Ergänzungen.

Pronominal- und Suffixobjekte

In der oben genannten Statistik waren die Pronominal-
bildungen nicht eingeschlossen. Es folgt jetzt ein Überblick
der Häufigkeit dieser Belege: את mit Pronominalobjekt ist
nur in Jer (1x) und in Ez (1x) vertreten; Suffixobjekte
finden sich in den folgenden Büchern: Gen 6x; Ex 1x; Dtn
1x; Ri 1x; 2 Kön 1x; Jes 1x; Jer 2x; Mich 1x; Ijob 3x;
Ps 1x; 2 Chr 5x.

Die Belege in Gen und Ex gehören alle zur Quelle P;
die Belege in 2 Chr gehören zum Sondergut des Chronisten;
auch in Ijob gibt es verhältnismäßig viele Belege; der
Gebetsausdruck (z.B. "erhöre mich") wird in den Psalmen
nie mit dieser Konstruktion aufgebaut; die Anmerkung von

---

1) Über את schreibt JOÜON (Grammaire §125e): "L'objet direct, soit
    pronominal, soit nominal, du verbe est souvent précédé de la parti-
    cule את. La particule את est surtout exposant de l'accusatif d'ob-
    jet; mais on la trouve aussi, bien que très rarement, pour d'autres
    accusatives: acc.de mouvement, de temps, de limitation. Le את a
    sans doute été employé d'abord avec le pronom, comme dans les autres
    langues sémitiques, puis son emploi a été étendu au nom déterminé".
    In der letzten Zeit hat sich R.MEYER (Gegensinn UF 11(1979-80)-
    601-612; siehe auch Bemerkungen zur syntakt. AOAT 18,137-148) mit
    dieser Frage beschäftigt: "Zunächst sei auf die sogenannte Nota
    accusativi hingewiesen, die als Akkusativ-Partikel ein determinier-
    tes Nomen eindeutig als Objekt festlegt, wie es die Grundregel
    der Grammatik bestimmt. Ausgerechnet diese Partikel ist ihrem Ur-
    sprunge nach ambivalent! Zunächst ist festzustellen, daß das Akkusa-
    tivzeichen 'et -entstanden als Ersatz für die auf jungkanaanäischer
    Sprachstufe weggefallene KasusEndung- in der alten beziehungsweise
    archaisierenden Poesie seltener ist als in der jüngeren Dichtung;
    weit häufiger begegnet es in den Prosatexten, wobei auch hier eine
    Zunahme im späteren Schrifttum festzustellen ist, ohne daß je syn-
    taktische Konsequenz erreicht wäre. Ohne auf Einzelfragen einzuge-
    hen, sei hier nur festgestellt, daß die Partikel 'et in ihrem Grund-
    stock wahrscheinlich auf ein Hervorhebungselement t zurückgeht,
    das ursprünglich unter anderem zur Betonung des Personalpronomens
    in der 3. Person gebraucht wurde, und zwar zunächst ohne Rücksicht
    darauf, ob dieses Fürwort im Casus rectus, dem Nominativ, oder
    im Casus obliquus, dem Genitiv/Akkusativ, steht".

GESENIUS-KAUTZSCH[1] nach der in älteren Texten Verbalsuffixe
benutzt werden, die später vorwiegend mit את und pronominalem Objekt konstruiert werden, läßt sich hier nicht bestätigen. Die meisten der Belege scheinen nicht älteren Texten
anzugehören.
Diese Vorbemerkungen müssen später weiter behandelt werden;
bereits jetzt ist aber klar, daß auch hier die diachronische
Frage zu stellen ist.

קול (את) שמע *Ausdruck der sinnlichen Wahrnehmung*

Als Objekt von שמע fällt קול durch sein häufiges
Vorkommen auf. Die 54 Belege sind, wie folgt, verteilt:
Gen 2x; Ex 1x; Lev 1x; Num 2x; Dtn 9x; Jos 2x; 1 Sam
2x; 2 Sam 3x; 1 Kön 2x; 2 Kön 1x; Jes 3x; Jer 4x; Ez
4x; Jona 1x; Mich 1x; Ps 10x; Ijob 2x; Klgl 2x; Dan 2x;
1 Chr 1x.

Belege

Jos 6,5:   בשמעכם את קול השופר
"Und wenn ihr den 'sofar' hört, so soll das ganze Volk
ein lautes Feldgeschrei erheben".
Jos 6,20:   ויהי כשמע העם את קול השופר
"Als das Volk den 'sofar' hörte..."
2 Sam 15,10:   כשמעכם את קול השפר
"Wenn ihr den 'sofar' hört, so ruft: Absalom ist König
geworden in Hebron!"
1 Kön 1,41:   וישמע יואב את קול השופר
"Und Joab hörte den 'sofar' ".

Die sinnliche Wahrnehmung dieses Blasinstruments
wird durch die Bildung שמע קול ausgedrückt. Dagegen
ist die Wortfolge שמע את השופר in den Texten des AT
nicht belegt.

---

1) Hebr.Gramm. §117.

Andere Beispiele der sinnlichen Wahrnehmung:

Jer 9,9:   ולא שמעו קול מקנה

"Wüst liegen sie, da geht kein Wanderer; man hört nicht
mehr die Herden. Die Vögel des Himmels und das Wild, fort
sind sie alle, entflohen".

Die Hörbarkeit der Herde wird ausgedrückt durch שמע
קול. Man hört nicht die Herde selbst, sondern ihren Laut.

1 Sam 4,6:   וישמעו פלשתים את קול התרועה

"Wie aber die Philister den Jubel hörten, sprachen sie:
Was bedeutet dieser Jubel im Lager der Hebräer?"

1 Sam 4,14:   וישמע עלי את קול הצעקה

                                         ויאמר מה קול ההמון הזה

"Und als Eli das Geschrei hörte, fragte er: Was ist das
für ein Getümmel?"

קול dient zur Bezeichnung von etwas Hörbarem; von
wem etwas hörbar ist, wird durch den Genitiv angegeben
(שופר, תרועה, צעקה...).

2 Sam 5,24 (1 Chr 14,15):   ויהי בשמעך את קול צעדה

"Wenn du in den Wipfeln der Bakabäume das Einherschreiten
hörst,dann brich los..."

1 Kön 14,6:   ויהי כשמע אחיהו את קול רגליה באה בפתח

"Als Ahijahu die Tritte der Frau hörte, wie sie zur Türe
hereinkam, sprach er: Komm herein, Weib Jerobeams!"

Mit dem Hören der Tritte ist eigentlich die Frau gemeint. Darum ist das folgende Partizip als feminin konstruiert (=באה). Rein grammatikalisch wäre die maskuline Endung
nach קול רגליה zu erwarten.

Beispiele aus dem Buch Ez:

Ez 33,4:   ושמע השמע את קול השופר

Ez 33,5:   את קול הדופר שמע

Ez 1,24:   ואשמע את קול כנפיהם

Ez 3,12:   ואשמע אחרי קול רעש גדול

Gegenstand der sinnlichen Wahrnehmung sind der 'sofar',

die Flügel, das Beben. קול שמע äußert eine sinnliche Wahrnehmung.

Ähnliche Beispiele hat man bei Jer:

Jer 4,19:   כי קול שופר שמעתי נפשי תרועת מלחמה

Jer 4,21:   אשמעת קול שופר

Jer 4,31:   כי קול כחולה שמעתי...קול בת ציון

Jer30,5:   קול חרדה שמענו פחד ואין שלום

     Sinnlich wahrgenommen wird: der 'sofar' und Kriegsge-
schrei(4,21), das Geschrei einer werdender Mutter, die
Tochter Sion(4,31), ein Schreckensgeschrei, ein friedeloses
Entsetzen(30,5).

     Voraussetzung der sinnlichen Wahrnehmbarkeit ist,
daß ein Gegenstand oder sogar ein Zustand einen Laut aus-
strahlt. Dieser Laut wird sinnlich wahrgenommen und zwar
durch den Laut auch der Gegenstand. Die Vermittlung dieses
Lauts ist aber Bedingung für die Wahrnehmung. Der gewöhnlichste Ausdruck für Laut ist קול ; andere Lautbegriffe
kommen auch vor. Weitere Belege -קול שמע- findet man z.B.
in Lev 5,1; 2 Kön 11,13; Gen 21,17; Ex 32,17; Ijob 3,18;
Dan 8,16.

     Selbst die sinnliche Wahrnehmbarkeit Gottes wird bei
den verschiedenen Möglichkeiten der Wahrnehmung durch שמע
קול (את) ausgedrückt. Die Sprache zeigt auch für diese
Sprechhandlung eine Regelmäßigkeit:

Gen 3,8:   וישמעו את קול יהוה אלהים מתהלך בגן

"Und sie hörten Gott den Herrn, wie er im Garten ging".
Für Gott wird derselbe Ausdruck gebraucht, wie in anderen
Bereichen des Lebens. Die Sprachhandlung -sinnliches Wahr-
nehmen(= Hören)- wird auch hier mit קול שמע ausgedrückt;
Gegenstand des Hörens ist יהוה מתהלך בגן[1].

1) Anders T.BOMAN (Das hebr. Denken, 91): "Gen.3,8 heißt es: Sie
   hörten die Stimme des Jahwe Gott, als er im Garten ging. Namhafte
   Forscher wie Gunkel, Kautzsch, Skinner verbinden hier q o l mit
   m i t h a l l e k und übersetzen: 'Als sie nun das Geräusch
   (der Tritte) Jahwe Gottes hörten', was nicht sprachlich möglich

Gen 3,10:   את קלך שמעתי בגן ואירא

"Ich hörte dich im Garten; da fürchtete ich mich".

Num 7,89:   וישמע את הקול מדבר אליו מעל הכפרת

"Und als Mose in das heilige Zelt hineinging, um mit dem
Herrn zu reden, hörte er die Stimme mit sich reden von
der Deckplatte her".

קול יהוה/אלהים ist hier durch הקול (= nur die Stimme?)
ersetzt. Das Hörbare von Gott ist nur seine Stimme, die
allgemein mit dem Genitiv des Namens Gottes determiniert
wird, hier aber nur als 'die Stimme' bezeichnet ist.

Dtn 4,33:   השמע עם קול אלהים מדבר מתוך האש

"Ob je ein Volk Gott hat aus dem Feuer reden hören..."

Dtn 5,20:   ויהי כשמעכם את הקול מתוך החשך וההר בער באש

"Als ihr aber die Stimme aus der Finsternis hörtet, brann-
te der Berg im Feuer".

Dtn 5,23:   אשר שמע קול אלהים חיים מדבר מתוך האש כמנו ויחי

"Denn wo wäre ein sterblicher Mensch, der wie wir den lebendigen Gott aus dem Feuer hätte reden hören und am Leben
geblieben wäre?"

Dtn 18,16:   לא אסף לשמע את קול יהוה אלהי

"Ich möchte den Herrn, meinen Gott, nicht mehr hören und
dieses große Feuer nicht länger sehen, dass ich nicht
sterbe".

      In dieser Wendung haben wir die Grundform, um die
sinnliche Wahrnehmung Gottes auszudrücken. So wie ein Musikinstrument, die Tiere oder die Menschen, so wird auch Gott
durch קול hörbar.

Jes 6,8:   ואשמע את קול אדני אמר

"Da hörte ich den Herrn reden".

---

      ist; denn q o l Jahwe bedeutet hier wie sonst überall die Stimme
      Jahwes; Geräusch der Tritte heißt q o l   r a g l ä h a , das
      Geräusch ihrer Füße (1.Kön. 14,6; 2.Kön.6,32) oder -von Jahwe ange-
      wendet- q o l   s e ' a d a ,Geräusch des Einherschreitens (2.
      Sam.5,24). Aber auch nicht im letzten Falle, denn das Geräusch
      kam von den Wipfeln der Bakasträucher und ist wohl als ein Säuseln
      aufzufassen".

Ez 1,28:   ואשמע קול מדבר
"Und ich hörte einen, der da redete".

Wie eng קול zum sprachlichen Ausdruck der sinnlichen
Wahrnehmung gehört, wird noch durch die folgende Tatsache
gezeigt: Die sinnliche Wahrnehmung kann auch durch andere
Begriffe geäußert werden, die in sich selbst Ton oder Laut
bedeuten (s.u.). Auch bei diesen Begriffen kann zusätzlich
קול als Zeichen für die sinnliche Wahrnehmung vorkommen:
1 Sam 4,6:   וישמעו פלשתים את קול התרועה
"Und die Philister hörten den Jubel".
1 Sam 4,14:   וישמע עלי את קול הצעקה
"Und Eli hörte das Geschrei".

Das geschieht aber noch häufiger mit דבר, das als
Gegenstand der sinnlichen Wahrnehmung Objekt von שמע sein
kann. Neben der normalen Konstruktion שמע דבר ist auch die
Konstruktion שמע את קול דברים belegt:
Dtn 1,24:   וישמע יהוה את קול דבריכם
Dtn 4,12:   קול דברים אתם שמעים
                                       ותמונה אינכם ראים   זולתי קול
"Ihr habt Worte gehört, aber nur gehört; doch eine Gestalt
habt ihr nicht gesehen".

Aus dem Feuer kamen Worte. Hier geht es um die Alternative "Hören oder Sehen"[1]. ראה braucht keinen Sonderbegriff,
um die Sichtbarkeit auszudrücken. שמע dagegen braucht קול.

Andere Belege mit der Konstruktion שמע (את) קול דברים
sind:
Dtn 5,25:   וישמע יהוה את קול דבריכם
Dan 10,9:   ואשמע את קול דבריו
                                       וכשמעי את קול דבריו
Ijob 33,8:   אמרת באזני וקול מלין אשמע

Diese doch wohl pleonastische Wendung (שמע קול דברים(מלין
ist nur in Dtn Kap. 1.4.5; Dan 10 und Ijob 33 belegt. Die
Belege sind eher als spätere Texte zu betrachten. Wahrscheinlich ist der Ausdruck zeitlich bedingt und soll über

---

1) Zu Dtn 5 siehe LOHFINK, Hauptgebot.

allen Zweifel hinaus klarstellen, daß es sich um eine sinnliche Wahrnehmung handelt; das ist besonders bei Dtn 4,12
theologisch wichtig.

שמע קול: Einführung eines Liedes

Die meisten der dargebotenen Belege von שמע (את) קול
kamen in berichtenden Texten vor. Es gibt aber Belege,
wo dieser Ausdruck der sinnlichen Wahrnehmung in der Einfüh-
rung/Einladung eines Textes/Liedes gebraucht wird. Zahlen-
mäßig sind die Belege gering. Die Einladung zum Hören erfolgt gewöhnlich durch die Imperativform, die in den meisten
Fällen absolut (d.h. ohne Objekt) konstruiert ist. Die
Einladung zum Hören durch שמע קול ist jeoch als ein normaler
Fall der Sprachkompetenz zu betrachten, durch den die sinnliche Wahrnehmung des Wortes betont werden soll. Auch wenn
die Bedeutung der Wendung שמע קול sich nicht ändert, sollte
man in den folgenden Belegen von einer veränderten Sprachsituation reden. Das in der Einladung angemeldete Wort wird
von den Angeredeten Aufmerksamkeit verlangen. Das ist sicher
etwas mehr als reine sinnliche Wahrnehmung.

Gen 4,23:   עדה וצלה שמען קולי נשי למך האזנה אמרתי
"Ada und Zilla, hört mir zu! Merket auf und höret meine
Rede!"

Jes 32,9:   האזינו ושמעו קולי הקשיבו ושמעו אמרתי
"Horchet her und höret mir zu! Merket auf und höret meine
Rede!"

Jes 32,9:   נשים שאננות קמנה שמענה קולי
                        בנות בטחות האזנה אמרתי
"Ihr sorglosen Weiber! Auf, höret mir zu! Vertrauensselige
Töchter, vernehmt meine Rede!"

Mich 6,1:   שמעו נא את אשר יהוה אמר
                קום ריב את ההרים ותשמענה הגבעות קולך
          שמעו הרים את ריב יהוה והאתנים (והאזינה) מסדי ארץ
"Höret doch das Wort, das der Herr spricht: Auf, halte

Gericht vor den Bergen, und die Hügel sollen dir zuhören.
Höret, ihr Berge, den Rechtsstreit des Herrn, und merket
auf, ihr Grundfesten der Erde!

In Mich 6,1-2 ist dieser Einführungssatz viel länger
geworden. Die Parallelismen in allen diesen Sätzen erlauben
in Mich 6,2 והאזינו statt והאזנים zu lesen. Kürzere Formen
(Gen 4,23) lassen ältere Texte vermuten.

שמע קול, *Äußerung von Bitten und Erhören*

Oben wurden die Belege behandelt, wo שמע (את) קול
die Bedeutung "hören" hatte. Die Verbindung beider Wörter
zeigte die sinnliche Wahrnehmbarkeit eines Gegenstandes
als Laut oder Ton. In diesem Fall hat die Wendung die Funktion, ein sprachliches Zeichen zu setzen, das auf die Wahrnehmbarkeit hinweist. Dann wurde eine kleine Zahl von Belegen genannt, wo im Mittelpunkt nicht zuerst die Bedeutung
steht, sondern die Funktion, und zwar hatte die Wendung
die Funktion, ein Lied einzuführen.

Bei שמע קול gibt es noch eine dritte Gruppe von Belegen, die in der Umgebung von Bitten und Flehen vorkommt.
Die Mehrzahl der Belege stammt aus dem Ps-Buch.

Num 20,16:   ונצעק אל יהוה וישמע קלנו
"Da schrieen wir zu Jahwe, und er erhörte uns und sandte
einen Engel, der uns aus Ägypten herausgeführt hat".
Dtn 26,7:   וישמע יהוה את קלנו
"...Und legten uns harte Arbeit auf. Da schrieen wir zu
Jahwe, dem Gott unser Väter, und Jahwe (er)hörte uns und
sah unser Elend, unsere Mühsal und Bedrückung; und Jahwe
führte uns heraus aus Ägypten..."

Handelt es sich hier um eine Anhörung oder um eine
Erhörung? Wird hier eine Handlung der sinnlichen Wahrnehmung ausgedrückt oder ist etwas anderes gemeint? Eine Antwort kann man mit Hilfe der modernen Sprachwissenschaft
versuchen[1].

---

1) WUNDERLICH(Grundlagen 312) zitiert BLOOMFIELD und sagt: "Die Bedeu-

Wenn man lediglich den Satz Dtn 26,7 וישמע יהוה את קלנו
betrachtet, kann er als ein Ausdruck der sinnlichen Wahrnehmung verstanden werden. Wenn man aber die soziale Situation der Äußerung berücksichtigt, kommen weitere Elemente
hinzu. Jemand schreit aus der Ferne. Es vollzieht sich
die sinnliche Wahrnehmung. Wenn die Sprache als nächste
Aussage formuliert "und er rettete ihn", so wird aus der
Sprachsituation verstanden, daß er zu dem Schreienden gegangen ist, ihn gesehen hat und mit gutem Willen versucht
hat, ihm zu helfen. Die Sprache braucht das alles nicht
zu äußern; es ist aus dem Kontext der sprachlichen Äußerung
zu verstehen. Deutungsträger ist nicht nur die Äußerung
des Sprechers, sondern die soziale Einstellung des Zuhörers.
Für Dtn 26,7 ist festzustellen: a) Nach Form und Inhalt
ist der Satz als Ausdruck der sinnlichen Wahrnehmung zu
betrachten. Nun wird aber nicht nur das Schreien gehört,
sondern der Herr schaut nach, in welcher Not das Volk ist...
b) Aus der sprachlichen Erwartung ist deshalb leicht zu
verstehen, daß es sich hier um eine Erhörung handelt. Beim
Hören des Schreienden ist selbst in der Äußerung der Sprache
auch schon die folgende Reaktion gemeint. Die Sprechhandlung
reicht viel weiter als die reine Sprachäußerung[2].

Bezüglich unserer Art von Sprechhandlungen können
wir sagen: Sinnliche Wahrnehmung + institutionenspezifische
Erwartungen = Erhörung.

Bei dem Satz, daß Gott das Geschrei in Not hörte,
hat sich ein Israelit sicher etwas mehr als eine einfache
sinnliche Wahrnehmung vorgestellt, auch wenn die Formulierung zunächst nur dies ausdrückt. Das gilt vor allem für
Äußerungen, die theologisch besonders geprägt sind, wie
es der Fall ist, wenn man über den Auszug aus Ägypten
spricht. Noch ein Beispiel aus der gleichen Umgebung:
Ex 2,24:   וישמע אלהים את נאקתם
"Die Israeliten aber seufzten ob der Sklaverei und schrie-

---

tung einer sprachlichen Form ist die Situation, in der der Sprecher
sie äußert, zusammen mit der Reaktionshandlung die sie im Hörer her-
vorruft".

en, und ihr Wehgeschrei ob der Sklaverei drang empor zu
Gott. Und Gott hörte ihr Wehklagen und gedachte seines
Bundes mit Abraham, Isaak und Jakob, und Gott sah auf die
Israeliten und 'gab sich ihnen kund'".

Das Wehklagen-Hören ist ein Akt der sinnlichen Wahrnehmung. Es wird sogar geschildert, wie das Geschrei empor-
steigt. Diese sinnliche Wahrnehmung auf seiten Gottes setzt
schon die Heilsgeschichte in Bewegung. Es ist richtig,
wenn man sagt, dies sei der Form nach ein Ausdruck der
sinnlichen Wahrnehmung; die Sprechhandlung greift aber
tiefer.

Auch das Objekt des Hörens bestimmt die Qualität dieses
Hörens: Seufzen und Notgeschrei werden als Laut wahrgenommen; dabei bestimmt die Art dieses Lauts auch die Art der
Wahrnehmung. Der Anhörende reagiert nach der Art des Angehörten. So kann man beim Anhören von Geschrei nur mit ableh-
nender oder helfender Haltung reagieren, so daß die sinnliche Wahrnehmung und die Erhörung im Fall eines aus Not
Schreienden nicht sehr weit auseinander liegen.

Jona 2,3: שמעת קולי

"Aus meiner Not rief ich zu Jahwe, und er erhörte mich.
Aus dem Schoss der Unterwelt schrie ich, du erhörtest mich".

Ps 18,7: ישמע מהיכלו קולי

"Als ich in Angst war, rief ich Jahwe an und schrie zu
meinem Gott; da hörte er mich von seinem Tempel und mein
Schreien drang an sein Ohr".

Auch hier stehen Anhörung und Erhörung sehr nahe.
Eine Anhörung im Streitfalle kann schon fast eine Erhörung
(2 Sam 15,3) sein.

Andere Belege:

Ps 27,7: שמע יהוה קולי

---

2) Siehe WUNDERLICH, Grundlagen 336: Eine Sprechhandlund wird durch
Form und Inhalt der Äußerungsresultate indiziert; außerdem, durch
institutionenspezifische Erwartungen und personenspezifische Einschätzungen.

Ps 55,18:   וישמע קולי

Ps 64,2:   שמע אלהים קולי בשיחי

Klgl 3,56:   קולי שמעת

Ps 5,3:   יהוה בקר תשמע קולי

Dtn 33,7:   שמע יהוה קול יהודה

קול wird gelegentlich von anderen Begriffen determiniert:

Ps 6,9:   כי שמע יהוה קול בכיי

Ps 28,2:   שמע קול תחנוני

Ps 28,6:   כי שמע קול תחנוני

Ps 31,23:   אכן שמעת קול תחנוני

Ps 116,1:   כי ישמע יהוה את קולי תחנוני

Fast formelhaft klingen diese Sätze. Auch der Kontext
dieser Sätze hat einen wiederholenden Klang[1].

שמע קול, Zusammenfassung

קול spielt eine wichtige Rolle, um die sinnliche
Wahrnehmung durch שמע auszudrücken. Um eine Handlung der
sinnlichen Wahrnehmung darzustellen, braucht die hebräische
Sprache die explizite Hilfe eines Wortes, das den Gedanken
des Lautes in sich trägt. קול wird so das hörbare Produkt
einer Person oder einer Sache, so daß Personen und Sachen
dadurch sinnlich wahrgenommen werden.

H.SCHULT[2] sagt über שמע: "Gehört wird objektiv oder
subjektiv Hörbares". Bei קול hat sich aber gezeigt, daß
nur objektiv Hörbares gemeint ist.

Besondere Beachtung verdient im Hebräischen das Hören
des קול eines Schreienden oder aus Not Rufenden. Vom Kontext, also von der Sprechhandlung her wird hier (wohlwollendes) Hören mit Gott als Subjekt zum "Erhören". In Bitten
und Gebeten wird in diesem Sinn שמע קול als Ausdruck der
An/Erhörung gebraucht.

---

1) Siehe CULLEY, Oral Formulaic Language in the Bib. Psalms.

2) SCHULT, THAT II,977.

Andere Objekte der sinnlichen Wahrnehmung bei שמע

Als Objekt der sinnlichen Wahrnehmung bei שמע finden
sich nicht selten Wortbildungen aus demselben Stamm:

1 Sam 4,19:   ותשמע את השמועה אל הלקח ארון אלהים
"Sie hörte die Kunde, daß die Lade Gottes genommen sei..."

Jer 49,14 (Obd 1,1):   שמועה שמעתי מאת יהוה וציר בגוים שלוח
"Eine Kunde habe ich von Jahwe vernommen, und ein Bote
war unter die Völker entsandt..."

Jer 49,23:   כי שמעה רעה שמעו
"Denn böse Kunde haben sie vernommen..."

Kunde, Botschaft, Nachrichten (= שמועה) vernehmen
ist sicherlich auch eine sinnliche Wahrnehmung. Nicht dies
aber soll durch diese Konstruktion betont werden, sondern
ein inhaltliches Element, das im folgenden noch näher zu
beschreiben ist. Formal liegt hier ein paronomastisches
Objekt vor[1]. BROCKELMANN schreibt: "Das Objekt ist nicht
selten von demselben Stamm wie das Verbum abgeleitet. Diese
Paronomasie drückt aus, daß eine Person oder Sache ihrer
natürlichen Bestimmung zugeführt wird"[2].

2 Kön 19,7:   הנני נתן בו רוח ושמע שמועה
"Ich werde ihm einen Sinn eingeben, so daß er eine Kunde
vernimmt und zurück in sein Land kehrt..."

Auch hier ist wahrscheinlich שמועה als Kunde zu ver-
stehen und nicht als Geräusch. Diese Kunde ist schon in
V.9 enthalten(der König von Kusch will ihn bekämpfen).
Siehe Jer 37,5: Die parallele Erzählung benutzt denselben
Stamm (שמעם).

Eine andere Art von Paronomasie wird mit der qitl-Form
שמע konstruiert. Die Bedeutung ist *durch das Hören erfahren.*

Num 14,15:   ואמרו הגוים אשר שמעו את שמעך

---

1) BROCKELMANN, Grundriß §91.
2) Ibid. §91.

"Die Völker, die deine Nachricht (was gesagt wird über
dich) hören, werden sagen..."

Dtn 2,25:   העמים...אשר ישמעון שמעך

"Die Völker, die von dir (von deinen großen Taten) hören
werden".

Dieser Ausdruck tritt noch in 1 Kön 10,1; Jer 37,5;
50,43; Nah 3,19; Ijob 28,22.

Alles was man sagt, alles was man erzählt und hört,
alles was berichtet wird, das wird mit dem Begriff שמע
(qitl) ausgedrückt. Es ist ein Begriff, der zusammenfassend
wirkt. Man kann als Übersetzung das Wort "Ruf", "Ruhm"
wählen. Es gibt aber auch die Möglichkeit, ein Pronomen
als wiederholenden und zusammenfassenden Begriff zu bevorzugen. Z.B.: In Jer 50,43 wird von dem Angriff eines Volkes
gegen Babel erzählt. Dann wird gesagt: "Als der König von
Babel all das (שמעם)...

Hier unterscheidet sich שמע von שמועה, wo, wie in
verschiedenen Belegen gezeigt, die konkrete Botschaft eines
Boten gemeint ist.

Es ist auch eine Form qutl vorhanden:

Jos 9,9:   כי שמענו שמעו ואת כל אשר עשה במצרים

"Denn wir haben von ihm gehört: alles was er in Ägypten
getan und alles, was er den beiden Königen der Amoriter...
getan".

שמעו ist hier wahrscheinlich keine selbständige theologische Aussage über Gott, sondern eine vorangezogene Zusammenfassung des Objekts; sie bedeutet: Wir haben Kunde von
ihm, d.h., wir wissen, daß er in Ägypten..., daß er mit
den Königen...

שמע צעקה

Ex 3,7:   ראה ראיתי את עני עמי... ואת צעקתם שמעתי

"Ich habe das Elend meines Volkes gesehen...und ihr Schreien
habe ich gehört; ja ich kenne ihre Leiden".

Ex 22,22:   כי אם צעק יצעק אלי שמע אשמע צעקתו

"Wenn sie schreien zu mir, so werde ich ihr Schreien gewiß
erhören".

Jer 20,16: וישמע צעקה בבקר תרועה בעת צהרים

"Er höre Wehegeschrei am Morgen und Kriegslärm zur Mit-
tagszeit!"

Jer 48,5: ...צעקת שבר שמעו

"Am Abhang von Horonajim hört man das Geschrei der Zerstörung".

Ijob 27,9: הצעקתו ישמע אל

"Wird Gott sein Schreien er/hören, wenn die Not ihn über-
fällt?"

Ijob 34,28: להביא עליו צעקת דל וצעקת עניים ישמע

"Indem er des Armen Geschrei vor sich kommen ließ und das
Geschrei der Bedrückten er/hörte".

Neh 5,6: כאשר שמעתי את זעקתם ואת הדברים האלה

"Als ich ihre Klagen und Berichte hörte, war ich sehr zornig".

Neh 9,9: ואת זעקתם שמעת על ים סוף

"Du hast das Elend unserer Väter in Ägypten gesehen und
ihr Schreien am Schilfmeer gehört".

In einigen Belegen wird zuerst die sinnliche Wahrnehmung betont, so in Jer 48,5 oder Neh 5,6. In anderen Belegen, besonders wo Gott das Subjekt des Hörens ist, sind
Hören und Erhören in der Sprechhandlung nicht trennbar,
so z.B. in Ex 22,22 mit der Verstärkung des absoluten Infinitivs. Auch in Ijob 34,28 (das Geschrei, das bis zu Gott
geht) ist mehr als sinnliche Wahrnehmung gemeint. In Neh
9,9 oder Ex (das Geschrei in Ägypten) wird ebenfalls mit
der Erhörung gerechnet. Die Art des Geschreis prägt die
Art des Hörens.

שמע נאקה

Ex 2,24: וישמע אלהים את נאקתם ויזכר ויָרא... וַיֵדַע...

"Und Gott hörte ihre Wehklage und gedachte seines Bundes...

und sah... und erkannte..."

Ex 6,5:   וגם אני שמעתי נאקת בני ישראל... ואזכר את בריתי
"Und ich habe auch das Wehklagen der Israeliten gehört...,
und habe meines Bundes gedacht".

שמע תלונה

Ex 16,7:   בשמעו את תלנתיכם על ייוה
"Am Abend werdet ihr erkennen..., am Morgen werdet ihr
die Herrlichkeit des Herrn sehen; denn er hat euer Murren
wider Jahwe gehört..."

Ex 16,8:   בשמע יהוה את תלנתיכם אשר אתם מלינם עליו
"Denn Jahwe hat euer Murren gehört, womit ihr wider ihn
murrt".

Ex 16,9:   כי שמע את תלנתיכם
"Denn er hat euer Murren gehört".

Ex 16,11:   שמעתי את תלונת בני ישראל
"Ich habe das Murren der Israeliten gehört".

Num 14,27:   את תלנות בני ישראל אשר המה מלינים עלי שמעתי
"Das Murren, das die Israeliten wider mich erheben, habe
ich gehört".

        Zweifellos vollzieht sich hier eine Handlung der sinn-
lichen Wahrnehmung. Die Äußerung ist ein Akt des Hörens;
die Sprachsituation schließt Konsequenzen an, die kogniti-
ve Operationen mit willentlichen Akten verbinden[1]. Das
Murren (Akk.-Objekt) bedingt und prägt den Akt des Hörens
und seine Konsequenzen. Der Ausdruck ist nur in Ex 16 und
Num 14,27 vertreten (P-Schrift).

        Andere Beispiele der sinnlichen Wahrnehmung:
Ri 5,16:   למה ישבת בין המשפתים לשמע שרקות עדרים
"Wozu saßest du zwischen den Hürden, das Fötenspiel bei
den Herden zu hören?"

Am 5,23:   הסר מעלי המון שריך וזמרת נבליך לא אשמע
"Hinweg von mir mit der Menge deiner Lieder! Das Spiel
deiner Harfen mag ich nicht hören!"

Gehört wird nicht die Harfe, sondern זמרת נבליך.

Ps 31,14:   כי שמעתי דבת רבים

"Ich höre das Zischeln vieler..."

Ps 102,21:   יהוה משמים אל ארץ הביט לשמע אנקת אסיר...

"Wenn Jahwe vom Himmel hernieder auf die Erde geschaut
hat, das Seufzen der Gefangenen zu hören..."

שמע (את) דבר

Das häufigste Akk.-Objekt von שמע ist דבר. Es ist
mehr als 90mal belegt. Die größte Zahl der Belege kommt
in Jer vor (30mal); in Ez ist es 13mal vertreten. In Dt-Jes
fällt es aus. Auch אמר kann vorkommen (4mal). In Ijob wird
מלין (מלה) gebraucht. Dieses Objekt kann verschiedene Funktionen übernehmen:

Gen 27,34:   כשמע עשו את דברי אביו   ויצעק צעקה גדלה...

"Als Esau seinen Vater / die Worte seines Vaters hörte,   ⸺
schrie er..."

Durch שמע את דברי... wird die direkte sinnliche Wahrnehmung ausgedrückt.

1 Sam 11,6:   בשמעו את הדברים האלה   ויחר אפו מאד

"Und man erzählte ihm das Anliegen der Männer von Jabesch.
Als er es (diese Worte / die Botschaft) hörte, entbrannte
sein Zorn heftig".

Es wird etwas berichtet; Hören und Erfahren wird שמע
ausgedrückt.

1 Sam 17,11:   וישמע שאול וכל ישראל את דברי הפלשתי האלה

"Und der Philister sprach:... Als Saul und ganz Israel
diese Worte des Philisters (den Philister) hörten, versag-
ten sie und fürchteten sich sehr".

Es handelt sich um ein Wort, das unmittelbar vernommen
wird. שמע את דברי... betont die "Hörbarkeit" eines Redenden. In diesen Beispielen liegt das folgende Schema vor:
Aussage - Anhörung - Reaktion.

Die nächsten Beispiele zeigen eine andere Struktur:

Gen 31,1:   וישמע את דברי בני לבן לאמר...

"Da vernahm er, daß die Söhne Labans sagten:... Und Jakob
sah an Labans Miene..."

Gen 39,19:   כשמע אדניו את דברי אשתו אשר דברה אליו לאמר...
"Als sein Herr hörte, was seine Frau erzählte, indem sie
sagte:..., ward er sehr zornig... und legte Josef in das
Gefängnis".

     Bei gleichem Inhalt ist die Struktur hier anders:
Anhörung (mit dem Zitat) - Reaktion

     Diese Erzählungsstrukturen verlangen aber nicht das
Objekt דבר. שמע kann mit דבר oder auch absolut konstruiert
werden. Einige Beispiele:

Gen 18,10-12:   ויאמר....   ושרה שמעת פתח האהל...   תצחק שרה...
"Da sprach er:... Sara hörte zu am Eingang des Zeltes...
Und Sara lachte..."

     Aussage - Anhörung - Reaktion. שמע ist ohne דבר.

Lev 10,19-20:   וידבר אהרן אל משה...   וישמע משה וייטב בעיניו
"Aaron aber sprach zu Mose:... Als Mose das hörte, war
er es zufrieden".

     In den vorliegenden Belegen zeigt sich:

- דבר kann Objekt von שמע als Gegenstand der sinnlichen
Wahrnehmung sein.

- שמע את דברי''' bedeutet "Eine Rede hören", "Worte hören"
oder einfach "hören" in bezug auf einen Spruch, Worte oder
eine Rede.

- דברי''' ist wie ein "Fürwort" für Wort, Spruch,Rede.
Das Wort ist ein Begriff, der auf den Spruch hinweist oder
der den Spruch zusammenfaßt und wiederholt. Bei dem Ausdruck
"als er die Worte hörte", und zwar die soeben gehörten
Worte, kann "Worte" durch ein Fürwort ersetzt werden: "als
er es hörte..."

- Der Gebrauch von דברי''' ist nicht verpflichtend; fällt
es aus, so wird es nicht durch ein Pronomen ersetzt.

- In Erzählungen sind mehrere Strukturen möglich. Es wurden
zwei belegt, die eine wiederholende Regelmäßigkeit zeigen.

שמע דבר, *Ausdruck des mittelbaren Hörens: erfahren*

Die hebräische Sprache kann die Unmittelbarkeit des
"Hörens" unterstreichen (z.B. durch באזנים), aber häufig
werden direktes und indirektes Hören durch dieselbe Konstruktion (שמע את הדברים) ausgedrückt. Auffällig ist allerdings, daß an einigen Stellen statt des Plurals שמע את
הדברים der Singular steht: שמע הדבר. Durch diese Wendung
werden die einzelnen Wörter zu einer Gesamtheit zusammengefaßt; es kommt offenbar weniger auf den Vorgang des sukzes-
siven Hörens der einzelnen Wörter nacheinander an als vielmehr darauf, daß hier viele Wörter zusammenfassend als
Einheit angesehen werden. Das heißt: es geht weniger um
die direkte sinnliche Wahrnehmung als vielmehr darum, daß
Wörter als Gesamtheit "vernommen, erfahren" werden.

1 Kön 20,11-12:   כשמע את הדבר הזה ... ויאמר אל עבדיו שימו
"Aber der König von Israel antwortete: Sagt ihm: Wer das
Schwert umgürtet, rühme sich nicht wie einer, der es ablegt!
Als (Ben Hadad) dieses Wort hörte..., sprach er zu seinen
Leuten: Belagert!"
    Der zusammenfassende Charakter von דבר kann so stark
sein, daß sich im Deutschen nicht die Wiedergabe durch
"Wort", sondern durch "Sache, Angelegenheit" empfiehlt:
Ex 2,15:   וישמע פרעה את הדבר הזה
"Und er schaute sich nach allen Seiten um, und als er sah,
daß kein Mensch zugegen war, erschlug er den Ägypter...
Der Pharao hörte von der Sache (erfuhr es), und er trachtete
danach, Mose zu töten".
    Es gibt Fälle, bei denen von der Sprechsituation her
sowohl ein Hören von gesprochenen Worten als das Vernehmen
eines zusammenfassenden Berichtes möglich ist. Ein Beispiel
dafür ist
Ri 9,30:   וישמע זבל שר העיר את דברי געל
"Und Gaal... sprach:...Als Sebul, der Oberste der Stadt,
die Worte Gaals...hörte, entbrannte sein Zorn..."

Die Erzählungsstruktur ist:
Aussage (mit Spruch oder Rede) - Anhörung oder Zur-Kenntnisnahme - Reaktion.

Zur (sinnlichen) Wahrnehmung von Worten: שמע קול ist
die häufigste Wendung, um einen Laut von jeder Art zu hören,
aber auch שמע (את) דבר ist eine gewöhnliche Wendung, um
die sinnliche Wahrnehmung (oder Zur-Kenntnisnahme) eines
Spruches oder Wortes auszudrücken.

Die redende Person kann nur durch ihr Wort wahrgenommen
werden. Die Person selbst ist kein Gegenstand der Wahrnehmung, sondern ihr Wort bzw. ihre Wörter. Besonders wichtig
ist diese Wendung im Singular beim Wort Jahwes, wo anscheinend nicht das Hören der einzelnen Wörter, sondern die
Botschaft in ihrer Gesamtheit gemeint ist; vgl. die folgenden Belege:

Gen 24,30:	וכשמעו את דברי רבקה
Gen 27,34:	כשמע את דברי אביו
Gen 31,1:	וישמע את דברי בני לבן
Gen 39,19:	כשמע את דברי אשתו
Num 24,4.16:	שמע אמרי אל
Jos 1,18:	ולא שמע את דבריך
Jos 3,9:	ושמעו את דברי יהוה אלהיכם
Jos 24,27:	כי היא שמעה את כל אמרי יהוה
Ri 9,30:	וישמע את דברי געל
1 Sam 8,21:	וישמע את כל דברי העם
1 Sam 17,11:	וישמע את דברי הפלשתי
1 Sam 24,9:	תשמע את דברי אדם
1 Sam 25,24:	ושמע את דברי אמתך
1 Sam 26,19:	ועתה ישמע נא את דברי עבדו
1 Sam 28,21:	ואשמע את דבריך
2 Sam 20,17:	שמע דברי אמתך
1 Kön 5,21:	כשמע את דברי שלמה
1 Kön 12,24:	וישמעו את דבר יהוה
1 Kön 13,4:	כשמע את דבר איש האלהים
2 Kön 7,1:	שמעו דבר יהוה

2 Kön 7,1:	שמעו דבר יהוה
2 Kön 18,28:	שמעו דבר המלך
2 Kön 19,4:	אולי ישמע את כל דברי רבשקה
2 Kön 19,16:	ושמע את דברי סנחריב
2 Kön 20,16:	שמע דבר יהוה
2 Kön 22,11:	כשמע את דברי ספר התורה
Jes 1,10:	שמעו דבר יהוה
Jes 28,14:	שמעו דבר יהוה
Jes 29,18:	ושמעו דברי ספר
Jer 2,4; 7,2; 17,20; 19,3; 22,2; 22,9; 29,20;	
31,9; 34,4; 36,11; 42,15; 44,24.26:	שמעו דבר יהוה
Jer 9,19:	כי שמענה דבר יהוה
Jer 11,2.3.6:	שמע את דברי הברית הזאת
Ez 5,3:	שמעו דבר אדני יהוה
Ez 13,2; 16,35; 21,3; 34,7.9; 36,1.4; 37,4:	שמעו דבר יהוה
Hos 4,1:	שמעו דבר יהוה
Am 7,16:	שמעו דבר יהוה
Am 8,11:	כי אם לשמע את דברי יהוה
Est 1,18:	שמעו את דבר המלכה
Dan 8,9:	כשמעם את דברי התורה
2 Chr 11,4:	וישמעו את דברי יהוה
2 Chr 18,18:	לכן שמעו דבר יהוה
2 Chr 34,19:	ויהי כשמע את דברי התורה

Eine redende oder sprechende Person wird durch ihr
דבר bzw. ihr דברים hörbar. Ein Buch, ein Gesetz wird als
דבר sinnlich wahrgenommen, indem es durch ein laut gespro-
chenes Wort bekannt gemacht wird. Die Worte einer Botschaft
werden als דבר wahrgenommen, indem der Bote die Worte laut
spricht. Wie die Belege zeigen, spielt der Ausdruck שמע דבר
יהוה eine bedeutende Rolle besonders bei Jer und Ez. Als
syntaktischer Ausdruck bietet die Wendung keine Schwierigkeit; als theologische Äußerung bedarf sie einer eigenen
Untersuchung. J.SCHREINER bezeichnet דבר als "terminus
technicus für das göttliche Offenbarungswort"[1]. Das ist
nicht auszuschließen. Als Objekt von שמע nimmt דבר auf die

---

1) SCHREINER, Hören auf Gott, 27-47.

Bedeutung von שמע Einfluß und erweitert das Bedeutungsfeld.
דבר im Singular steht für ein Ganzes: ein Wort, eine Botschaft, eine Rede, eine vorgetragene Lesung, eine Predigt,
eine Verkündigung, ein Gespräch. Alles, was laut gesprochen
wird, kann als דבר bezeichnet werden. Wenn man die Wahrnehmung dieser verschiedenen gesprochenen Wirklichkeiten darstellen will, dann wird der Ausdruck שמע (את) דבר gebraucht;
wahrgenommen und angenommen wird dabei nicht nur der Laut
der Wörter,sondern die Worte und ihr Inhalt.
Wenn ein Wort wahrgenommen wird, wird auch der Inhalt wahrgenommen, also wird es auch verstanden. Eine Nachricht,
ein Spruch wird weitererzählt. So ist die Sache bekannt
gemacht. Das Bekanntwerden durch Weitergabe oder durch
Erzählen kann auch mit dem Ausdruck שמע דבר gesagt werden.
So hat die Wendung auch die Bedeutung "(durch Erzählungen
oder Berichte) erfahren".

שמע דבר, *Einladung/Aufforderung zum Hören*

1 Sam 25,24:   ושמע את דברי אמתך
"Höre die Worte deiner Magd: Mein Herr möge sich doch nicht
um diesen nichtswürdigen Menschen, den Nabal, kümmern!"
    Die Frau bittet, angehört zu werden. Ihr Wort soll
Zugang zu David erhalten. Zweck der Rede wird es sein,
Erhörung zu finden. Die Frau stellt sich sehr bescheiden
vor. Sie bittet nur darum, ihre Worte vortragen zu dürfen.
David möge nur anhören und ihre Worte vernehmen.
1 Sam 26,19:   ועתה ישמע נא אדני המלך את דברי עבדו
"So höre doch nun mein Herr und König die Worte seines
Knechtes:..."
    Nachdem David Speer und Wasserkrug aus dem Lager Sauls
unbemerkt mitnehmen konnte, schreit er aus der Ferne. David
verlangt zuerst Hinhören, d.h. Aufmerksamkeit für seine
Worte.
2 Sam 20,16.17:   שמעו שמעו ...
                                              שמע דברי אמתך

"Höret! höret! ...Höre die Worte deiner Magd an".

Mit dem Schreien wird Aufmerksamkeit verlangt. Joab
nähert sich. Die Frau spricht: "Höre die Worte deiner Magd
an". Und Joab sagt: שמע אנכי ("Ich höre"). Die Frau versucht, ein Gespräch mit dem Belagerer zu führen. Dafür
muß sie zuerst rufen: Zwei Imperative(absolut konstruiert).
Dann folgt die Einladung zum Hören. Joab erklärt sich bereit
(שמע אנכי). Die Anhörung ist sicher der Hauptgedanke von
שמע דברים. Die Sprecherin hat das Überzeugen zum Ziel.
Der Zuhörer ist zuerst für eine Anhörung bereit. Dieser
Sprechhandlung wiederholt sich in 2 Kön 18,28.

2 Kön 19,16:   ושמע את דברי סנחריב אשר שלחו לחרף אלהים חי
"....Vernimm die Worte Sanheribs, der hierher gesandt hat,
den lebendigen Gott zu höhnen".

Jede Erhörung der Worte Sanheribs ist ausgeschlossen;
es handelt sich um Anhörung: Gott soll die höhnende Rede
gegen ihn richtig erfahren und dagegen wirken; er soll
den Inhalt der Rede genau aufnehmen.
Diese Belege sollen klar machen:
- שמע (את) דבר hat auch in einleitenden Aufforderungen
die Bedeutung "(an)hören".
- die Art der Anhörung entspricht dem Inhalt von דבר. Mehr
als die sinnliche Wahrnehmung sind das Verständnis und
die Annahme der Rede wichtig;
- die häufige Wiederholung dieser Wendungen bei den Propheten ist kein Argument für exklusiven Gebrauch bei ihnen.
Konstruktion und Bedeutung sind auch typisch für die nicht
prophetische Sprache.
- Der Ausdruck "Anhörung finden" ist auch mit dem Gebrauch
von שמע in der Rechtssprache verbunden. Ein Beleg zeigt
diese Beziehung:
2 Sam 15,3: ראה דבריך טובים ונכחים ושמע אין לך מאת המלך
"Siehe, deine Worte (deine Rechtssache) sind ja gut und
recht, aber du hast keinen, der dich anhört"(s.u.).
- Zum Anhören gehört auch die weitere entsprechende Behandlung des Angehörten[1].

שמע שפה

קול, דברים/דבר, אמר, מלה sind häufig Gegenstand der
Wahrnehmung von שמע. Aber nicht nur ein Laut, ein Wort,
Wörter und Worte können sinnlich und sinngemäß wahrgenommen
werden, auch eine Sprache (לשון/שפה) kann Objekt von שמע
sein. 8mal ist in dem Text des AT der Begriff "Sprache",
als Objekt, mit שמע verbunden. Die Belege sind in verschiedenen Büchern verstreut, so daß es als regelmäßiger Gebrauch
der hebräischen Sprache erscheint. Es ist an den Belegen
zu überprüfen, wie weit dieses Objekt (לשון/שפה) auf die
Bedeutung von שמע Einfluß nimmt.

Jer 5,15:   גוי לא תדע לשנו ולא תשמע מה ידבר
"Ich lasse über euch herfallen ein Volk aus der Ferne...,
ein unüberwindliches Volk ist es, ein uraltes Volk, ein
Volk dessen Sprache du nicht kennst und dessen Rede du
nicht verstehst".

Der Parallelismus in dem letzten Satz zeigt deutlich,
daß beide Verben (שמע-ידע) ähnliche Objekte und ähnliche
Bedeutung besitzen, und zwar "verstehen", "kennen".

2 Kön 18,26(Jes 36,11):   דבר נא אל עבדיך ארמית כי שמעים אנחנו
"Sprich doch aramäisch mit deinen Knechten; wir verstehen
es. Sprich vor den Ohren des Volkes, das auf der Mauer
steht, nicht judäisch mit uns".

Wegen des Geheimhaltens der Verhandlungen verlangen
die Führer den Gebrauch des Aramäischen; sie selbst verstehen auch aramäisch.

Dtn 28,49:   ...גוי אשר לא תשמע לשנו
"Der Herr trägt zum Kampf gegen dich ein Volk aus der Ferne
herbei, von den Enden der Erde, so wie der Adler fliegt,
ein Volk, dessen Sprache du nicht verstehst"(Die Einheitsübersetzung dagegen: "Ein Volk, dessen Sprache du noch nicht
gehört hast").

Der Parallelismus mit Jer 5,15 läßt jedoch die Überset-

---

1) שמע wird in der Einleitung einer Rede geläufig ohne דבר konstruiert.

zung *verstehen* bevorzugen. Auch G. von RAD übersetzt: "dessen Sprache du nicht verstehst"[1].

Ez 3,6:　　　　עמים רבים עמקי שפה וכבדי לשון אשר לא תשמע דבריהם

אם לא אליהם שלחתיך המה ישמעא אליך

ובית ישראל לו יאבו לשמע אליך כי אינם אבים לשמע אלי

"Denn nicht zu einem Volk mit dunkler Sprache (und schwerer Zunge) bist du gesendet (zum Hause Israel) 'und' nicht
zu vielen Völkern (mit dunkler Sprache und schwerer Zunge),
deren Worte du nicht verstehen konntest. 'Wenn' ich dich
zu ihnen senden würde, sie würden auf dich hören. Aber
das Haus Israel will nicht auf dich hören, denn sie wollen
nicht auf mich hören"[2].

Die möglichen Zusätze stören nicht das Verständnis
von שמע, sondern betonen die Unverständlichkeit der Sprache. "In den Zusätzen in 3,5f. ist die Aussage von der
unverständlichen Sprache kräftig unterstrichen worden"[3].
Ein ähnlicher Text tritt in Jes 33,19 auf.

Die Unverständlichkeit einer Sprache gehört zum intel-
lektuellen Bereich, und hier hat שמע einen Platz. In diesem
Kontext zeigt das Verb auch andere Bedeutungsbereiche:
שמע אל ist Ausdruck des Wollens oder Nicht-Wollens, d.h.
das Verb verkörpert eine volitive Äußerung.

Gen 11,7:　　　　　　　　　הנה נרדה ונבלה שם שפתם

אשר לא ישמעו איש שפת רעהו

"Auf, steigen wir hinab, und verwirren dort ihre Sprache,
so daß keiner mehr die Sprache der anderen versteht".

Gen 42,21-23:　　　　　　　אל תחטאו בילד ולא שמעתם

והם לא ידעו כי שמע יוסף כי המליץ בינתם

"Habe ich euch nicht gesagt: Versündigt euch nicht an dem
Kind! Ihr aber habt nicht gehört... Sie aber ahnten nicht,
daß Josef sie verstand, denn es war ein Dolmetscher zwischen
ihnen"[4].

---

1) G. von RAD, ATD 8,123.

2) W.ZIMMERLI, BK XIII/1,3.

3) Ibid. 80.

4) G. von RAD, ATD II-IV.

Die Übersetzung "verstehen" ist angemessen. Gen 42,21-
23 zeigt die Vielseitigkeit der Bedeutung von שמע: a) eine
Sprache hören heißt, sie verstehen; b) ein Bitte hören
heißt, sie erhören; c) einen Befehl hören heißt, ihn erfüllen, ihm gehorchen.

Das Objekt von שמע beeinflußt und prägt die Bedeutung
dieses Verbs.

Ps 81,6:   שפת לא ידעתי אשמע...

"Entscheid des Gottes Jakobs. Das hat er als Gesetz für
Josef erlassen, als Gott gegen Ägypten auszog. Eine mir
unbekannte (= fremde) Sprache wollte ich verstehen".

F.DELITZSCH meint: "Dass aber אשמע...שפת, relativisch
zu מצרים gehörig, nichts weiter bed. als: wo ich eine Sprache hörte, die ich nicht verstand, ist, so nahe es durch
114,1 (vgl. שמע Dt 28,49. Jes 33,19. Jer 5,15) gelegt wird,
sehr unwahrsch."[1]. DELITZSCH hat es schon richtig gesehen,
hat dann aber eine andere Auslegung versucht. In Wirklichkeit bedeutet der Text: Ein fremdes Volk war Israel in
Ägypten (ein Volk mit einem unverständlichen Sprache);
Gott hat den Entschluß getroffen, dieses Volk zu retten.
Diser Satzbau von Ps 81,6 ist auch in Ijob 29,16; 2 Sam
22,44; Ps 18,44 vorhanden[2].

Nach dem hebräischen Denken wird eine Sprache dann
"gehört", wenn sie als Sprache und nicht nur als Laut wahrgenommen wird, d.h., erst wenn die Sprache verstanden wird.
Die Qualität des Objekts bestimmt die Qualität des Hörens:
Wörter, Sätze oder größere Einheiten, die die Sprache bilden, sind mehr als zufällige Klänge. Das Hören einer Spra-

---

1) Commentar über den Psalter 620.

2) Zum Ausdruck לא ידעתי äußert sich BOTTERWECK (TWAT III 494):"'Andere
   Götter nicht kennen' bezeichnet Israels Beziehungslosigkeit gegenü-
   ber den Göttern fremder Völker. Ähnlich beim Ausdruck 'ein Volk,
   das du nicht kennst' (Dtn 28,33.36; 2 Sam 24,44; Jer 9,15; Ez 28,19;
   Sach 7,14; Ruth 2,11; Jes 55,5). Ein weiterer Ausdruck ist 'ein
   Land, das ihr nicht kennt' (Jer 15,14; 16,13; 17,4; 22,28; Ez 32,9)".

che beinhaltet das Wahrnehmen des Wesens der Sprache, die
Verständigung.

שמע (את) תפלה

שמע תפלה ist 7mal in den Psalmen belegt, regelmäßig ohne
nota accusativi. שמע את תפלה ist belegt: 1mal in 2 Kön
20,5; 2mal in 1 Kön (8,45.49); 3mal im Paralleltext (2
Chr 6,35.39; 7,12). שמע אל תפלה ist belegt: 2mal in 1 Kön
(8,28.29); 2mal im Paralleltext (2 Chr 6,19.20); Neh 1,6;
Dan 9,17.

Die Belege in den Psalmen:
Ps 4,2:   חנני ושמע תפלתי
"Sei mir gnädig und erhöre mein Gebet!"
Ps 39,13:   שמעה תפלתי יהוה ושועתי האזינה
"(Er)höre mein Gebet, o Herr, vernimm mein Schreien"
Ps 54,3:   אלהים שמע תפלתי   האזינה לאמרי פי
"O Gott, erhöre mein Gebet, vernimm die Rede meines Mundes".
       Gleiche Ausdrücke liegen auch in den nächsten Psalmen
vor:
Ps 65,3:   שמע תפלתי
Ps 84,9:   שמעה תפלתי
Ps 102,2:   שמעה תפלתי
Ps 143,1:   שמע תפלתי
       Die Belege von 1 Kön 8 und 2 Chr 6 wurden shon zitiert
(s.o. שמע אל). In diesem Text erscheint die Form שמע אל תפלה.
In 1 Kön 8,45.49 (2 Chr 5,35.39) wird שמע את תפלה konstruiert.
Das ist auch in 1 Kön 20,5 der Fall:
                    שמעתי את תפלתך ראיתי את דמעתך
"Ich habe dein Gebet gehört und deine Tränen gesehen".
Der Satz ist nach dem Muster der sinnlichen Wahrnehmung
aufgebaut. Das Objekt תפלה und dazu die Äußerung des Hörens
und des Sehens nebeneinander(s.u.) bringen eine Sprechhand-
lung der Erhörung zum Ausdruck.
Dan 9,17:   שמע אלהינו אל תפלת עבדך ואל תחנוניו

"Und nun höre, unser Gott, auf das Gebet und Flehen deines
Knechtes..."

Neh 1,6:   חזי נא אזנך קשבת ועיניך פתוחות לשמע אל תפלת עבדך
"Laß doch dein Ohr aufmerken und deine Augen offen sein,
daß du auf das Gebet deines Knechtes hörst, das ich jetzt
vor dir bete..."

     Die drei Konstruktionen -שמע תפלה, שמע את תפלה, שמע
תפלה-אל erwecken den Eindruck, daß diese syntaktischen
Strukturen gemischt benutzt werden. Hier sind zwei Entwicklungen zu vermuten: a) Die Änderung der sozialen Strukturen,
in denen der Ausdruck gebraucht wurde; b) in späteren Texten
ist תפלה (את) שמע wahrscheinlich אל שמע geworden; Neh 1,6;
Dan 9,17 und sogar 1 Kön 8 gelten als spätere Texte[1]. Älterer Herkunft sind dagegen die Belege in den Psalmen (s.u.).
In diesem Zusammenhang scheint אל שמע eine spätere Sprachäußerung zu sein. S.o. die Belege von מצות אל שמע, שמע את
מצות, מצות שמע. Eine diachronische Entwicklung bleibt die
beste Vermutung. Daß die Präpositionen von 1 Kön 8 ohne
Änderungen in 1 Chr 6-7 übernommen wurden, ist ein Zeichen
dafür, daß sie bewußt gebraucht wurden.

שמע משפט

     משפט als Objekt von שמע ist nur 2mal belegt (1 Kön
3,11.28; mit anderer Bedeutung im Plural המשפטים את שמע
in Dtn 5,1; 7,11). Diese zwei Belege zeigen den Gebrauch
von שמע in der Sprache der Gerichtsverhandlungen und der
Rechtsprechung.

1 Kön 3,9:   ונתת לעבדך לב שמע לשפט את עמך
                             להבין בין טוב לרע
"So wolltest du deinem Knecht ein gehorsames Herz geben,
damit er dein Volk richten könne und verstehen, was gut
und böse ist".

---

1) Siehe BENTZEN, HAT 19,75; NOTH, Überlieferungsg. 127; NOTH schätzt
   1 Kön 8,28.29.30 als "sekundäre Auffüllungen" (BK IX/1,42).

Die Zürcher Bibel übersetzt: "Ein verständiges Herz".
Der ganze Text und auch שמע ist im Bereich der Rechtsprechung am besten verständlich, wie es die nächsten Belege
zeigen.

1 Kön 3,11: ושאלת לך הבין לשמע משפט

"Und bittest um Einsicht, das Recht zu verstehen".

Ziel der Handlung von שמע ist משפט. Dieses Objekt
gibt Inhalt und Prägung dem Verb. Noth hat in seinem Kommentar diesen Sinn richtig gesehen: "Ein Objekt des *Hörens
des Herzens* wird hier so wenig genannt wie in 1 Kö 3,9;
in 1 Kö 3,11 erscheint dann משפט als Objekt. Auch im letzte-
ren Falle ist schwerlich nur an das aufmerksame Anhören
der Parteien einer Gerichtsverhandlung gedacht, wohl auch
nicht nur an das Achten auf guten menschlichen Rat. Vielmehr
dürfte vor allem das *Hören* auf die jeweils rechte innere
Eingebung gemeint sein, hinter der in Ägypten die Ordnungs-
macht der Maat (RÄRG 430-434), im AT das Walten Jahwes
vorausgesetzt ist (משפט 11 bezeichnet dann ungefähr die
richtige Entscheidung)"[1].

"Einsicht, um die richtige Entscheidung zu treffen"
hat allgemein mit der Regierungstätigkeit zu tun. Wie 1
Kön 3,16-28 zeigt, meint der Text aber nicht zuletzt die
Weisheit und Fähigkeit in der Rechtsprechung. Andere Belege
bestätigen, wie שמע in der Umgebung vom oder parallel zum
Verb שפט, eine aktive Rolle in den Sprechhandlungen der
Rechtsprechung spielte.

Dtn 1,16-17: שמע בין אחיכם

ושפטתם צדק בין איש ובין אחיו ובין גרו
לא תכירו פנים במשפט כקטן כגדל תשמעון
לא תגורו מפני איש כי המשפט לאלהים הוא
והדבר אשר יקשה מכם תקרבון אלי שמעתיו

"Verhört eure Brüder und schlichtet recht zwischen dem
Manne und seinem Bruder oder seinem Fremdling. Schaut im
Gericht nicht auf die Person. Hört den Geringen an wie

---

1) NOTH, BK IX/1,51.

den Großen. Vor keinem dürft ihr euch fürchten, denn das
Gericht ist Gottes Sache. Ist aber eine Sache euch zu
schwer, so bringt sie vor mich, daß ich sie höre".

   3mal kommt שמע vor; 3mal bezieht es sich auf Rechtsprechung. Parallele oder korrespondierende Ausdrücke in diesem
Text sind: שפט צדק, לא הכיר פנים. דבר ist eine *Rechtsfra-*
ge. Das dritte Mal hat das Verb שמע gerade דבר als Objekt.
Eine Sache hören bedeutet hier, eine Sache im Gericht ver-
handeln. Nicht nur שפט, sondern auch שמע kann zum Bereich
der Rechtsprechung gehören und sogar dieselbe Rechtspre-
chungshandlung bezeichnen.

2 Sam 15,3:   ראה דבריך טובים ונכחים ושמע אין מאת המלך

                       ויאמר אבשלום מי ישמני שפט בארץ

                  ועלי יבוא כל איש אשר יהוה לו ריב ומשפט והצדקתי

"Abschalom sagte zu ihm: Siehst du wohl: deine Sache ist
gut und recht, aber beim König hast du keinen, der dich
anhört. Dann sagte Abschalom: Würde man mich doch zum Richter im Lande machen! Bei mir würde jedermann, der eine
Streitsache hätte und Entscheid (brauchte), Eingang finden, und ich würde ihm zu seinem Recht verhelfen".

   "Offenbar hielt der König regelmäßige Gerichtstage,
vielleicht besonders für die Nordstämme, ab, wie es sie
bei der Institution der Richter (vgl. Ri 4,4f...) gegeben
haben wird"[1].

   דבר, hier wie in Dtn 1,17, gehört zur Gerichtssprache
(= *Sache, Streitfrage*). Abschalom wollte König von Israel
werden und das Amt des Richters ausüben. Implizites Objekt von שמע ist דבר (= eine Sache hören und behandeln).
In diesem Zusammenhang kann auch 2 Sam 14,17 verstanden
werden.

2 Sam 14,17:   כי כמלאך האלהים כן אדני המלך לשמע הטוב והרע
"Denn gerade wie der Engel Gottes ist mein Herr König;
weiß er doch herauszuhören, was das Gute und was das Böse
ist".

---

1) HERTZBERG, ATD 1o,277.

Die richtige Entscheidung treffen, das ist wahrscheinlich der Gedanke des Ausdrucks שמע הטוב והרע. Das Gute und
das Böse (= Gegenteilbegriffe für die Ganzheit) unterscheiden und danach entscheiden, heißt die hier gepriesene Fähigkeit. Das inhaltliche Gewicht des Verbs wird von der Weite
und Breite des Objekts deutlich beeinflußt.

Ri 11,10:   יהוה יהיה שמע בינותינו
                                              אם לא כדברך כן נעשה

"Der Herr wird Richter sein zwischen uns, wenn wir nicht
nach deinem Worte tun"[1].

Nicht nur die ganze Gerichtsverhandlung oder die Rechtsprechung kann mit שמע ausgedrückt werden, sondern auch
die Anschuldigung (Anzeige - Anklage) kann dadurch geäußert
werden. Ein Rechtsfall kann mit den folgenden Worten beginnen:

Dtn 13,13:   כי תשמע באחת עריך ... לאמר

"Wenn du in einer deiner Städte hörst:...."(Es folgt die
Straftat).

Dtn 17,4:   והגד לך ושמעת ודרשת היטב והנה אמת נכון הדבר

"...und es dir hinterbracht wird, so sollst du verhören
und gründlich untersuchen, und ist es dann wahr, daß die
Sache wirklich also steht...".

Es handelt sich zuerst um eine Anzeige: הגד לך: "Es
wird dir angezeigt"[2]. So soll jetzt die Anhörung und Verhö-
rung stattfinden. Und es folgt eine gründliche Untersuchung.
Das Hören ist schon Teil dieser Untersuchung.

Zusammenfassend: In verschiedenen Stufen einer Gerichtsverhandlung kann שמע gebraucht werden. Das Ganze
wird als שמע משפט bezeichnet. Um es zu erreichen, sollte
man ein לב שמע besitzen. Man braucht Klugheit oder Einsicht,
um in schweren Fragen das Recht für alle sprechen zu können.
"Hören" ist somit: richtig hören + richtig erkennen + richtig entscheiden.

---

1) G.LIEDKE meint zu שפט: "Das špt-Handeln findet statt in einem 'Drei-
   ecksverhältnis': zwei Menschen oder zwei Gruppen von Menschen,
   deren Verhältnis zueinander nicht intakt ist, werden durch das

Gerichts- und Gebetssprache in den Psalmen?

Der Gebrauch von שמע in Rechtsprechhandlungen eröffnet
die Möglichkeit, eine nicht geringe Zahl von Belegen im
Buch der Psalmen zu überprüfen. Es geht um die Frage: Stehen
die Wendungen שמע תפלה-תחנה שמע קול ursprünglich in Verbindung
mit der Rechtsprechung im Heiligtum? Die Notwendigkeit
einer solchen Frage ergibt sich aus den Untersuchungen
von H.SCHMIDT, W.BEYERLIN und K.SEYBOLD[3].

Zuerst zu תפלה: Schon GESENIUS[4] bietet die Bedeutung von *die Anrufung Gottes als Richter* für תפלה. Nach
diesem Hinweis darf man fragen, ob שמע תפלה שמע קר eine
besondere Beziehung zu bestimmten Sprechhandlungen und
Gattungen besitzen. In diese Richtung geht die Bemerkung
DEISSLERs[5]: "Der Gebetsruf *Höre auf mein Rufen* ist vor
allem den individuellen Klagepsalmen eigentümlich... Doch
finden wir die Wendung auch sonst in Gebetstexten (cfr.
Dt 33,7; Jer 18,19 u.a.)". Ausdrücklich zitiert DEISSLER
Ps 4,2; 5,3; 28,2; 39,13; 54,4; 61,2; 66,19; 86,6 u.a.[6].
H.B.STÄHLI notiert: "Fast die Hälfte der t^{e}fillâ-Stellen
findet sich in den Psalmen, in denen der Beter (in den
Klageliedern des Einzelnen) Jahwe in der Not bittet, er
möge seine t^{e}fillâ hören... t^{e}fillâ bezeichnet hier eindeutig das Bitt- und Klagegebet... Von hier aus wird dann
in den Psalmenüberschriften t^{e}fillâ zum terminus technicus
für die Gattung des Klageliedes des Einzelnen..."[7].

špt eines Dritten oder Dritter wieder in den Zustand des salom
gebracht. Dies wird am deutlichsten in der Wendung špt ben X uben
Y 'richten zwischen X und Y'"(THAT II,1001).Eben diese Sprechhandlung wird in Jud 11,10 durch die Satzbildung שמע בין vermittelt.
2) G. von RAD, ATD 8.
3) SCHMIDT, Das Gebet des Angeklagten; BEYERLIN, Die Rettung des Bedrängten; SEYBOL, Das Gebet des Kranken im AT.
4) GESENIUS-BUHL, Handwörterbuch.
5) DEISSLER, Psal 119,244.
6) Ibid. 479.
7) STÄHLI, THAT II,427-432.

Nach den Beiträgen von H.SCHMIDT und W.BEYERLIN gehörten viele von den תפלה שמע - קול שמע -Belegen in den Psalmen ursprünglich zur Gottesgerichtsinstitution. "Was jene
Institution von der gewöhnlichen Rechtsprechung in Israel
wesentlich unterscheidet, ist das ganz anders geartete
Beweisverfahren, das mit Ordal, Eid oder Fluch als Feststel-
lungsmitteln gerade dann weiterführen soll, wenn die gewöhnlichen Beweismittel -Zeugen und Urkunden- fehlen oder
versagen. In dieser ihrer Eigenart entspricht die Institution des Gottesgerichts... der in den fraglichen Feindpsalmen zutage tretenden Not, daß Zeugnis gegen Zeugnis
steht..."[1]. Gerade in diesen Psalmen der Institution des
Gottesgerichts kommen die Wendungen am meisten vor. Wenn
man das Ergebnis von SCHMIDT benutzt, treten die Wendungen
in den folgenden intitutionsverbundenen Psalmen auf: 4;
5; 17; 27; 54; 55; 59; 64; 143. Nach Beyerlin gehören zur
Institution die Psalmen 4; 5; 17; 27; unsicherer sind die
Psalmen 54; 55; 59; 64; 143. Immer noch sicher ist die
Verbindung der Wendungen קול שמע - תפלה שמע mit der Institution des Gottesgerichts. Andere שמע-Ruf-Belege gehören
zu den Krankheitspsalmen: 6; 30; 31; 39;102[2]. Die Psalmen
30;40;66 gehören zu den Dankliedern des Einzelnen[3]. Diese
Psalmen sind mit den Klageliedern des Einzelnen eng verbunden. Danklieder sind nach GUNKEL[4] auch die Psalmen 18;
40; 65. Andere Belege stammen aus deutlich späteren Psalmen
(Ps 116; 145).

Der Gebrauch von שמע קולי - שמע תפלתי ist in Krank-
heitsliedern und Dankliedern belegt, aber besonders häufig
ist die Verwendung in den Psalmen, die zur sakralen Ge-

---

1) BEYERLIN, Die Rettung 54.

2) Siehe SEYBOLD, Das Gebet.

3) BECKER, Wege der Psalmenexegese 52.

4) GUNKEL, Psalmen.

richtsinstitution gehörten. So ist zu vermuten, daß die
Wendung als Hilferuf oder Geschrei einen festen Platz in
dieser Institution besaß. Gott sollte das Geschrei hören,
so wie jeder, der in Not ist, schreit. Dabei ist das Hören
zuerst als sinnliche Wahrnehmung gemeint. Das Geschrei
soll die Aufmerksamkeit erwecken. In diesen Zusammenhang
passen die Analyse und das Ergebnis von GOLDZIHER[1]: תפלה
als "die Anrufung Gottes als Richters". Das würde auch
erklären, warum hier שמע regelmäßig ohne Präposition als
Äußerung der sinnlichen Wahrnehmung aufgebaut wird. Nach
der Untersuchung von H.SCHMIDT werden diese Psalmen als
Klagepsalmen und als Gebet gebraucht. Die Verwendung des
Psalms änderte sich in Laufe der Zeit, aber die syntaktischen Formen sind geblieben. Was in der Gerichtsintitution
Geschrei und Anruf[2] war, ist später, als die Psalmen als
Gebete benutzt wurden, Bitte geworden. Es wird die Erhörung
ausgedrückt eigentlich mit syntaktischen Äußerungen, die
zur sinnlichen Wahrnehmung gehören. In späteren Zeiten
dient daher die Wendung שמע אל תפלה als Äußerung der Erhörung (siehe 1 Kön 8,2; Chr 6; Neh 1,6; Dan 9,17). Diese
letzte Form wäre eigentlich sehr geeignet, um die Erhörung
anzudeuten.

שמע חלום

Ri 7,15:   ויהי בשמע גדעון את מספר החלום ואת שברו
"Als Gideon die Erzählung des Traumes und seine Deutung
hörte, warf er sich nieder; dann kehrte er ins Lager Israels
zurück".

---

1) S. GESENIUS-BUHL, Wörterbuch.

2) In diesem Sinn ist wahrscheinlich Ps 59,8 zu verstehen: כי מי שמע
    ("Wer hört es?"). Die Heiden fragen: Gibt es eigentlich einen(Gott),
    der hört? Dieser Zweifel, meint der Psalmist, sei eine Lästerung.
    Parallel ist 2 Sam 15,3: "Einen, der hört, hast du nicht beim Kö-
    nig." Die Vermutung einer Glosse(s. BHS) ist nicht nötig.

Es handelt sich hier um eine sinnliche Wahrnehmung.
Erzählung und Deutung sind die Gegenstände.

Gen 37,6:   שמעו נא החלום הזה אשר חלמתי

"Hört einmal, diesen Traum, den ich geträumt habe!"

Hier findet sich eine Einladung/Aufforderung, die
Erzählung eines Traums anzuhören: sinnliche Wahrnehmung
mit Beziehung zu einem bestimmten Inhalt.

Gen 41,16:   ואני שמעתי עליך לאמר תשמע חלום לפתר אתו

"Ich habe von dir sagen hören, du kannst einen Traum so
begreifen ('hören'), daß du ihn auslegst".

Hier bedeutet das 'Hören' eines Traums die Aufnahme
des Traums als ganzen: sinnliche Wahrnehmung + Wahrnehmung
des Inhalts. Selbst der Text deutet an, in welchen Grad
das Hören geschieht: Du hörest so, daß du in der Lage bist,
ihn auszulegen. Diese Erklärung scheint naheliegend zu
sein. ל-Infinitiv bezeichnet, wie und in welchem Bereich
das Hören erfolgt (= du hörst den Traum in seiner Deutung).

Das Hören eines Traums kann verschiedene Stufen errei-
chen. Gen 37,6: Die Anhörung einer Erzählung. Gen 41,16:
Das Verstehen der Deutung. Die sinngemäße Übersetzung wäre:
"Du verstehst die Deutung der Träume".

שמע חידה

Ri 14,13:   חודה חידתך נשמענה

"Gib uns dein Rätsel zu raten, wir wollen es raten".

Wahrscheinlich ist hier שמע nicht nur als reines Hören
zu verstehen, sondern als *lösen* (= hören + verstehen).
Die reine sinnliche Wahrnehmung wäre wahrscheinlich ohne
Suffix konstruiert worden; das Suffix ist ungewöhnlich.
Zur näheren Bestimmung des Ausdrucks fehlen andere Belege.

שמע מוסר - גערה -תוכחה

מוסר ist ein Begriff, der mit Vorliebe vom Spr-Buch
gebraucht wird (50mal im AT; 30mal in Spr). Die am meisten

benutzte Wendung ist לקח מוסר, aber im Spr-Buch findet
sich die Wendung שמע מוסר (4mal). In bezug auf die Bedeutung besitzen beide Wendungen eine enge Verwandtschaft,
wie es sich in Jer 32,33 zeigt:

Jer 32,33:   ולמד אתם השכם ולמד   אינם שמעים לקחת מוסר

"Und obwohl ich sie unermüdlich belehrte, hörten sie nicht
darauf, daß sie Zucht angenommen hätten".

Jer 7,28:   ולא שמעו בקול יהוה אלהיו   ולא לקחו מוסר

Jer 17,23:   לבלתי שומע ולבלתי קחת מוסר

Jer 35,13:   הלוא תקחו מוסר לשמע אל דברי

Zef 3,2:   לא שמעה בקול   לא לקחה מוסר

Alle diese Belege, die aus der dtr Bearbeitung stammen[1], zeigen deutlich die Parallelität von שמע (בקול) -
לקח מוסר. מוסר: "Die Hauptbedeutung des Verbums ist züchtigen, die des Subst. musar Züchtigung; dabei kann sowohl
eine körperliche... wie auch -und zwar öfter- eine Züchtigung durch Worte im Sinne von zurechtweisen gemeint sein;
Rute und Worte sind als Mittel nicht zu kontrastieren,
denn beides gehörte zur Erziehung in der Familie... wie
auch in der Schule der Weisen"[2]. "Wie in erster Linie Eltern
und Lehrer sowie Gott die eigentlichen Subjekte sind, wird
die Züchtigung/Erziehung aus Autorität geübt, die eine
bestimmte Ordnung voraussetzt... Im weisheitlichen Bereich
ist die Wirkung weithin Zucht und Bildung des Einzelnen"[3].

Schon SAEBO betont die Verbindung mit שמע: "Unter
den mit musar verbundenen Verben ist vor allem s m ^c hören
bemerkenswert".

Auch תוכחת, Tadel, Zurechtweisung ist 9mal in den
Sprüchen mit מוסר verbunden[4]. Zu diesem Kontext gehört
auch גערה Schelten (Spr 13,1).

---

1) THIEL, WMANT 52,98.

2) SAEBO, THAT I 738-742.

3) Ibid. 740.

4) BRANSON, TWAT III 692.

Die positive oder negative Haltung eines Kindes oder
Jüngers vor מוסר kann mit שמע ausgedrückt werden. Es bedeutet die vollständige Annahme, die Haltung des Subjekts
der Erziehung vor dem Erzieher (Gott, Eltern, Lehrer).
Alles, was מוסר verlangt, wird erreicht, wenn das שמע eintritt.

Spr 1,8:   שמע בני מוסר אביך ואל תטש תורת אמך
"Höre, mein Sohn, auf die Zucht deines Vaters, und laß
nicht fahren die Weisung deiner Mutter!".

"Gegenüber der als strenger empfundenen Zucht des
Vaters wird imperativisch Gehorsam gefordert; gegenüber
der liebevoller gehaltenen Weisung der Mutter wird eher
eine Beherzigung empfohlen"[1].

Spr 4,1:   שמעו בנים מוסר אב והקשיבו לדעת בינה
Hört, ihr Söhne, auf die Zucht des Vaters, und merkt auf,
um Einsicht zu lernen!"

Weitere Belege liegen in Spr 8,32-34; 13,1 vor. In
15,31.33 ist תוכחה das Objekt; in 13,8 wie in 13,1 גערה.
Auch in diesen Texten bestimmt das Objekt die Bedeutung
von שמע.

Ijob 20,3:   מוסר כלמתי אשמע ורוח מבינתי יענני
"Die schmähende Rüge würde ich annehmen, aber der Geist
meiner Einsicht läßt mich eine Antwort geben".

Die Übersetzung bietet Schwierigkeiten. Der Ausdruck
ist einmalig.

Das Objekt gibt der sinnlichen Wahrnehmung eine viel
weitere Bedeutung. Hier wird die ganze Haltung des Jüngers
gefordert. Das zeigt schon genügend der parallele Ausdruck
לקח מוסר. Welche Antwort man erwartet, wird auch in Dtn
21,18 (das Verb יסר) deutlich. Das *Hören* ist ein *Annehmen*.

שמע דמים

Jes 33,15:   אטם אזנו משמע דמים

----

1) PLÖGER, BK XVII 1415.

"Wer in Gerechtigkeit wandelt und die Wahrheit spricht,
wer erpreßten Gewinn verschmäht, wer seine Hände abschüt-
telt, um keine Bestechungsgelder anzufassen, sein Ohr verstopft, um nichts von Blutschuld zu hören, und seine Augen
verschließt, um nichts Schlechtes mitanzusehen".

דמים ist ein Plural der räumlichen Ausdehnung und
bedeutet 'Blutlache', 'vergossenes Blut'[1]. In Verbindung
mit שמע sollte דמים einen Laut ausdrücken. "Jes 35,15 wird
damim anhören meist als das Planen von Bluttaten verstanden, doch GUTHE erklärt es als das Anhören von 'Reden,
die wie eine Blutschuld bestraft werden müssen, z.B. Gottes-
lästerung oder Verleitung zum Götzendienst'"[2]. Der gleichen
Meinung ist auch KAISER: "Wer seine Ohren verstopft, nicht
auf Mordpläne zu hören"[3]. Bei שמע דמים ist, wie bie hierher
beobachtet wurde, eine sinnliche Wahrnehmung zu erwarten:
d.h. das Wahrnehmen und Teilnehmen an *lautgesprochenen*
Mordpläne.
Auch in Qumran wird der Ausdruck benutzt:
1Q H VII,3:   שעו עיני מראאת רע אוזני משמוע דמים
"Verklebt waren meine Augen vom Sehen des Bösen und meine
Ohren vom Hören von Bluttaten"[4]. "...um nicht Mordtaten
zu vernehmen"[5].

Auch hier ist wahrscheinlich der Begriff *Mordpläne*
vernehmen die angemessene Übersetzung.

Partizipiales Objekt als Äußerung sinnlicher Wahrnehmung

Unter den Möglichkeiten der "direkten Unterordnung
des Nomens unter das Verb als Objektsakkusativ" ist die

---

1) MICHEL; Grundlegung 87-88.

2) WILDBERGER, BK X/3,1302.

3) KAISER, ATD 18,268.

4) LOHSE, Die Texte aus Qumran 138-139.

5) DUPONT-SOMMER, Die essenischen Schriften 241.

partizipiale Konstruktion: "Den Verbis sentiendi kann zur
näheren Bezeichnung der Tätigkeit oder Beschaffenheit,
in welcher man ein Objekt wahrnimmt, ein zweites Objekt
(meist in Gestalt eines Part. oder Adjektivs u.notwendig
indeterminiert) beigefügt werden, z.B. Nu 11,10: וישמע משה
את העם בכה u. Mose hörte das Volk weinen (eig. als weinen-
des)"[1]. Dieser Konstruktion widmet H.SCHULT seine Aufmerksamkeit[2]. Er beschreibt diesen grammatischen Vorgang so:
"Nach den Verben *R'H sehen, SM^c hören, MS' finden* steht
Akkusativ mit Partizip, wenn und weil ausgedrückt werden
soll, daß ein *Subjekt* mitsamt seinem *Prädikat* das direkte
Objekt der Wahrnehmung ist. Der Vorgang oder Zustand dauert
an, während die Wahrnehmung stattfindet"[3].

Die Belege sollen in zwei Gruppen unterteilt werden:
a) Belege, die als Akk.Objekt eine Person haben. b) Belege,
die als Akk.Objekt קול haben.

a) Akkusativ-Objekt (=eine Person) + Partizip (=inde-
terminiert):
Gen 27,6: הנה שמעתי את אביך מדבר
"Siehe, ich habe gehört, wie dein Vater zu deinem Bruder
Esau sagte..."
Num 1,10: וישמע את העם בכה
"Als nun Mose das Volk wehklagen hörte..."
Jer 20,1: וישמעו ... את ירמיהו נבא את הדברים האלה
"(Als er) den Jeremia diese Worte weissagen hörte..."
Jer 26,7: וישמעו ... את ירמיהו מדבר את הדברים האלה
"Und (sie) hörten, wie Jeremia diese Worte im Hause des
Herrn sprach".
Jer 31,18: שמוע שמעתי אפרים מתנודד
"Gar wohl habe ich gehört, wie Efraim klagt:..."

---

1) GESENIUS-KAUTZSCH, Hebr. Gramm. §117h.
2) SCHULT, Akkusativ 7-13.
3) Ibid. 7.

Koh 7,21:   אשר לא תשמע את עבדך מקללך
"...damit du nicht hörst, wie dein Knecht dir flucht".
Dan 8,13:   ואשמעה אחד קדש מדבר
"Darauf hörte ich einen Heiligen reden."

In den folgenden Belegen ist das Personobjekt nur
implizit ausgedrückt:
Gen 37,17:   כי שמעתי אמרים
"Denn ich hörte, wie sie sagten:..."
Ez 2,2:   ואשמע את מדבר אלי
"Und ich hörte (den), der zu mir redete".
Ez 43,6:   ואשמע מדבר אלי מהבית
"Und ich hörte vom Tempel her zu mir reden..."

In diesen Sätzen wird eine sinnliche Wahrnehmung ausgedrückt. Das Partizip dient dazu, die Hörbarkeit des Vorgangs
zu bezeichnen. Eine Person ist nur sinnlich hörbar, wenn sie
einen Laut hervorbringt. In diesen Belegen hört man jemanden, indem er spricht, weint, einen Fluch ausstößt, ein
prophetisches Wort ausspricht... Die Person kann ungenannt
oder unbestimmt bleiben (Gen 37,17; Ez 2,2; 43,6). GESE-
NIUS-KAUTZSCH[1] bezeichnet Gen 37,17 als auffällig und meint:
"Doch ist vielleicht mit dem Samarit. Pentateuch שמעתים
zu lesen. Diese Änderung ist nicht notwendig; die zwei
anderen Belege bestätigen es.

      b) קול als Akk.Objekt + Genitiv(Person mit indeterm.
Partizip):
      In a) war das Satzmodell "ich höre den redenden Vater".
In den folgenden Belegen hat die Struktur nur eine Änderung:
"Ich höre *die Stimme* des redenden Vaters". Syntaktisch
bleibt der Satz unverändert, nur wird jetzt die Hörbarkeit
betont. Das geschieht, weil der Vorgang in den konkreten
Belegen ausschließlich durch קול sinnlich hörbar wird.
1 Kön 14,6:   ויהי כשמע אחיהו את קול רגליה באה בפתח

---

1) Hebr. Gramm. §117f.

"Sobald Ahija ihre Tritte hörte, wie sie zur Türe hereinkam, sprach er:..."

Wörtlich könnte man übersetzen: "Als Ahija hörte die
Füße von ihr als hereinkommender". Das feminine Partizip
zeigt, daß באה nicht zu קול gehört. רגליה באה ist grammatikalich als Genitiv untergeordnet. Die Hörbarkeit dieses
Hereinkommens wird mit קול bezeichnet.

Gen 3,8: וישמע את קול יהוה אלהים מתהלך בגן
"Und sie hörten Gott, den Herrn, wie er im Garten ging".

Diese Partizipien werden bei JOÜON[1] "accusatif attri-
butif d'état" genannt. "L'absence d'article après un nom
déterminé indique que le participe n'est pas en apposition".
Für eine andere Übersetzung plädiert SCHULT: "Sie hörten
die Stimme Yhwhs wandeln". Wenn man die Vermittlungsrolle
von קול in der sinnlichen Wahrnehmung berücksichtigt, hat
der Vorschlag von SCHULT wenig Wahrscheinlichkeit[2]. In
Num 7,89 liegt jedoch ein Beleg vor, in dem קול kein
Hilfsbegriff für die Äußerung der sinnlichen Wahrnehmung
ist, sondern direkter Gegenstand der Wahrnehmung: וישמע את
הקול מדבר אליו מעל הכפרת ("Da hörte er die Stimme zu sich
reden von dem Gnadenthron"). Sonst wird קול von einem Genitiv determiniert, hier ist es selbst determiniert.

Gott, als Unerreichbarer und darum auch nicht hörbar,
wird durch קול sinnlich wahrnehmbar:

Dtn 4,33: השמע עם קול אלהים מדבר
"Ob je ein Volk die Stimme Gottes hat aus dem Feuer reden
hören..."

Dtn 5,23: כי מי כל בשר אשר שמע קול אלהים חיים מדבר...
"Denn wo wäre ein sterblicher Mensch, der wie wir die Stimme
des lebendigen Gottes hätte reden hören..."

Jes 6,8: ואשמע את קול אדני אמר
"Da hörte ich die Stimme des sprechenden Herrn..."

Ez 1,28: ואשמע קול מדבר

---

1) JOÜON, Grammaire §127a.

2) SCHULT will den imperfektiven Aspekt des Partizips betonen.

"Und hörte einen reden".

Wörtlich wäre "und ich hörte die Stimme eines Redenden" zu übersetzen. Das kann Ez 2,2 bestätigen. Daran ergibt
sich: In den Berichten oder Erzählungen, in denen von sinnlicher Wahrnehmung Gottes oder seines Wortes die Rede ist,
wird immer קול שמע gebraucht. Es ist anzunehmen, daß durch
קול die vollständige Unmittelbarkeit vermieden wird, und
dennoch wird eine große Nähe erreicht. Auch die Elijaerzählung kennt ähnliche Begriffe:

1 Kön 19,12-13:   ואחר האש קול דממה דקה:

ויהי כשמע אליהו...

...והנה אליו קול ויאמר...

"Und nach dem Feuer (kam) eine stille, sanfte Stimme. Als
das Elija hörte... Und da kam die Stimme zu ihm und sagte".

Allgemein wird קול in den Versen 12 und 13 verschieden
übersetzt. Der Begriff ist der Ausdruck für die sinnliche
Wahrnehmbarkeit Gottes. Gott vermittelt durch die Propheten
den Menschen sein Wort, seinen Willen (דבר). Sein Wesen
wird gelegentlich erreichbar, indem ein Mensch eine *Stimme*
hört. Auch in Gen 3,8 kommt die Begegnung Gott-Menschen
durch die *Stimme*.

Exkurs: שמע דבר יהוה

In prophetischen Worten und Reden ist häufig die Einladung zu finden, das 'Wort Jahwe zu hören'. Sehr selten
aber wird behauptet oder berichtet, daß jemand das Wort
Gottes gehört hat. Die Frage ist: Ist die sinnliche Wahrnehmung des Wortes Gottes durch den Ausdruck שמע את דבר יהוה
ein bedeutender Begriff im AT? Immer wieder wird in der
Literatur die Rolle des Auditiven im AT betont[1]. In Wirk-

---

1) BOMAN,Das hebr. Denken 92: "Die Bildlosigkeit der Jahwereligion er-
   streckte sich also nicht nur auf Skulptur und Gemälde, sondern auch
   auf das fromme Bewußtsein: die führenden Geister machten sich zwar
   konkrete, aber keine visuellen Vorstellungen von ihrem Gott. Ihre
   Vorstellungen von Gott waren motorisch, dynamisch, auditiv".

lichkeit ist das unmittelbare Hören eines Wortes, das etwas
konkretes wird als eine Stimme oder ein Laut, sogar seltener belegt als das Wahrnehmen von קול יהוה.

Jer 23,18:   כי מי עמד בסוד יהוה וירא וישמע את דברו
"Aber wer hat im Rat Jahwes gestanden, daß er ihn gesehen
und sein Wort gehört hätte?"

Das implizite Objekt des Sehens ist wahrscheinlich
Gott oder sein Rat. So werden drei Sachen genannt, die
unmöglich sind: vor Gott anwesend sein, Gott sehen und
sein Wort hören.
In 1 Kön 12,24 (2 Chr 11,4) wird berichtet, daß man zwar
das Wort Gottes hörte, aber nur im Sprechen des Propheten
Schemaja. Es ist keine direkte sinnliche Wahrnehmung des
Gotteswortes. Ist also שמע דבר יהוה ein Fachausdruck für
das Hören des Wortes, das durch die Propheten gesprochen
wird?

In Ez 3,17 wird gesagt: ושמעת מפי דבר ("wenn du ein
Wort aus meinem Mund vernimmst"); siehe auch Ez 33,7. In
Jer 49,14; Obd 1,1 ist der Ausdruck שמועה שמעתי מאת יהוה
belegt. In der Bileamerzählung (Num 24,4; 24,16) ist von
Vision, Audition und Kenntnis der Gedanken Gottes die Rede:

נאם שמע אמרי אל אשר מחזה שדי יחזה...יהוה וידע דעת עליון
"So spricht, der göttliche Reden vernimmt, der die Gedanken des Höchsten weiß, der Gesichte des Allmächtigen
schaut".

Es scheint bemerkenswert zu sein, wie selten und mit
welcher Zurückhaltung von der sinnlichen Wahrnehmung in
bezug auf das Wort Gottes berichtet wird.

שמע mit Suffixobjekt

Die 24 Belege verteilen sich wie folgt auf die biblischen Bücher: Gen 6x; Ex 1x; Dtn 1x; Ri 1x; 1 Sam 1x; 2
Kön 1x; Jer 2x; Mich 1x; Ijob 3x; Ps 1x; 1 Chr 1x; 2 Chr
5x; zu diesen Verbalsuffixen ist noch die Konstruktion
nota accusativi mit Suffix zuzufügen (Jer 1mal; Ez 1mal).

Von den 24 Belegen gehören 7 zur Priesterschrift; 5 zu
2 Chr; 3 zu Ijob. Die Wendung "erhöre mich" mit שמע ist
in den Psalmen nicht vertreten; sie liegt jedoch als Bitte
an Gott in zwei Texten vor:
Mich 7,7:   נשמעני אלהי
"Ich aber will ausschauen nach dem Herrn, will harren auf
den Gott meines Heils! Er wird mich erhören, mein Gott".
Ijob 22,27:   וישמעך
"Du wirst ihn bitten, er wird dich erhören, und du wirst
deine Gelübde bezahlen".

Die Bedeutung "darauf hören", "erhören" ist auch in
anderen Suffixbildungen vertreten:
Gen 17,20:   ולישמעאל שמעתיך
"Was Ismael anbelangt, erhöre ich dich".

Der Satz bietet eine etymologische Erklärung von
ישמעאל. J.L.CUNCHILLOS vergleicht Gen 17,20 mit KTU 2.10:
5-7. Seine Frage ist: Kann man die שמע ל-Konstruktion von
Gen 17,20 mit Texten von Ugarit vergleichen? Er stellt
fest: "Les prétendus syntagmes š m ^c l en hébreu et
en ugaritique se présentent en fait sous la forme l...
š m ^c. Si formellement ils pourraient être considérés comme
synonymes et parallèles leur usage dans le texte hébreu
et dans le texte ugaritique montre que leur fonction et
leur signification sont différentes dans l'un et l'autre
texte. Il n'y a donc pas, dans notre cas, de vrais parallèles entre l'ugaritique et l'hébreu"[1]. Wenn לישמעאל als
casus pendens anzusehen ist, dann ist in Gen 17,20 keine
שמע ל...-Konstruktion gegeben und der Vergleich mit š m ^c l
-Konstruktionen im Ugaritischen ist überflüssig. Die hier
vorliegende Konstruktion zeigt das Verb mit Suffixakkusativ.
Die Bedeutung ist "erhören".

Zu diesem Bereich gehören auch die Suffixbildungen
mit der nota accusativi:

CUNCHILLOS, RB 3(1985)375-382.

Jer 7,16:   כי אינני שמע אתך
"Du aber, bete nicht für dieses Volk, ... denn ich erhöre
dich nicht".

Ez 8,18:   וקראו באזני קול גדול ולא אשמע אותם
"Und wenn sie gleich mit lauter Stimme vor mir schreien,
so werde ich sie doch nicht (er)hören".

Eingehen auf Wünsche oder auf Bitten, erhören bedeutet
שמע in der Konstruktion: Verb + auf Personen bezogene Suffixobjekte. Das Suffix kann sich auch gelegentlich auf
sinnlich hörbare Gegenstände beziehen (ein Wort, ein Spruch,
eine Nachricht...); es dient dann als Ausdruck einer sinnlichen Wahrnehmung.

Die rückblickende Wiederholung einer Rede oder eines
Wortes wird gewöhnlich auf deutsch mit einem Fürwort ausge-
drückt, z.B. 'und er hörte "es"'. Bei שמע gibt es in diesem
Fall mehrere Möglichkeiten:

a) Wiederholung des Verbs ohne Fürwort. "Das pronominale Objekt wird da, wo es aus dem Zusammenhang der Rede
leicht ergänzt werden kann, überaus häufig ausgelassen;
so namentlich der rückweisende sachliche Akkusativ (das
deutsche *es*) nach verbis sentiendi (שמע) und dicendi"[1].

b) Diese Wiederholung kann auch mit דבר geschehen
(z.B. Ri 22,30: שמע את הדברים). Diese Konstruktion ist
keine Seltenheit bei שמע.

c) Selten ist dagegen die Wiederholung durch ein pronominales Suffix:

Jer 19,3:   הנני מביא רעה על המקום הזה
                                          אשר כל שמעה תצלנה אזניו
"Siehe, ich bringe Unheil über diesen Ort, daß jedem, der
davon hört, die Ohren gellen sollen".

2 Kön 21,12:   הנני מביא רעה על ירושלם ויהודה
                                          כל שמעיו תצלנה שתי אזניו
"Siehe, ich bringe Unheil über Jerusalem und über Juda,
daß jedem, der davon hört, beide Ohren gellen sollen".

---

1) GESENIUS-KAUTZSCH, Hebr. Gramm. §117f.

1 Sam 3,11:   הנה אנכי עשה דבר בישראל

                                   כל שמעו תצלינה שתי אזניו

"Siehe, ich will in Israel etwas tun, dass jedem, der es
hört, beide Ohren gellen werden".

      Die drei Sätze, die zu einer späteren Schicht gehören,
sind nach demselben Muster aufgebaut. Die Suffixe ה/ו entsprechen dem Neutrum. Eine Suffixänderung, wie es die BHS
vorschlägt, ist in 1 Kön 21,12 nicht unbedingt nötig, weil
das Suffix ו sich auf das Ganze bezieht und nicht nur auf
die feminine Form רעה[1]. רעה ist eigentlich kein hörbarer
Gegenstand einer sinnlichen Wahrnehmung; sie ist kein Laut.
Die Übersetzung der Zürcher Bibel in Jer 19,3; 2 Kön 21,12:
"davon hören" ist wahrscheinlich richtig. "Davon hören",
"darüber hören" ist hier gemeint. Diesen Sinn der Suffixbildungen kann Ijob 42,5 bestätigen.

Ijob 42,5:   לשמע אזן שמעתיך

"Vom Hörensagen hatte ich von dir gehört".

Wie schon gezeigt wurde, sind Gott und Menschen kein Gegenstand einer sinnlichen Wahrnehmung. Personen werden durch
דבר / קול sinnlich wahrnehmbar. Hier äußert sich der Gedanke: über Gott reden hören. Dasselbe wird in wenigen Texten
mit שמע על zum Ausdruck gebracht.

Ps 132,6:   הנה שמענוה באפרתה   מצאנוה בשדי יער

"Wir hörten 'von ihm' in Efratha, fanden 'ihn' in Jaars
Gefilden"[2].

      Der Satz bietet Schwierigkeiten, den richtigen Zusam-
menhang zu finden. Die Bedeutung von שמע entspricht aber
den schon zitierten Belegen: "שמע mit Akk. heißt hier 'von
jemand oder etwas vernehmen'"[3].

      Wenn Gott auf die Wünsche der Menschen eingeht, so
bedeutet dies die Erhörung (siehe die ersten Belege). Es
folgen nun Texte, in denen das Eingehen auf Wünsche, Bitten,

---

1) Zum Ausdruck des Neutrum s. JOÜON, Grammaire §152.

2) GUNKEL, Psalmen.

3) Ibid. 569.

Befehle anderer Menschen ausgedrückt wird:

Ex 6,12:   הן בני ישראל לא שמעו אלי

ואיך ישמעני פרעה

"Siehe, die Israeliten haben nicht auf mich gehört, wie
sollte der Pharao auf mich hören?"
Die Suffixbildung und die Präpositionsbildung korrespondieren sich einander hier. Die Bedeutung "auf mich hören"
gilt für beide Sätze.

Jer 13,17:   ואם לא תשמעוה

"Hört ihr aber nicht darauf..."

Ijob 5,27:   הנה זאת הקרנוה כן היא שמענה ואתה דע לך

Siehe, das haben wir erforscht, so ist es; höre darauf
und merke du dir's".

Wenn die Verbform als qatal gelesen wird, dann ist
auch die Bedeutung anders.

Gen 23 - 2 Chr :

Besonderheiten bei den Objektsuffixen von שמע bieten
das 2 Chr und das Kap. 23 des Buchs Genesis. Das Suffix
der 1. Person wird als Aufforderung oder Bitte vor einer
Rede oder einem Satz benutzt:

Gen 23,6: שמענו ("Möchtest du doch uns anhören");

8: שמעוני ("So höret mich an...");

11: שמעני... ("Möchtest du mich doch anhören,Herr");

13: אך אם אתה לו שמעני ("Hör mich doch, bitte,an");

15: לו אדני שמעני (Möchtest du ,bitte, anhören").

Gen 23 vertritt wahrscheinlich sehr alte Traditionen,
"die literarisch erst ganz spät" bezeugt sind[1]. Wenn die
letzte literarische Fassung von Gen 23 so spät sein sollte, dann ist damit zu rechnen, daß hier Formulierungen
aus einer späten Sprachstufe vorliegen. Zu ihnen gehören
mit Sicherheit die gerade zitierten Belege. Die Suffixbildungen dienen dazu, die Sätze einzuleiten.

2 Chr 13,4:   שמעוני ירבעם וכל ישראל

---

1) NOTH, Überlieferungsg. 121.

"Höret mich, Jerobeam und ihr Israeliten alle!".

2 Chr 15,2:   שמעוני אסא וכל יהודה ובנימן

"Höret mich an, Asa und ihr alle von Juda und Benjamin!".

2 Chr 20,20:   שמעוני יהודה וישבי ירושלם

"Höret auf mich, ihr Judäer und ihr Bewohner von Jerusalem!".

2 Chr 28,11:   ועתה שמעוני

"So höret auf mich und gebt die Gefangenen zurück".

2 Chr 29,5:   שמעוני הלוים

"Höret auf mich, ihr Leviten!".

1 Chr 28,2:   שמעוני אחי ועמי

"Höret mich an, meine Brüder und mein Volk!".

     Besonders in 2 Chr 20,20 und 28,11 ist die Bedeutung
"auf jemanden hören" klar. Bezüglich der anderen Stellen
erreicht שמע eine belebende Weiterführung der Rede und
lenkt die Aufmerksamkeit des Partners auf das Folgende[1].

Zur Bedeutung der Objektsuffixe:

     שמע kann gelegentlich einige seiner Bedeutungsinhalte
mit Objektsuffixen ausdrücken.

     Außerhalb der Psalmen wird es bei der Erhörung einer
Bitte oder eines Gebetes benutzt. Wie bei der Erhörung
in den Psalmen, können זעק-קרא zum Kontext gehören.

     Das Suffixobjekt kann eine präpositionale Konstruktion
ersetzen (שמע אל: Ex 6,12; שמע על: Ijob 42,5).

     שמעוני/שמעני in Gen 23 und 2 Chr sind nicht als sinnli-
che Wahrnehmung zu verstehen. Die Ausdrücke gelten wie
ein "Bitte schön!" im heutigen Gespräch.

Gebrauch von שמע mit Suffixobjekten:

     Diese Konstruktion ist in einer früheren Stufe der
Sprache nicht auszuschließen (z.B. Ri 14,13). Die große
Mehrheit der Belege gehört jedoch zu späteren Stufen der
Sprache. Der Beleg des Pentateuchs (Dtn 1,17) gehört zum

---

1)   I.LANDE, Formelhafte Wendungen 53-54.

letzten Rahmen dieses Buches. Andere Belege gehören zum dtr-
oder nachdtr Text (z.B. 1 Sam 3,11; 2 Kön 21,12; Jer 19,
3...). Die Stellen in 2 Chr sind exklusives Gut dieses
Buches. Keiner der Belege tritt in parallelen Texten auf[1].
Übrig bleiben nur Mich 7,7[2]; Jes 30,19[3]; Jer 13,17; Ps
132,6[4]. Das alles zeigt deutlich, daß die meisten der Belege
ziemlich jung sind, daß die vorher nicht so häufige Anwendung des Suffixobjektes besonders in späteren Zeiten zunahm.
Hier sind klare Spuren einer Entwicklung in der Sprache
geblieben[5].

---

1) שמענו / שמעני ist in früheren Texten nie belegt; eine ähnliche
   Form ist aber in den Schriften von Qumran vertreten: H 4,24:
   וישומעוני ההולכים בדרך בכה "qui se sont réunis ensemble en ton
   Alliance et m'ont écouté, qui marchent dans la voie chère à ton
   coeur" (DUPONT-SOMMER, Les Ecrits esséniens 228). Die Wendung war
   in der späten alttestamentlichen Zeit üblich und wurde in Qumran
   noch gebraucht.

2) H.W.WOLFF, BK XIV/4,177: "Texte, die sprachlich und inhaltlich
   7,1-7 verwandt sind, finden sich hauptsächlich in frühnachexilischer
   Zeit, vor allem bei Tritojesaja".

3) Nach KAISER (ATD 18,239-240) ist der Text aus späterer Zeit: "V.20b
   gibt uns einen deutlichen Hinweis auf die Kreise, in denen unsere
   Heilsschilderung beheimatet ist. Ähnlich wie im Danielbuch, vgl
   11,33 und 12,3, handelt es sich um Männer, die dank ihres eschatolo-
   gischen Wissens als Lehrer in ihrer Gemeinde stehen, aber über
   den Kreis der sich als die 'Demütigen und Armen' verstehenden Frommen hinaus mit ihrer Botschaft kein Gehör finden".

4) DEISSLER, Die Psalmen III 170: "Schon das Vokabular von Ps 132
   weist in nachexilische Zeit. Erst recht seine Aussagen, die unverkennbar dem Geist und Werk des Chronisten nahestehen. Man könnte
   sogar an den Chronisten als den Verfasser denken".

5) Bei שמע findet sich keine Bestätigung für die Bemerkung von GESE-
   NIUS-KAUTZSCH (Hebr. Gramm. §117b):   "Schließlich aber bürgerte
   sich die Nota accus. in Prosa überall in solchem Grade ein, daß
   auch das pronominale Objekt, anstatt durch Verbalsuffixe, lieber
   durch את mit Suffixen ausgedrückt wurde". Gerade die Verbalsuffixe
   sind hier zum größten Teil spät bezeugt (24 Belege) und nur zweimal
   ist das Suffixobjekt mit את vertreten (Jer 7,16; Ex 8,18).

Zusammenfassung

שמע-qal kann die Wahrnehmung eines akustischen Zei-
chens, eine sinnliche Wahrnehmung, bedeuten. Als Objekt
braucht man einen akustisch vernehmbaren Laut oder Ton.
Menschen, Musikinstrumente, Widderhorn oder andere einen
Laut hervorbringende Gegenstände werden durch ihren קול
vernehmbar. Auch Menschen und Gott werden durch קול hörbar.
Auch צעקה oder einen Laut bedeutende Begriffe können die
Vernehmbarkeit ausdrücken.

Neben einer auf einen Ton bezogenen Wahrnehmung gibt
es auch eine auf einen Inhalt bezogene Wahrnehmung. So
geschieht es bei dem Objekt שמע דבר: Die Wahrnehmung ist
nicht nur durch die Sinnlichkeit bedingt, sondern hauptsächlich durch den Inhalt. Die Annahme der Worte ist inhaltbezo-
gen, so daß bei diesem Objekt eine andere Sprechhandlung
gegeben ist als bei der sinnlichen Wahrnehmung. Das Objekt
erweitert so den Bereich der Wahrnehmung und die Handlung
des Verbs wird breiter. So wird das Hören nicht nur Aufnahme
von Tönen, sondern auch Annahme von Worten und ihres Inhalts, und durch diese Annahme entsteht eine richtige Beziehung zu den Worten. Wenn das Objekt eine Sprache ist
(לשון/שפה), geschieht die Wahrnehmung auch dann dem Objekt
entsprechend; d.h, 'eine Sprache hören' bedeutet eine Sprache so wahrnehmen, daß man sie verstehen kann = *eine Sprache
verstehen*.

שמע שמועה hat mit Empfang von Nachrichten zu tun.
Auch שָׁמַע שֵׁמַע gehört zum selben Bereich = *hören/erfahren*.

שמע משפט gehört zur Gerichtssprache und zu Gerichtsver-
handlungen. Der Ausdruck kann in verschiedenen Stufen der
Rechtsprechung gebraucht werden. Er kann aber auch das
Ganze bezeichnen = *Recht sprechen*.

Es ist möglich, daß der Gebrauch von שמע in der Gerichtssprache in Verbindung mit שמע תפלה - שמע קולי in den
Psalmen steht. Wahrscheinlich ist in diesen Rufen die Suche
nach Rettung durch ein göttliches Wort im Urteil des Heilig-

tums zu sehen. Durch die Verwendung dieser Psalmen im Ge-
betsbereich hätten die Wendungen auch eine Betonung erhalten, d.h. *erhören*.

חלום שמע kann bedeuten *die Erzählung eines Traums
hören*. Es ist aber gut möglich, daß es nicht nur die Aufnahme des Lauts, sondern auch die Annahme der Bedeutung ein-
schließen kann *den Traum verstehen*.

Ähnlich kann es auch mit חידה שמע sein *ein Rätsel
hören + ein Rätsel raten*.

In der Weisheitslehre kommen andere Verwendungen und
Bedeutungen von שמע vor: תוכחת/גערה/מוסר שמע werden im
Erziehungswesen gebraucht. Bei der Züchtigung und Mahnung
ist auch eine sinnliche Wahrnehmung vorhanden, aber der
Ausdruck bedeutet auch die Annahme des Inhalts dieser Züchtigung. So ist zwischen מוסר שמע und מוסר שמע kein besonderer Unterschied zu bemerken.

שמע (und die verba sentiendi) kann einen partizipialen
Satz für die Äußerung der sinnlichen Wahrnehmung benutzen.
Dreifach sind die Konstruktionsmöglichkeiten: 1. שמע +
Personobjekt + Partizip; dieses Partizip drückt die Hörbar-
keit des Vorgangs aus. 2. שמע mit קול als Ausdruck der
Hörbarkeit + Personobjekt (oder Objekt mit Personalsuffix)
+ Partizip. 3. Wenn Gott als Objekt auftritt, dann wird
in den vorliegenden Belegen die Hörbarkeit immer durch
קול geäußert. So entsteht die Konstruktion: שמע קול Gottes-
bezeichnung + Partizip; damit wird wahrscheinlich in der
Sprache bewußt, daß Gott an sich nicht vernehmbar ist.
Hörbar von ihm ist nur ein Laut. Als Objekte von שמע können
auch Suffixe auftreten. 9/10 der Belege sind Verbalsuffixe
und 1/10 Suffixe mit der nota accusativi. Die Verbalsuffixe
können verschiedene Sprechhandlungen ausdrücken, wie Erhörung, Belebung der Sprache, Ersetzung von Präpositionen...
Der größte Teil der Suffixbildungen vertritt ein späteres
Stadium der hebräischen Sprache. Das läßt die Spuren einer
Verallgemeinerung und Verwischung von verschiedenen Konstruktionen vermuten.

Die Akkusativobjekte von שמע überschreiten vielfach
den Bereich der sinnlichen Wahrnehmung. שמע mit Akkusativobjekt findet seinen Platz in verschiedenen Sprechhandlungen. Die Konstruktion bleibt unverändert. Es ist besonders
das Objekt, das neue Äußerungsmöglichkeiten einführt.
Diachronische Überlegungen sind zu den Psalmen, zu den
Suffixkonstruktionen und wahrscheinlich auch zu Wendungen
der Weisheit (שמע מוסר) möglich.

3.2. Ein Satz als Objekt

A כי שמע, Bestandteil der hebräischen Erzählung

Wie erzählt man eigentlich in einer Sprache? Denn
die Erzählung scheint eine universale Form sprachlicher
Äußerung zu sein. WEINRICH[1] hat die Erzählung und ihre
Äußerungsarten untersucht. Nach ihm sind die literarischen
Gattungen prinzipiell als typisierte Sprechsituationen
anzusehen und geben den ersten, sicheren Rahmen für eine
grammatische Untersuchung. Man hat mit den größten Einheiten
anzufangen und erkennt erst aus der Struktur der Ganzheit
die kleineren Teile. Diese höchsten Einheiten sind Sprechsituationen und Texte mit ihren literarischen Gattungsgeset-
zen. Mit ihnen fängt also die Grammatik an. Gerade die
כי שמע-Sätze bieten die Gelegenheit, die Erzählung und
bestimmte Sprechhandlungen der hebräischen Sprache zu beobachten.

Vorkommen dieser Konstruktion im AT: Die 58 Belege
sind wie folgt verteilt: Gen 6x; Ex 2x; Num 4x; Jos 3x;
Ri 1x; 1 Sam 7x; 2 Sam 5x; 1 Kön 7x; 2 Kön 5x; Jes 2x;
Jer 4x; Ps 2x; Rut 1x; Klgl 1x; Neh 4x; Esra 1x; 1 Chr
2x; 2 Chr 1x.

Besprechung der Texte

Gen 14,14 (14,12-16):

ויקחו את לוט ואת רכשו...
וישמע הפליט ויגד לאברם...
וישמע אברם כי נשבה אחיו
וירק את חניכיו... וירדף עד דן...

"Sie nahmen auch Lot und seine Habe mit... Da kam einer,
der entronnen war, und brachte Abram die Kunde... *Als nun
Abram hörte, daß sein Verwandter gefangen sei*, bewaffnete
er seine erprobten Leute... und jagte (den Feinden) nach
bis Dan..."

---

1) WEINRICH, Tempus 307-308.

Die Erzählung besitzt diese Reihenfolge: a) Beschreibung eines Vorgangs, b) Bekanntmachung + Zur-Kenntnisnahme,
c) Reaktion (Beschreibung mit wajjiqtol-Reihe). שמע כי ist
Ausdruck der Zur-Kenntnisnahme. Der כי-Satz wiederholt
in kurzer Form die Beschreibung des Vorgangs und führt
die Erzählung zur nächsten Stufe (= die Reaktion).

1 Sam 25,39 (25,37-39):   ותגד לו...וימת לבו...ויגף...וימת
וישמע דוד כי מת נבל
ויאמר ברוך יהוה...

"Sein Weib erzählte ihm...Da starb ihm das Herz im Lei-
be... Dann schlug der Herr... und starb Nabal. *Als David
hörte, daß Nabal tot sei*, sprach er: Gelobt sei der Herr..."
    Die Reihenfolge ist: a) Erzählung eines Vorgangs,
b) Bekanntwerden der Sache, c) Reaktion (zuerst die Gefühle
und dann die folgende Aktion mit wajjiqtol-Formen). Der
כי-Satz wiederholt zuzammenfassend das Geschehen und führt
die Erzählung zur nächsten Stufe; es beginnt ein neuer
Zustand.

2 Sam 8,9 (8,3-10):
ויך דוד...וילכד...ויעקר...ויותר...וישם...ויקח
וישמע תעי מלך חמת כי הכה דוד את כל חיל חיל דדעזר
וישלח...

"Da schlug David... und nahm von ihm...; er lähmte alle
Pferde..., nur hundert ließ er übrig... Er schlug und setzte... Er nahm auch... *Als aber Toi, der König von Hamat,hör-
te, daß David das ganze Heer Hadad-Esers geschlagen habe*,
sandte er..."
    Das Schema des Textes ist: a) Schilderung des Sieges
Davids mit allen Einzelheiten, b) Bekanntwerden des Sieges
mit Wiederholung der Taten in kurzer Form durch שמע כי,
c) Gegenreaktion mit wajjiqtol.

2 Sam 11,26 (11,16-27):
ויתן את אוריה...ויצאו...ויפל... וימת גם אוריה

וישלח יואב ויגד...ויצו את המלאך לאמר

ויאמר המלאך... כי גברו...ויצאו...וימותו...וגם עבדך...מת

ותשמע אשת אוריה כי מת אוריה אישה

ותספד על בעלה...

"So stellte er Urija...Die Männer der Stadt machten einen
Ausfall... fielen etliche... auch Urija kam um. Da sandte
Joab hin und ließ David melden, und er befahl dem Boten....
Der Bote sprach zu David: Die Männer hatten die Oberhand...
rückten gegen uns...etliche kamen um...auch Urija ist tot...
Als das Weib Urijas hörte, daß ihr Mann Urija tot sei,
hielt sie die Totenklage um ihren Gatten..."

Geschehen + Botschaft + Benachrichtigung: Lang und
breit wird alles erzählt. Der כי שמע-Satz wiederholt nochmal
das entscheidende Faktum in dem zusammenfassenden Satz.

2 Kön 25,23 (25,22-24):   ...ויפקד עליהם את גדליהו

וישמעו כל שרי החילים המה והאנשי כי הפקיד מלך בבל את גדליהו

ויבאו אל גדליהו...

"Über den Rest des Volkes...setzte er Gedalja... *Als nun*
die Heeresobersten und ihre Leute hörten, daß der König
von Babel den Gedalja eingesetzt habe, kamen sie alle zu
Gedalja..."

a) Es wird die Einsetzung Gedaljas berichtet, b) der
כי שמע-Satz wiederholt diese Tat bei der Zur-Kenntnisnahme,
c) die Reaktion wird mit wajjiqtol entwickelt.

Jer 38,7 (38,6-8):

...ויקחו... וישלכו אתו אל הבור...וישלחו את ירמיהו בחבלים

וישמע עבד מלך...כי נתנו את ירמיהו אל הבור

...ויצא עבד מלך...וידבר אל המלך לאמר...

"Da nahmen sie Jeremia und warfen ihn in die Zisterne...
Sie ließen Jeremia an Seilen hinunter... *Als aber Ebed-Me-*
lech... vernahm, daß sie Jeremia in die Zisterne gewor-
fen hätten..., ging er... und sprach zum König".

a) Beschreibung des Vorfalls, b) Bekanntwerden der
Sache mit kurzer Wiederholung in dem כי שמע-Satz, c) Reaktion und weitere Erzählung mit wajjiqtol.

Esra 4,1 (3,10-4,2):   ויסדו הבנים את היכל יהוה...

וישמעו...כי בני הגולה בונים היכל ליהוה

ויגשו אל זרבבל...

"Die Bauleute legten das Fundament für den Tempel des Herrn.
*Als die Feinde erfuhren, daß die Heimkehrer...einen Tempel
bauten,* kamen sie zu Serubbabel..."

    a) Beschreibung aller Gegebenheiten beim Bauen der
Fundamente, b) Kurze Form bei der Zur-Kenntnisnahme (שמע
כי), c) Weiterführung der Erzählung mit Reaktion und Folgen.

2 Kön 3,21:   מלך מואב פשע בי החלך אתי אל מואב למלחמה...

וכל מואב שמעו כי עלו המלכים להלחם בם

ויצעקו... ויעמדו...

"...Der König von Moab ist von mir abgefallen. Willst du
mit mir gegen Moab in den Krieg ziehen? (V.7)... *Als ganz
Moab erfuhr, daß die Könige zum Krieg gegen das Land anrück-
ten,* wurden alle aufgeboten...; sie stellten sich an der
Grenze auf..."
Die Struktur ist auch hier: a) Erzählung, b) Zur-Kenntnisnahme mit zusammenfassender Wiederholung (שמע כי), c) Weiterführung der Erzählung mit wajjiqtol (=Reaktion).

1 Sam 14,22 (14,16-23):...היתה חרב איש ברעהו מהומה גדולה מאד...

וכל איש ישראל המתחבאים בהר אפרים שמעו כי נסו פלשתים

וידבקו גם המה אחריהם

"Jeder richtete sein Schwert gegen den anderen und ein
ganz gewaltiges Getümmel war entanden... *Als die Israeliten, die sich im Gebirge Efraim versteckt hatten, hörten,
daß die Philister auf der Flucht waren,* setzten auch sie
ihnen im Kampf nach..."
Auch hier sind die Stufen: a) Erzählung, b) Zur-Kenntnisnahme mit kurzer Wiederholung, c) Folgen oder Weiterführung
der Erzählung vorhanden.

1 Kön 21,15.16:   כרם היה לנבות...ויסקלהו באבנים וימת

ויהי כשמע איזבל כי סקל נבות וימת ותאמר איזבל אל אחאב

ויהי כשמע אחאב כי מת נבות   ויקם אחאב לרדת...

"Nabot hatte einen Weinberg...(21,1) ...Sogleich führte
man ihn aus der Stadt hinaus und steinigte ihn zu Tode...
(21,13). *Sobald Isebel hörte, daß Nabot gesteinigt wurde
und tot war*, sagte sie zu Ahab... *Als Ahab hörte, daß Nabot
tot war*, stand er auf und ging hinab...*"

Die Erzählungsfolge ist: a) Beschreibung und Benachrichtigung sind sorgfältig eingetragen, b) die Zur-Kenntnisnahme wird zweimal erwähnt (כי שמע mit kurzer Wiederholung
des Ereignisses), c) mit wajjiqtol erzählt man weiter die
Folgen.

2 Kön 5,8:   ויהי כקרא מלך ישראל את הספר ויקרע בגדיו
ויהי כשמע אלישע איש אלהים כי קרע מלך ישראל את בגדיו
וישלח אל המלך...

"Als der König von Israel den Brief gelesen hatte, zerriß
er seine Kleider... *Als der Gottesmann Elischa hörte, der
König von Israel habe seine Kleider zerrissen*, schickte
er zum König...*"

Erzählung einer Tat, Zur-Kenntnisnahme und Reaktion
sind auch hier drei Elemente des Textes.

Anstelle der wajjiqtol-Form von שמע kommt auch die
Bildung ויהי כשמע vor, und zwar als zusammengesetzter Nomi-
nalsatz. כאשר שמע כי dagegen kommt nur in Neh vor. Die
Form ist stilistisch oder diachronisch zu erklären:

Neh 3,33:   ויהי כאשר שמע סנבלט כי אנחנו בונים את החומה
"Als Sanballat hörte, daß wir die Mauer aufbauten, wurde
er zornig...*"

Neh 4,1:   ויהי כאשר שמע סנבלט ...כי עלתה ארוכה... כי...
"Als Sanballat und... hörten, daß der Wiederaufbau...vor-
anging und daß die Breschen geschlossen wurden..., wurden
sie wütend".

Neh 4,9:   ויהי כאשר שמעו אויבינו כי נודע לנו...
"Als unsere Feinde erfuhren, daß ihr Vorhaben uns bekannt-
geworden war...*"

Alle hier besprochenen Texte haben folgende gemeinsame
Struktur: a) Dem Leser/Hörer wird ein Ereignis berichtet;

b) dem Leser wird mitgeteilt, daß dieses Ereignis einer anderen Person berichtet wird, die es hört, wobei im Hinblick
darauf, daß der Leser bereits informiert ist, die Nachricht
der anderen Person in Kurzform mitgeteilt wird, z.B. er
hörte, daß Nabot gesteinigt worden war; c) die neue infor-
mierte Person reagiert auf die Mitteilung.

    Im Hinblick darauf, daß der Leser bereits über das
Ereignis informiert ist, das im Text "gehört" wird, kann
in genau derselben Funktion auch וישמע isoliert, also ohne
einen כי-Satz, stehen.

1 Sam 7,6-7:   וישמעו פלשתים כי התקצבו בני ישראל המצפתה

                      ויעלו סרני פלשתים אל ישראל

                      וישמעו בני ישראל ויראו מפני פלשתים

"Da versammelten sie sich in Mizpa... Als die Philister
erfuhren, daß sich die Israeliten in Mizpa versammelt hatten, zogen ihre Fürsten gegen Israel heran. Als die Israeliten *(es) hörten*, bekamen sie Angst vor den Philistern".

    Hier steht in demselben Text nebeneinander einmal
der Bericht des Hörens mit einem כי-Satz und ein Bericht
des Hörens isoliert (וישמעו). Ein Unterschied in der Bedeutung ist nicht ersichtlich. Es dürfte sich also bei der
Kurzform וישמע um eine Ellipse zu שמע כי... handeln.

2 Sam 5,17:   וישמעו פלשתים כי משחו את דוד למלך על ישראל

                      וישמע דוד   וירד אל המצודה

"Und sie salbten David zum König von Israel...(5,3). Als
die Philister *hörten*, daß man David zum König von Israel
gesalbt hatte, zogen alle herauf, um David zu suchen und
David *erfuhr (davon)* und zog sich ins Bergland zurück".

    Hier findet sich das Schema: a) Bericht (die Salbung
Davids), b) Zur-Kenntnisnahme (= וישמע כי), c) Reaktion;
ununterbrochen geht die Erzählungseinheit weiter als b)
Zur-Kenntnisnahme (= וישמע), c) Reaktion. שמע כי und שמע
dienen in diesem Text der gleichen Sprechhandlung. Die
Bedeutung ist in beiden Fällen dieselbe.

Gen 34,5-6:   ‏...בחו דינה את טמא כי שמע ויעקב‏

‏... מאד להם ויחר האנשים ויתעצבו כשמעם‏

"Sichem...ergriff sie, legte sich zu ihr und vergewaltigte
sie... Als Jakob *hörte*, *daß* man seine Tochter Dina entehrt
hatte... Die Söhne Jakobs kamen vom Feld; als sie *(davon)*
erfuhren, erzürnten sie sich und wurden sehr zornig".

    In den hier erwähnten Texten kommen ‏כי שמע‏ und ‏שמע‏
in derselben Erzählung vor. Die Belege konnten deutlich
zeigen, daß in diesen Erzählungsstrukturen beide Konstruktionen die gleiche Funktion und die gleiche Bedeutung besitzen. Diese Beobachtung hat in der hebräischen Sprache allgemeine Geltung: In dem Erzählungsschema: Beschreibung +
Zur-Kenntnisnahme + Reaktion kann ‏שמע‏ absolut konstruiert
werden mit der gleichen Äußerungskraft wie ‏שמע כי‏. In diesem
Fall ist die kurze Wiederholung des Ereignisses nicht vorhanden.

Ri 9,46:   ‏מגדל בעלי כל וישמעו‏
"Abimelech kämpfte gegen die Stadt...eroberte sie...und
streute Salz über sie. Als die Besatzung der Burg von Sichem *(davon) hörte*, kamen sie zu ihm hinab".

    In der Übersetzung ist man nach deutschem Sprachge-
brauch verpflichtet, beim Verb ein Fürwort einzuführen
(= davon).

1 Sam 22,1:   ‏שמה אליו וירדו אביו בית וכל אחיו וישמעו‏
"Dann ging David von dort weg und brachte sich in der Höhle
von Adullam in Sicherheit. Als seine Brüder und seine Familie *(davon) hörten*, kamen sie zu ihm hinab".

    Die Sprache hat zum Ziel die Kommunikation und die
Verständigung; und gerade weil in demselben Vers berichtet
wurde, daß David weggegangen war, wird für eine gute Verständigung die Wiederholung des Ereignisses bei ‏שמע‏ überflüssig (sonst hieße der Satz: David ging weg, und als
sie erfuhren, daß David weggegangen war...). ‏שמע‏ kann also
in diesen Erzählungsstrukturen absolut konstruiert werden.

Das Pronomen *es* fällt aus.

1 Sam 23,25:   ויגדו לדוד וירד הסלע... וישמע שאול
"Man meldete (das) David, dann zog er weiter hinunter zu
den Felsen in der Steppe Maon und blieb dort. Als Saul
(*davon*) *hörte*, folgte er ihm in die Steppe Maon".
    Nicht nur bei שמע, auch bei הגיד fällt das Pronomen
aus.

2 Sam 3,28:   וישמע דוד מאחרי כן ויאמר נקי אנכי...
"Und Abner kehrte nach Hebron zurück; Joab führte ihn bei-
seite...stach ihn... und Abner starb, um Blutrache für
seinen Bruder Asahel zu nehmen. Als David später (*davon*)
hörte, sagte er: Ich bin unschuldig..."

    Andere Belege:
2 Sam 10,7:   וישמע דוד
1 Kön 13,26:   וישמע הנביא
2 Kön 9,30:   ואיזבל שמעה
Neh 2,10:   וישמע סנבלט
Jos 7,9:   וישמעו הכנעני...
    Weitere Belege finden sich in 2 Sam 16,21; 1 Kön 11,21;
12,20; Jer 38,25; Num 21,1; 22,36.

    Die Verteilung der Stellen der Konstruktion שמע כי
zeigt eindeutig, daß sie in den Bereich der erzählenden
Rede gehört. Die 2 Belege des Buches Jesaja stammen aus
Jes 36-39. Auch die Texte aus Jeremia stammen aus Erzählungen.
    In den Erzählungen selbst sind bestimmte literarische
Strukturen zu bemerken: a) Schilderung eines Ereignisses,
b) Zur-Kenntnisnahme des Ereignisses durch andere Teilnehmer, c) Reaktion dieser letzten Teilnehmer.
    Zur Konstruktion von שמע: In diesen Erzählungen spielt
das Verb eine ganz bestimmte Rolle: Es führt in die Erzählung eine zweite Person oder Partei ein, die selbst die
Rolle des Gegenspielers oder des Antagonisten übernimmt.

Dieses Gegenspiel oder diese Reaktionshandlung fängt an,
indem das Ereignis von der zweiten Person erfahren wird.
Die Zur-Kenntnisnahme kann auf zweierlei Weise ausgedrückt
werden:

1.- כי שמע mit kurzer Wiederholung des Ereignisses.

2.- Das Verb kommt ohne explizite Hinweise auf das Erzählte vor (= ohne rückweisendes Objekt oder Fürwort); d.h.
Kurzform oder Elipse.

Eine andere Frage ist, wann die längere Form (= Wiederholung des Ereignisses durch כי-Satz) und die kurze Form
verlangt wird. Man gewinnt den Eindruck, daß die Auswahl
dem Erzähler überlassen wird. Allgemein ist es so: Wenn
das Ereignis ausführlich beschrieben wird, dann beginnt
der zweite Teil der Erzählung mit der kurzen Zusammenfassung.

In den Übersetzungen zeigte sich, daß die deutsche
Sprache bei der Wiedergabe ein Fürwort verlangt (= als
er "es" hörte, als er "davon" hörte). In der hebräischen
Sprache wird in diesen Erzählungen kein rückweisendes Fürwort bei שמע benutzt. Als rückweisende Elemente kommen
in Frage:

a) kein Element (= er hörte und reagierte so und so),

b) eine kurze Wiederholung (= כי-Satz),

c) ein rückweisendes Objekt (= את הדבר הזה, את הדבר,
את הדברים האלה...; seltene Konstruktion, s.o.).

שמע כי ist keine Mitteilung von neuen Nachrichten.
Der Ausdruck hat einen rückweisenden Blick mit kurzer Wie-
derholung des zentralen Ereignisses. Dabei erfolgt eine
Wende in der Erzählung mit der Teilnahme neuer Subjekte.

Die Konstruktion כי שמע כי als Begründung

Gen 43,25: ויכינו את המנחה עד בוא יוסף בצהרים
כי שמעו כי שם יאכלו לחם

"Sie aber machten das Geschenk bereit, bis Josef am Mittag
käme; *denn sie hatten gehört, daß* sie dort essen sollten".

242   šama^c mit Objekt

1 Kön 5,15:   וישלח חירם...את עבדיו אל שלמה
                              כי שמע כי אתו משחו למלך תחת אביהו...
"Hiram...sandte seine Diener zu Salomo; *denn er hatte gehört, daß* man ihn anstelle seines Vaters zum König gesalbt
habe".

2 Kön 19,8 (Jes 37,8):   כי שמע כי נסע מלכיש
"Der Rabschake trat den Rückweg an und fand den König von
Assur in Kampf gegen die Stadt Libna, *denn der Rabschake
hatte gehört, daß* er von Lachisch abgezogen war"[1].

Rut 1,6:   כי שמעה בשדי מואב כי פקד יהוה את עמו
"Da brach sie mit ihren Schwiegertöchtern auf, um aus dem
Grünland Moab heimzukehren; *denn sie hatte dort gehört,
Jahwe habe* sich seines Volkes angenommen und ihm Brot gege-
ben".

Alle diese Texte beinhalten zwei Teile: der erste
Teil oder Satz berichtet eine Handlung; der zweite Teil
nennt eine Begründung oder Erklärung für die begangene
Handlung.
Diese Begründung wird mit der Satzbildung ...כי שמע כי
erteilt.

Jos 14,12:   כי אתה שמעת ביום ההוא כי ענקים שם...
"Nun gib mir also dieses Gebirge, von dem Jahwe an jenem
Tage geredet hat. *Denn du selbst hast an jenem Tage gehört, daß* er dort Anakiter gibt und große befestigte Städte".

2 Kön 20,12:   כי שמע כי חלה חזקיהו
"Damals sandte... der König von Babel einen Brief und Geschenke an Hiskija; *denn er hatte von seiner Krankheit
gehört*".

Gen 29,33:   כי שמע יהוה כי שנואה אנכי
"Sie wurde abermals schwanger und gebar einen Sohn. Da
sagte sie: *Jahwe hat gehört, daß* ich zurückgesetzt bin,
und hat mir auch noch diesen geschenkt".

---

1) 1Kön 19,1-11 bietet die Gelegenheit, mehrere Konstruktionen von שמע
   in demselben Text zu beobachten.

In allen ...כי שמע כי-Sätzen bleibt dieselbe Struktur
erhalten:

1. Handlung, Tatsache oder Bitte,
2. Begründung oder Erklärung mit כי שמע כי....

Die Konstruktion הנה שמע כי als Begründung

Gen 42,2:

הנה שמעתי כי יש שבר במצרים
רדו שמה ושברו לנו משם

"Jakob erfuhr, daß es in Ägypten Getreide zu kaufen gab
und sagte zu seinen Söhnen...: Ich habe gehört, daß es
in Ägypten Getreide zu kaufen gibt. Zieht hin, und kauft
dort für uns Getreide".

In dem vorderen Satz wird dem Leser mitgeteilt, daß
Getreide zu kaufen vorhanden ist. Der Satz mit dem Ausdruck
הנה שמעתי כי... bringt keine neue Mitteilung für den Leser;
er ist vielmehr eine Begründung für die Ausführung, die
im nächsten Satz mit einem Imperativ formuliert wird.

1 Kön 20,31:

הנה נא שמענו כי מלכי בית ישראל כי מלכי חסד הם
נשימה נא שקים...ונצא אל מלך ישראל

"Dann sagten seine Ratgeber zu ihm: Wir haben erfahren,
daß die Könige des Hauses Israel milde Könige sind. Wir
wollen daher Trauergewänder anlegen...und zum König von
Israel hinausgehen".

Die Ratgeber wollen eigentlich keine Informationsstunde
über Israel veranstalten, sie suchen die sicherste Möglichkeit, um mit Israel fertig zu werden,d.h., es wird
ein Grund angegeben, um das Verhalten, das im nächsten
Satz geäußert wird, zu rechtfertigen.

1 Kön 1,11:

הלוא שמעת כי מלך אדניהו...ואדנינו דוד לא ידע
ועתה לכי איעצך נא עצה ומלטי את נפשך ואת נפש בנך

"Da sagte Natan zu Batseba...: Hast du nicht gehört, daß
Adonija...König geworden ist, ohne daß David, unser Herr,
davon weiß? Komm nun, ich will dir einen Rat geben, wie
du dir und deinem Sohn Salomo das Leben retten kannst.
Gehe zum König David und sag zu ihm..."

Die Frage, fast eine rhetorische Frage, hat nicht
zum Ziel, eine Information mitzuteilen. Die Behauptung,
die für den Leser schon bekannt ist, soll die Handlung
Batseba's in den nächsten Sätzen begründen.

Beide Konstruktionen כי שמע כי, הנה שמע כי äußern
eine Begründung oder haben eine deiktische Funktion. Unterschiede sind aber dabei deutlich: כי שמע כי begründet etwas,
was geschehen ist; הנה שמע כי begründet etwas was geschehen
soll.

1 Sam 25,4.7:   וישמע דוד במדבר כי גזז נבל את צאנו
                              עתה שמעתי כי גזזים לך

"David hörte in der Steppe, daß Nabal dabei war, seine
Schafe zu scheren. Er schickte zehn junge Männer hin".
"Ich habe soeben gehört, daß du bei der Schafschur bist.
Nun sind deine Hirten..."

Der V.7 mit עתה führt die Bitte oder die Erklärung
ein, nach dem Gebrauch von עתה.

Andere Belege

Num 14,13.14:   ושמעו מצרים כי העלית בכחך את העם הזה מקרבו
                              שמעו כי אתה יהוה בקרב העם הזה

"Die Ägypter werden hören, daß du dieses Volk mit deiner
Kraft aus ihrer Mitte hierher geführt hast..."
"(Die Einwohner) hatten gehört, daß du, Jahwe, mitten in
diesem Volk warst".

In diesem späten Text aus P hat der Ausdruck teilweise
seinen Erzählungskontext verloren und äußert theologische
Behauptungen.

Einmalig ist die Konstruktionsfolge, die in Ex 18,1
vorliegt:

Ex 18,1:   וישמע יתרו...את כל אשר עשה אלהים...
                              כי הוציא יהוה את ישראל ממצרים

"Jitro...hörte, was Gott alles an Mose und seinem Volk

Israel getan hatte, daß er nämlich Israel aus Ägypten herausgeführt hatte".

   In der ungewöhnlichen Konstruktion שמע את כל אשר -
שמע כי. sind die beiden Wendungen wohl nicht parallel,
sondern כי hat noch seine deiktische Funktion und expliziert
den vorangehenden Satz.

Zusammenfassend

   a) וישמע כי und וישמע spielen eine bedeutende Rolle
in der hebräischen Erzählung.

   b) In der besprochenen Sprache werden die folgenden
Ausdrücke gebraucht: כי שמע כי als Begründung für die voran-
gegangene Äußerung, הנה שמע כי als Begründung für die folgende Äußerung, עתה שמע כי ,זולה שמע כי.

שמע את הדבר הזה / את הדברים האלה

   Die wiederholende Funktion von שמע כי in der Mitte
einer Erzählung (einem Pronomen ähnliche Funktion) kann
auch von שמע את הדבר הזה / את הדברים האלה. übernommen werden, und das besonders nach einem Wort oder einer Rede
in der Erzählung; דבר kann aber auch ein Ereignis oder
Geschehen bezeichnen und als Fürwort für ein Ereignis gebraucht werden.

Gen 24,52:   ויהי כאשר שמע עבד אברהם את דבריהם
"Als der Knecht Abrahams diese Worte (= es/dies hörte),
warf er sich vor dem Herrn zur Erde nieder..."

   Die Erzählung ist so gestaltet: a) Benachrichtigung,
b) Zur-Kenntnisnahme, c) Reaktion (s.o. וישמע כי).

Gen 27,34:   כשמע עשו את דברי אביו
"Als Esau die Worte seines Vaters hörte (= dies hörte),
schrie er heftig auf, aufs äußerste verbittert".

   a) Worte, b) Beschreibung der Wahrnehmung, c) Reaktion
sind die Teile des Textes.

Gen 39,19:   ויהי כשמע אדניו את דברי אשתו

"Als sein Herr die Worte seiner Frau...hörte, packte ihn
der Zorn".

Die Grundelemente werden hier erweitert.

1 Sam 8,21:   וישמע שמואל את כל דברי העם

"Samuel hörte alles, was das Volk sagte, und trug (es)
Jahwe vor".

Zuerst werden die Worte des Volkes vollständig berichtet, dann kommt die Wiederholung in kurzer Fassung (= und
er hörte die Worte...), danach folgt die Reaktion oder
die Handlung der anderen Partei. Es ist die gleiche Struktur
vorhanden, die schon in den Erzählungen festgestellt wurde.

1 Sam 11,6:   ותצלח רוח אלהים על שאול בשמעו את הדברים האלה

"Als Saul diese Worte (= das) hörte, kam der Geist Gottes
über ihn und sein Zorn entbrannte heftig".

Zuerst wird das Geschehen von Jabesch berichtet; Boten
bringen dann die Benachrichtigung; Saul erfährt es und
reagiert entsprechend.

1 Sam 17,11:   וישמע שאול וכל ישראל את דברי הפלשתי האלה

"Als Saul und ganz Israel diese Worte des Philisters hörten, erschraken sie und hatten große Angst".

Zuerst wird von dem Philister und seinen Worten berichtet;
es wird von der anderen Partei (den Israeliten) wahrgenommen; danach folgt die Reaktion.

1 Kön 12,24:   וישמעו את דבר יהוה וישבו ללכת כדברי יהוה

"Sie hörten das Wort Jahwes und kehrten heim nach den Worten
Jahwes".

Vorbereitung für den Krieg mit dem prophetischen Wort,
Wahrnehmung, entsprechende Reaktion sind Bestandteile des
Textes[1].

1 Kön 13,4:   ...ויהי כשמע המלך את דבר איש אלהים אשר קרא

"Als der König die Worte hörte, die der Gottesmann gegen
den Altar in Bet-El ausrief, streckte er am Altar seine
Hand aus und befahl..."

---

1) Es besteht hier kein Grund, den Text anders zu verstehen (z.B. "sie
   hörten auf das Wort des Herrn" EU).

Es kommt ein Gottesmann aus Juda und spricht gegen
den Altar; es folgen Wahrnehmung und Reaktion. Die rückweisende Zusammenfassung wird auch hier mit ...אשר erweitert.

1 Kön 21,27:   ויהי כשמע אחאב את הדברים האלה
"Als Ahab diese Drohungen hörte (= es hörte), zerriß er
seine Kleider, trug er ein Bußgewand..."

Was in der Erzählung eines Ereignisses mit כי שמע rückweisend wiederholt wird (1 Kön 21,16), geschieht mit dem
Ausdruck את הדברים האלה (oder einer ganz ähnlichen Form),
wenn von Worten oder von einer Rede, Mahnung... berichtet
wird (hier beide Formen in demselben Text).

Siehe weitere Belege in 2 Kön 22,11; Neh 1,4; 13,3;
Esra 9,3; 1 Kön 5,22; Jos 22,30.

Ob ein Bericht oder ein Wort direkt oder indirekt
wahrgenommen wird, spielt in den Äußerungen der hebräischen
Sprache keine Rolle. In beiden Fällen werden die gleichen
Konstruktionen verwendet. Dasselbe Schema und dieselben
Elemente kommen vor, wie in den folgenden Belegen gezeigt
wird[1].

Ri 9,30:   וישמע זבל שר העיר את דברי געל בן עבד
"Als Sebul, der Vogt der Stadt, von den Reden Gaals, des
Sohnes Ebeds, hörte (= als Sebul es hörte), entbrannte
sein Zorn und er schickte Boten..."

Die Erzählung zeigt: Ein Geschehen mit einem Wort,
die Wahrnehmung der Sache, die Reaktion.

2 Sam 13,21:   והמלך דוד שמע את כל הדברים האלה
"Doch der König David erfuhr von der ganzen Sache und wurde
(darüber) sehr zornig".

Ereignis, Wahrnehmung (mit rückweisender Wiederholung),
Reaktion sind die Elemente. את כל הדברים האלה bezieht sich
auf das ganze Ereignis, und nicht ausdrücklich auf gespro-
chene Worte. Die Funktion des Ausdrucks kann als pronominal

---

1) Wenn die hebräische Sprache die direkte sinnliche Wahrnehmung betonen will, dann kann sie die Wendung שמע באזנים benutzen.

betrachtet werden.

1 Kön 20,12:   ויהי כשמע את הדבר הזה והוא שתה...

"Als Ben-Hadad diese Meldung erfuhr, hielt er gerade in
den Zelten ein Gelage..., sagte zu seinen Dienern: Greift
an!"

Jer 26,10:   וישמעו שרי יהודה את הדברים האלה

"Als die Beamten Judas von diesen Vorgängen hörten (= als
sie das hörten), gingen sie vom Königspalast zum Haus des
Herrn hinauf".

Jer 26,21:   וישמע המלך יהויקים ... את דבריו

                                    וישמע אוריהו וירא ויברח ויבא מצרים

"Der König Jojakim, alle seine Heerführer und alle Beamten
hörten von seinen Reden und (der König) suchte ihn zu töten. Als Urija (davon) erfuhr, bekam er Angst, floh und
gelangte nach Ägypten".

        Für die gleiche Sprachfunktion steht das erste Mal
die Form שמע את הדברים, das zweite Mal dagegen שמע ohne
rückweisendes Objekt.

Jer 36,11.16:   וישמע מכיהו...את כל דברי יהוה מעל הספר

                                    ויהי כשמעם את כל הדברים

"Als Micha...alle Worte Jahwes aus dem Buch vernommen hatte,
ging er hinab in den Königspalast zur Halle des Staats-
schreibers".

"Als sie all die Worte hörten, schauten sie einander er-
schrocken an..."

        In V.11 wird die Lesung des Buchs wahrgenommen. In
V.16 wird über diese Worte berichtet.

Ex 2,15:   וישמע פרעה את הדבר הזה

"Und der Pharao hörte diese Sache (=es) und er suchte Mose
zu töten".

Die Folge ist: Erzählung des Ereignisses, wiederholende
Zusammenfassung, Reaktion des Pharao. את דבר הזה steht
für das ganze Ereignis (= wie ein Fürwort).

Ex 33,4:   וישמע העם את הדבר הרע הזה

"Als das Volk dieses Drohung hörte, trauerten sie...".

        Die kurze Wiederholung nach einem Bericht kann auch mit

anderen Begriffen ausgedrückt werden: siehe z.B. 1 Kön 3,28;
Gen 29,13; Jer 37,5; 1 Sam 4,19; die große Zahl der Belege
soll die Geläufigkeit dieser syntaktischen Form in der Erzählung zeigen.

Nicht nur das Verb שמע kann diese Sprechhandlung ausdrücken, selbst mit einem Substantiv erreicht die Sprache
diese Äußerung:

2 Sam 13,30:   ויהי המה בדרך והשמעה באה אל דוד לאמר
"Sie waren noch auf dem Weg, als zu David das Gerücht ge-
langte: Abschalom hat alle Söhne des Königs erschlagen...
Da stand der König auf, zerriß seine Kleider...".

Die Struktur der Erzählung ist auch hier: Beschreibung
des Ereignisses, das Bekanntwerden, die Reaktion des Betrofe-
nen.

Zur Bedeutung: Das Ergebnis dieser Sprechhandlung ist
nicht eine sinnliche Wahrnehmung. Das Bekanntwerden, die Zur-
Kenntnisnahme des Geschehens, des Erzählten bestimmt in diesen Sätzen den Inhalt.   *Erfahren, davon hören* können geeignete Verben für eine Übersetzung sein.

Zusammenfassung

a) שמע כי in der erzählten Sprache[1]: Die שמע כי-Sätze
sind feste Formen der hebräischen Erzählung. Die Erzählung
besitzt das folgende Schema: a) Bericht eines Ereignisses,
b) Zur-Kenntnisnahme des Ereignisses durch ...שמע, c) Reaktion dieser Personen.

Der kî-Satz äußert rückweisend den Grundinhalt des
ganzen Berichts. Der Satz leitet so den Teil der Erzählung
ein, den wir Reaktion genannt haben. Man kann auch sagen,
daß der Satz den zweiten Teil der Erzählung einleitet.
Diese wiederholende Funktion hat große Ähnlichkeit mit
dem Gebrauch der Fürwörter in den indogermanischen Sprachen;
darum wurde die Funktion dieser Sätze eine pronominale
Funktion genannt.

---

1) Erzählte und besprochene Sprache: s. WEINRICH, Tempus.

Die hebräische Sprache hat auch andere Ausdrucksmittel,
um in diesem Erzählungsschema die Zur-Kenntnisnahme zu
äußern. Das geschieht besonders durch ein zusammenfassendes Objekt: האלה הדברים, הזה הדבר, השמועה oder andere passende Objekte.

Eine dritte Möglichkeit ist noch vorhanden. Die Zur-
Kenntnisnahme kann durch שמע ohne eine rückweisende Zusammenfassung geäußert werden. In diesem Fall wird שמע ohne
כי-Satz, ohne Objekt konstruiert. In den indogermanischen
Sprachen wird häufiger Gebrauch von Pronomina gemacht,
um unnötige Wiederholungen von Wörtern und Sätzen zu vermeiden. "Auf diese Weise können ganze Textteile miteinander
verknüpft werden, ohne daß immer wieder dasselbe Substantiv
wiederholt werden müßte"[1]. Anders als in den modernen Sprachen sieht es bei שמע aus. Hier finden sich die genannten
drei Möglichkeiten: Wiederholung durch einen zusammenfassenden Satz, Wiederholung durch ein Objekt, das Verb ohne
Objekt.

b) כי שמע in der besprochenen Sprache: כי שמע כי bietet
eine Begründung für die Äußerung des vorderen Satzes.

ועתה שמע כי und teilweise auch הלוא שמע כי, כי שמע הנה
bieten eine Begründung für die nächste Handlung.

*Exkurs: Die Reaktionshandlungen nach שמע כי und ähnliche
Äußerungen*

Beispielhaft seien hier die wichtigsten Handlungen
und Haltungen genannt, die einer Zur-Kenntnisnahme in diesen
Erzählungen folgen:
וישלח: Die neue Handlung oder Handlungsreihe beginnt
mit einer Sendung: Jos 11,1; 1 Kön 11,21; 12,20; 13,3;
5,22; 2 Sam 10,7; 2 Kön 5,8; 20,12; 1 Chr 14,8; 18,9; 19,8;
1 Sam 25,4; 2 Sam 8,9; 1 Kön 5,15.
Die neue Handlung kann mit einer Bewegung anfangen:
ויעל/ויעלו: 1 Sam 7,7; 2 Sam 5,7; Jer 26,10; 37,5;

---

1) DUDEN, Grammatik, Band 4, Mannheim 1970,§533.

וירד: Gen 42,2; 1 Sam 22,1; 2 Sam 5,17; Jer 36,11;
ויבא: Ri 9,46...
Die Handlung oder Reaktion kann auch ein anderer Ausdruck
sein:
ויאמר: 1 Sam 3,9; 3,14; 25,29; 1 Kön 13,26...
Nicht selten werden als Reaktion Gefühle geäußert:
ויקרע בגדיו: 2 Sam 13,31; 2 Kön 6,30; 19,1; 22,11;
Esra 9,3; 1 Kön 21,27;
ויפל על פניו: Num 16,4;
וישתחוו: Gen 24,52; Ex 4,31.
Unfreundliche Ereignisse können Wut verursachen:
ויחר: Gen 34,7; 39,19; Num 11,1; Ri 28,30; 1 Sam 15,6;
2 Sam 13,21.
Ein schreckliches Ereignis erweckt Furcht. Das ist der
Fall bei gesetzlichen Strafen, ganz besonders bei der Todes-
strafe: Ihre Vollstreckung soll allen bekannt gemacht werden, damit solches Übel aus Israel entfernt werde. Diese
pädagogische Intention zeigen die Reaktionstexte im Buch
Deuteronomium:
ויראו: Dtn 13,12; 17,13; 19,20; 21,21; 1 Sam 7,7;
17,11; 1 Kön 3,28).
Auch Spott kann die Folge sein:
ויצחק: Gen 21,6; וילעגו: Neh 2,19; וירע: Neh 2,10.
Die Reaktion kann auch Bewilligung oder Freude sein:
וייטב בעיניו: Lev 10,20; Gen 45,16; Jos 22,10;
וישמח: 1 Kön 5,22.

B שמע את אשר *Bestandteil der hebr. Besprechung*

Neben der hypotaktischen Bildung שמע כי findet man
die Konstruktionen שמע את אשר, שמע את אשר, שמע את כל אשר.
Typisch für שמע כי-Sätze war immer, daß ihr Inhalt oder
ihre Aussage ein sehr konkreter Vorgang war. Auch in der
rückweisenden Zusammenfassung oder Wiederholung wurde der
zentrale Punkt des ganzen Ereignisses genannt. Häufig wird
von einem Mord oder von einem Tod ausführlich berichtet;
die rückweisende Wiederholung ist dann וישמע כי מת. Auch
in den anderen Belegen wird in dem שמע כי-Satz auf den
Kern des Ereignisses hingewiesen.

Ein anderes Merkmal von שמע כי-Sätzen war die häufige
Verbindung mit der Erzählungswelt. Man könnte hier mit
Einschränkungen von "besprochener" (שמע את אשר) und "erzäh-
lter Welt" (שצע כי) reden[1].

Belege

2 Kön 19,11; Jes 37,11:

הנה אתה שמעת את אשר עשו מלכי אשור לכל הארצות להחרימם

הנה אתה שמעת   אשר עשו מלכי אשור לכל הארצות להחרימם

"Du hast doch gehört (= du weißt doch), was die Könige
von Assur mit allen anderen Ländern gemacht haben".

Die Wendung kommt in einer Rede vor. Die Aussage ist
eine allgemeine Behauptung. Diese allgemeine Behauptung
unterscheidet sich von שמע כי-Sätze, wo auf eine konkrete
Tat hingewiesen wird. Das vollzogene Faktum des Erfahrens
ist wahrscheinlich mit "wissen" zu übersetzen (= du weißt
doch). Man kann den selben Satz mit את (= שמע את אשר: 2
Kön 19,11) oder ohne את (= שמע אשר: Jes 37,11) aufbauen.

1 Chr 10,11; 1 Sam 31,11:

וישמעו   כל   יבש גלעד את כל אשר עשו פלשוים לשאול

וישמעו *אליו* ישבי יבש גלעד את   אשר עשו פלשתים לשאול

"Als das ganze Jabesch-Gilead hörte, alles, was die Philister mit Saul gemacht hatten..."

1 Sam 31,11 ist nach 1 Chr 10,11 zu verbessern: Anstelle יבש ישבי אליו ist כל יו(/)שבי יבש zu lesen[2].

שמע hat auch hier eine wiederholende oder zusammenfassende Funktion in der Erzählung. Es wird aber nicht eine
zentrale Tat genannt (etwa die der Tod Sauls), sondern
das ganze Geschehen. שמע את אשר עשו in 1 Sam 31,11 wird
שמע את כל אשר עשו in 1 Chr 10,11. כל betont zusätzlich
diesen Aspekt.

Ex 18,1:   וישמע יתרו ... את כל אשר עשו אלהים למשה...
                  כי הוציא יהוה את ישראל ממצרים

"Jitro... hörte, was Gott alles an Mose und seinem Volk
Israel getan hatte, daß nämlich Jahwe Israel aus Ägypten
herausgeführt hatte".

את כל אשר betont eine allgemeine Feststellung; dagegen
erwähnt der כי-Satz einen konkreten Vorgang; von dem ganzen
wird eines (deiktisch) unterstichen.

Die Konstruktion wird bei Aufzählungen gebraucht:
1 Sam 2,22: ועלי זקן מאד ושמע את כל אשר יעשון בניו לכל ישראל
            ואת אשר ישכבן את הנשים...

Eli war sehr alt geworden. Er hörte von allem, was seine
Söhne allen Israeliten antaten, daß sie mit den Frauen
schliefen..."

Jos 2,10:   כי שמענו את אשר הוביש יהוה את מי ים סוף מפניכם
            ואשר עשיתם לשני מלכי האמרי...

"Denn wir haben gehört, daß Jahwe das Wasser des Schilf-
meers euretwegen austrocknen ließ, als ihr aus Ägypten
ausgezogen seid, und was ihr mit den Königen der Amoriter
gemacht habt..."

Jos 5,1:   ויהי כשמע כל מלכי האמרי אשר הוביש יהוה את מי הירדן
"Alle Könige der Amoriter...und...hörten, daß Jahwe das

---

1) WEINRICH, Tempus.

2) STOEBE, KAT VIII/1,522.

Wasser des Jordan...austrocknen ließ, da zerschmolz ihr
Herz, und jedem stockte der Atem wegen der Israeliten".

Jos 9,3-4:   וישבי גבעון שמעו את אשר עשה יהושע ליריחו ולעי
"Als die Einwohner von Gibeon erfuhren, was Josua mit Jeri-
cho und Ai gemacht hatte, da griffen sie zu einer List".

Jos 9,9-10:   כי שמענו שמעו ואת כל אשר עשה במצרים
                        ואת כל אשר עשה לשני מלכי האמרי
"Wir haben von seinem Ruhm und von allem gehört, was er
in Ägypten getan hat, und auch von allem, was er mit den
beiden Königen der Amoriter gemacht hat..."

Der Verfasser der Erzählung unterscheidet aber diese
Konstruktionen von שמע כי.

Jos 9,16:   וישמעו כי קרבים הם אליו ובקרבו הם ישבים
"Als sie erfuhren, daß die Männer aus der Nähe waren und
mitten in ihrem Gebiet wohnten".

Hier handelt sich um das Bekanntwerden einer Nachricht.

אשר wird dann gebraucht, wenn etwas von der Vergangenheit erzählt wird, wenn etwas allgemein bekanntes genannt
wird. Die Einmaligkeit des Ereignisses und des Bekanntwer-
dens gehört zu שמע כי.

Andere Belege:

1 Kön 5,22:   שמעתי את אשר שלחת אלי
"Dann sandte Hiram zu Salomo und ließ ihm sagen: Ich habe
gehört, was du mir entboten hast..."

Die Aussage bezieht sich auf die ganze Botschaft;
in 5,15 wird dagegen die Konstruktion שמע כי gebraucht,
um das Bekanntwerden einer Nachricht zu äußern.

Jes 33,13:   שמעו רחוקים אשר עשיתי
"Höret, ihr Fernen, was ich getan, und ihr Nahen erkennet
meine Stärke!"

Jer 33,9:   אשר ישמעו את כל הטובה אשר אנכי עשה אותם
"Dann wird (Jerusalem) meine Freude sein...bei allen Völkern der Erde, die von all dem Guten hören, das ich schaf-
fe".

Jer 36,6:   אולי ישמעו בית יהודה כל הרעה אשר אנכי חשב לעשות

"Vielleicht werden die Leute vom Haus Juda hören (= verstehen) das ganze Unheil, das ich ihnen antun will".

Weitere Belege finden sich in Jer 23,25; Ez 44,5;
Mich 6,1; 1 Kön 11,38; 2 Kön 22,19.

Der hebräische Schriftsteller unterscheidet zwischen
כי שמע und שמע אשר. Siehe Jos 9,3.9.16; 1 Kön 5,12.22;
Ex 18,1. שמע כי äußert eine deiktische, einmalige Zur-Kenntnisnahme einer Meldung oder Botschaft. Eine Aufzählung,
ein gesamte Botschaft, eine allgemein bekannte Tat oder
Wahrheit wird mit שמע אשר ausgedrückt. Das wird von dem
häufigen Vorkommen von כל bestätigt: es kommt als Subjekt
vor(= alle hörten, daß...), es kommt auch als Objekt vor(=
gehört wird alles was Gott getan hat). Der syntaktische
Gebrauch von שמע את אשר und die Unterschiede zu שמע כי
sind deutlich. In wenigen Belegen könnte man noch weiter
erklären.

3.3. שמע ohne Objekt (= mit implizitem Objekt)

Die wajjiqtol-Form von שמע, die überwiegend zu Erzählungen gehört, ist fast 140mal belegt. Auch andere Ausdrücke
wie כשמע, ויהי כשמע (über 30mal) gehören zu Erzählungstex-
ten. Man kann mit Sicherheit sagen: Wer die hebräischen
Erzählungsstrukturen betrachten will, muß sich auch mit
שמע befassen.

Die gewöhnlichen Aufbauformen von שמע in Erzählungs-
funktion sind: שמע + כי, שמע mit Objekt, שמע absolut gebraucht und seltener שמע אשר.

Der Gebrauch von שמע mit einem impliziten Objekt (=
ohne pronominales Objekt) in Erzählungen (und in anderen
Texten) soll nun näher untersucht werden. Einige Belege
wurden schon bei שמע כי zitiert. Andere Belege sind:

Gen 18,10: ושרה שמעת פתח האהל
"Und Sara hörte (es) im Eingang des Zeltes".

Gen 21,6: כל השמע יצחק לי
"Wer (davon) hört, wird über mich lachen."

Gen 21,26: וגם אנכי לא שמעתי בלתי היום
"Und ich habe auch bis heute nicht (davon) gehört."

Gen 35,22: וילך ראובן וישכב את בלהה פילגש אביו   וישמע ישראל
"Ruben ging hin und schlief bei Bilha, dem Nebenweibe seines
Vaters; Israel erfuhr (es)".

Gen 37,21: וישמע ראובן ויצלהו מידם
"Als Ruben (das) hörte, suchte er ihn aus ihren Händen
zu erretten."

Gen 45,2: וישמעו מצרים וישמע בית פרעה
"Und Ägypten erfuhr (es) und das Haus des Pharao erfuhr
(es)."

Ex 15,14: שמעו עמים ירגזון
"Die Völker hörten (es), und sie erbebten."

Lev 10,20: וישמע משה וייסב בעיניו
"Als Mose (das) hörte, schien es ihm richtig".

Lev 24,14: כל השמעים

"Und alle, die (es = das Fluchen) gehört haben..."

Num 11,1: ‏וישמע יהוה ויחר אפו‎

"Das Volk aber murrte vor den Ohren des Herrn über Not.
Als Jahwe (dies) hörte, entbrannte sein Zorn".

Num 12,2: ‏הרק דא במשה דבר יהוה הלא גם בנו דבר וישמע יהוה‎

"Hat denn Jahwe nur mit Mose allein geredet? Hat er nicht
auch mit uns geredet? (Das) hörte Jahwe".

Num 16,4: ‏וישמע משה ויפל על פניו‎

"Warum erhebt ihr euch über die Gemeinde Jahwes? Als Mose
(das) hörte, warf er sich auf sein Angesicht".

Num 30 (Die Gültigkeit der Gelübde): Nachdem in 30,5 das Verb
mit Objekt konstruiert wird (‏וישמע אביה את נדרה‎), steht dann
ohne Objekt in den Versen 6.8.8.9.12.13.15.16: ‏וישמע אישה‎,
‏ביום, וישמע אישה, ואם ביום שמע אישה, ביום שמע אישה, ושמע אישה‎
‏אחרי שמעו, שמעו.‎

Im Buch-Dtn werden Übertretungen von Gesetzen mitgeteilt, wo als Stafe das Todesurteil vorgesehen ist. Nach
der Vollstreckung der Strafe wird sie als Mahnung für das
Volk vorgestellt:

Dtn 13,12: ‏וכל ישראל ישמעו ויראון‎

Dtn 17,13: ‏וכל העם ישמעו ויראו‎

Dtn 19,20: ‏והנשארים ישמעו ויראו‎

Dtn 21,21: ‏וכל ישראל ישמעו ויראו‎

Jos 2,11: ‏ונשמע וימס לבבנו‎

"Und als wir (das) hörten, verzagte unser Herz."

Jos 7,9: ‏וישמעו הכנעני וכל ישבי הארץ ונסבו עלינו‎

"Wenn (das) die Kanaaniter und alle Bewohner des Landes
hören, so werden sie uns umzingeln..."

Jos 9,1: ‏ויהי כשמע כל המלכים .... ויתקבצו יחדו‎

"Als (das) alle Könige hörten, ... da taten sie sich einmü-
tig zusammen..."

Ri 9,46: ‏וישמעו כל בעלי מגדל שכם ויבאו אל צריח‎

"Als alle Insassen der Burg von Sichem (das) hörten, gingen
sie in das Gewölbe des Tempels des Bundesgottes".

1 Sam 13,3: ‏ויך יונתן את נציב פלשתים וישמעו פלשתים‎

"Jonatan nun erschlug den Vogt der Philister, der in Geba

hauste. Und die Philister hörten (es)".

1 Sam 16,2:   וישמע שאול והרגני

"Wenn Saul (es) erfährt, bringt er mich um".

1 Sam 17,23:   וידבר כדברים האלה וישמע דוד

"(Goliat) führte die gewohnten Reden, und David hörte (es)".

1 Sam 23,11:   הירד שאול כאשר שמע עבדך

"Wird Saul herabkommen, wie dein Knecht gehört hat?"

2 Sam 17,9:   ...והיה כנפל בהם בתחלה ושמע השמע ואמר

"Wenn nun gleich am Anfang etliche von den Leuten fallen
und man hört (davon), so heißt es:..."

1 Kön 12,2 (= 2 Chr 10,2):

                              ויהי כשמע ירבעם בן נבט והוא עודנו במצרים

"Als Jerobeam, der Sohn Nebats, (das) hörte, war er noch
in Ägypten".

1 Kön 15,21 (= 2 Chr 16,5):   ויהי כשמע בעשא ויחדל מבנות הרמה

"Als Bascha (das) hörte, stand er davon ab, Rama zu befe-
stigen".

1 Kön 19,13:   ויהי כשמע אלנהו וילט פניו באדרתו

"Als Elija (dieses) hörte, verhüllte er sein Angesicht
mit dem Mantel".

2 Kön 19,25:   הלא שמעת

"Hast du (es) nicht gehört?"

Jes 43,9:   וישמעו ויאמרו אמת

"Sie sollen (es) hören und sagen: Es ist wahr".

Jes 48,6:   שמעת חזה כלה

"Du hast (es) gehört - da sieh es nun alles!"

Jes 48,8:   גם לא שמעת גם לא ידעת

"Du hast (es) weder gehört noch gewußt..."

Jer 26,21:   ויבקש המלך המיתו וישמע אוריהו וירא ויברח

"Der König suchte ihn zu töten. (Das) erfuhr Urija und
fürchtete sich und floh".

Ez 35,13:   אני שמעתי

"Freche Reden hast du wider mich geführt; ich habe (es)
wohl gehört".

Ps 34,3:   ישמעו ענוים וישמחו

"Die Gebeugten mögen (es) hören und sich freuen."

Ps 48,9:   כאשר שמענו כן ראינו
"Wie wir (es) gehört, so haben wir (es) gesehen".

Dan 12,8:   ואני שמעתי ולא אבין
"Ich hörte (es) zwar, aber ich verstand (es) nicht".

Neh 2,19:   וישמע סנבלט ... וילעגו לנו
"Als aber Sanballat und...(davon) hörten, spotteten sie
unser..."

Die zahlreichen Belege zeigen deutlich, daß diese syntaktische Form eine ganz geläufige Struktur der Sprache ist.
Diese syntaktische Erscheinung der hebräischen Sprache
wurde schon von den Grammatikern bemerkt: "Le pronom objet
est souvent omis"[1]. "Das pronominale Objekt wird da, wo
es aus dem Zusammenhang der Rede leicht ergänzt werden
kann, überaus häufig ausgelassen; so namentlich der rückweisende sachliche Akkusativ (das deutsche *es*) nach Verbis
sentiendi *(שמע)...*"[2] Man kann aber die syntaktische Bemerkung
von GESENIUS weiter präzisieren. Bei *שמע* sollte der Ausdruck
überaus häufig ausgelassen durch den Ausdruck *in der Regel
ausgelassen* ersetzt werden. Das pronominale Objekt als
rückweisender Akkusativ ist in unserem Fall eine Seltenheit
und eher eine spätere Erscheinung in der hebräischen Sprache
(siehe bei Suffixobjekten). Diese Besonderheit der hebräischen Sprache bietet keine Schwierigkeit für Verständnis
und Übersetzung, aber die Eigenart der Sprache ist deutlich.
Die hebräische Sprache kennt jedoch auch rückweisende
Ausdrücke (s. *שמע כי*, *שמע את הדבר הזה*, ...) die die Rolle
der Pronomina spielen, wie es schon gezeigt wurde.

Bestimmung der Bedeutung durch den Sprachkontext

In zahlreichen Texten ist also zu beobachten, daß
gna ohne Objekt und ohne rückweisendes Objektpronomen ver-

---

1) JOÜON, Grammaire 146i; siehe auch bei Pronom rétrospectif §158c-k.
1) GESENIUS-KAUTZSCH, Hebr. Gramm. §117F.

wendet wird. Entsprechendes gilt aber auch von den präpositionalen Konstruktionen. Auch die präpositionale Konstruktion von שמע kann wegfallen, wenn die Sprachumgebung Sinn
und Bedeutung von שמע mit Deutlichkeit enthüllt, so daß
für den Hörer keine Verständnisschwierigkeiten entstehen.
Ein Beispiel bietet Gen 42, 21.22.23, wo der Absolutgebrauch
von שמע verschiedene Bedeutungen vermittelt.

Gen 42,21:   ראינו צרת נפשו בהתחננו אלינו   ולא שמענו
"Denn wir sahen die Not seiner Seele, als er uns anflehte,
aber wir hörten nicht auf ihn".

     Die Wahrnehmung von Not und Bitten bereitet schon
die Bedeutung von שמע als Ausdruck des Entgegenkommens
und der Erhörung vor.

Gen 42,22:   אל תחטאו בילד   ולא שמעתם
"Versündigt euch nicht an dem Knaben! Doch ihr wolltet
nicht hören".

     אל in seiner Funktion von "Einführung von Verboten,
Warnungen, negativen Wünschen u. Bitten"[1] bestimmt schon
die Stellung von שמע.

Gen 42,23:   והם לא ידעו כי שמע יוסף כי המליץ בינתם
"Sie wußten aber nicht, daß Josef (sie) verstand; denn
er redete durch einen Dolmetscher mit ihnen".

     Der Satz כי המליץ בינתם verdeutlicht, daß hier die
Rede von שמע שפה ist. Das Objekt muß nicht ausdrücklich
geäußert werden. Die Sprachumgebung macht es unnötig.

Gen 37,27:   וישמעו אחיו
"Kommt, wir wollen ihn an die Ismaeliter verkaufen, aber
uns nicht an ihm vergreifen; er ist doch unser Bruder und
unser Fleisch. Und seine Brüder hörten (auf ihn)".

     Empfehlungen und Mahnungen sind Teil einer Überzeu-
gungsrede. Damit wird die erwünschte Antwort erreicht;
sie ist durch שמע ausgedrückt. Bitten und Einladungen entspricht eine ablehnende oder entgegenkommende Antwort.
Das verlangt schon die Spracherwartung und Verpflichtung.

---

1) GESENIUS-KAUTZSCH, Hebr. Gramm §152f.

Die hebräische Sprache besitzt für diese Äußerung die präpositionale Bildung שמע אל ("einen Vorschlag annehmen oder
ablehnen"). Die Präposition ist jedoch hier für das Verständnis der Äußerung nicht unbedingt nötig und darum hat
der Verfasser die kürzeste Form gewählt. Die Präposition
kann in diesen Fällen ausfallen, muß aber nicht ausfallen.
2 Kön 14,11 (2 Chr 25,20):   ולא שמע אמציהו

   In 2 Kön 14,8-11 wird von der Kampflust Amazjas erzählt: Joasch, König von Israel versucht mit einer Botschaft, den Krieg zu vermeiden. Amazja ändert aber nicht
seine Meinung und läßt sich nicht von der Botschaft überzeugen: *ולא שמע אמציהו*. Die vollständige Konstruktion wäre
auch hier *ולא שמע אמציהו (אליו)*. Die Sprachumgebung oder
Spracherwartung macht die Präposition überflüssig. So tritt
hier die kurze Form auf.
Num 27,20:   ונתתה מהודך עליו למען ישמעו כל עדת בני ישראל
"Lege auch von deiner Hoheit auf ihn, damit die ganze Gemeinde Israel auf ihn hört".

   In Num 27,18ff. wird die Amtsübergabe besprochen.
שמע אל soll die Haltung des Volkes vor Josua ausdrücken.
Die ganze Schilderung des Vorgehens macht schon die Äußerung
sehr deutlich, die gewöhnlich durch die Präposition erreicht wird. Das Ausfallen der Präposition bringt keine
Schwierigkeit für das Sprachverständnis.

Absoluter Gebrauch von שמע in Bitt- und Gebetsäußerungen

   Präpositionale Ausdrücke mit אל, nicht-präpositionale
Ausdrücke besonders mit קול können dazu dienen, um Bitt-
und Gebetserhörung zu äußern. Nun werden Belege gezeigt,
wo dasselbe ohne besondere Formen ausgesagt wird. Die
Sprachumgebung zeigt jedoch ausreichend die Bedeutung der
Spracherwartung.
Ex 22,26:   והיה כי יצעק אלי ושמעתי   כי חנון אני
"Wenn er zu mir schreit, so werde ich (ihn) erhören".

   צעק ("zu jemandem schreien") ist schon ein Ruf um

Hilfe. Die Antwort ist daher als Erhörung zu verstehen.
Der absolute Gebrauch von שמע kann noch einen anderen Grund
haben: In 22,22 ist dieselbe Äußerung mit infinitivus absolutus und Objekt konstruiert und dadurch die Erhörung noch
ausdrücklicher betont. Der V. 26 ist wie eine Wiederholung und der Sinn ist aus V. 22 ersichtlich. Wie gewöhnlich bei Wiederholungen, ist der Satz viel kürzer.

Ri 11,17:   וישלח ישראל מלאכים

                                 ולא שמע מלך אדום

                                 וגם אל מלך מואב שלח

                                 ולא אבה

"Da sandte Israel Boten...und ließ ihm sagen... Aber der
König von Edom hörte nicht darauf. Auch an den König von
Moab sandten sie, aber er wollte nicht".

      Die Sendung der Botschaft und der parallele Ausdruck
lassen die Sprechhandlung leicht erkennen. Die präpositionale Konstruktion, die man hier erwarten könnte, ist ausgefallen. Zwar ist die präpositionale Konstruktion eine Struktur,
die häufig gebraucht wird, aber der Schriftsteller kann
auch die kürzere Form wählen.

2 Kön 19,16:   הטה יהוה אזנך ושמע פקח יהוה עיניך וראה...

"Neige, Herr, dein Ohr und höre! Öffne, o Herr, deine Augen
und siehe!"
Der Satz ist in ein Gebet eingebaut. Die Gesamtheit der
Ausdrücke, mehr als die Konstruktion der einzelnen Verbe,
bringt die Sprechhandlung zustande.

2 Kön 19,20:   אשר התפללת אלי אל סנחרב מלך אשור שמעתי

"Was du wegen Sanheribs, des Königs von Assur, zu mir gebe-
tet hast, das habe ich gehört".

      Der Kontext und der Ausdruck אשר התפללת אלי lassen
die Bedeutung von שמע, absolut konstruiert, deutlich erkennen.

2 Kön 22,19:   ותקרע את בגדיך ותבכה לפני   וגם אנכי שמעתי

"Und weil du deine Kleider zerrissen und vor mir geweint
hast, darum habe ich (dich) erhört".
      Der ganze Vers 19 spricht von Buß- und Gebetshaltung.

Ziel der gesamten Handlung ist besonders die Erhörung Gottes
und die Zurücknahme der Drohung. Auch hier macht die Sprachumgebung den Sinn des Verbs klar.

Jes 1,15: גם כי תרבו תפלה אינני שמע ידיכם דמים מלאו
"Auch wenn ihr noch so viel betet, ich höre (es) nicht.
Eure Hände sind voll Blut".

Jes 65,24: והיה טרם יקראו ואני אענה עוד הם מדברים ואני אשמע
"Und ehe sie rufen, werde ich antworten; während sie noch
reden, werde ich erhören".

עונה - קרא - שמע sind typische Begriffe der Sprechhandlung (Not-Bitte) Gebet-Erhörung. Der Mensch ruft, Gott
gibt seine Antwort (= Erhörung).

Mit denselben Begriffen können שמע - קרא - עונה für
ein anderes Schema benutzt werden: Gott ist der Rufende,
der Mensch soll eine Antwort geben (= Gehorsam):

Jes 65,12: קראתי ולא עניתם דברתי ולא שמעתם
"Denn als ich rief, gabt ihr nicht Antwort, und als ich
redete, hörtet ihr nicht, sondern ihr tatet, was böse ist
in meinen Augen, und was mir mißfällt, das erwähltet ihr".

Jes 66,4: יען קראתי ואין עונה דברתי ולא שמעו
"Denn als ich rief, gab niemand Antwort, als ich redete,
hörten sie nicht, sondern taten, was böse ist in meinen
Augen, und erwählten, was mir nicht gefällt".

Jer 7,13: ואדבר אליכם השכם ודבר ולא שמעתם
ואקרא אתכם ולא עניתם
"Weil ich immer wieder zu euch redete und ihr nicht hören
wolltet und ich euch rief und ihr nicht antworten wolltet".

Jer 35,17: יען דברתי אליהם ולא שמעו ואקרא להם ולא ענו
"Denn ich habe zu ihnen geredet, aber sie haben nicht gehört, ich habe zu ihnen gerufen, aber sie haben nicht geantwortet".

Der nächste Text zeigt, wie der fehlenden menschlichen
Antwort gleichzeitig eine fehlende Antwort Gottes entspricht
(beides mit קרא - שמע):

Sach 7,13: כאשר קרא ולא שמעו
כן יקראו ולא אשמע

"Und wie er rief, sie aber nicht hörten - ebenso, sprach
nun der Herr der Heerscharen, sollen sie jetzt rufen, ich
aber werde nicht hören".

Ps 4,4:   יהוה ישמע בקראי אליו

"Jahwe hört, wenn ich zu ihm rufe".

     In Ps 4,2 steht שמע תפלה für de selbe Bedeutung. Es
ist eine allgemeine Regel, daß שמע bei Wiederholungen das
zweite Mal absolut konstruiert wird. Das zeigt sich auch
in Ps 55,18.20:   ...אשיחה ואהמה וישמע קולי ...

 וישמע אל ויענם

"Ich will zu Gott rufen, und Jahwe wird mir helfen... Ich
will klagen und seufzen, und er wird auf mich (meine Stimme)
hören...Gott wird erhören, wird sie demütigen".

     Ähnliches liegt auch in Dan 9,17.18.19; Neh 9,27.28.

Gehorsam als Antwort zu Gott und zu seinem Propheten

     Der Absolute Gebrauch von שמע mit der Bedeutung *gehor-
chen* ist schon in einigen Belegen aufgetreten. Das Verb
wird in den dtr Schichten von Jer mit der Bedeutung *gehorchen* häufig benutzt[1].

     Die Übersetzung eines formelhaften Satzes lautet:
"Sie hörten nicht und sperrten ihre Ohren nicht auf". Der
Satz findet sich an den folgenden Stellen: Jer

Jer 7,24:   ולא הטו את אזנם   ולא שמעו
Jer 11,8:   ולא הטו את אזנם   ולא שמעו
Jer 17,23:   ולא הטו את אזנם   ולא שמעו
Jer 25,4:   ולא הטיתם את אזנכם   ולא שמעתם
Jer 44,5:   ולא הטו את אזנם   ולא שמעו

---

1) THIEL, WMANT 52,98: "Durch die Verwendung von formelhaft erstarrten
   oder topisch gebrauchten Wendungen und die vielen Wiederholungen
   wirkt die Diktion von D auf uns monoton und schwerfällig. Die Verfasser, die in der Predigttradition standen, aus der die meisten
   dieser Wendungen stammen, strebten durch diese Sprachbehandlung
   wohl eine besondere Eindringlichkeit an. Bestimmte Aussagen und
   Appelle sollen dem Hörer immer wieder eingehämmert und ins Gedächt-
   nis gerufen werden".

Dieselbe Wendung kommt auch mit Präposition vor:

Jer 7,26:   ולא שמעו אלי   ולא הטו את אזנם

Jer 34,14:   ולא שמעו אבותיכם אלי   ולא הטו את אזנם

Jer 35,15:   ולא הטיתם את אזנכם   ולא שמעתם אלי

Nicht nur präpositionale und nicht-präpositionale
Bildungen treten mit derselben Bedeutung auf, auch andere
שמע Konstruktionen häufen sich in den gleichen Texten.
So ist es z.B. in Jer 7,21-29(Vv.23.24.26.27.28)[1]:

כי אם את הדבר הזה צויתי אותם לאמר שמעו בקולי...

ולא שמעו   ולא הטו את אזנם

ולוא שמעו אלי   ולא הטו את אזנם

ודברת אליהם את כל הדברים האלה   ולא ישמעו אליך

ולא שמעו בקול יהוה אלהיו   ולא לקחו מוסר

Anfang und Ende dieses redaktionellen Textes sind
in der Form einer Inklusion mit שמע בקול aufgebaut. In
V.23 ist שמע בקול die Mitte der wahren Religiosität gegenüber den Opfern, "als die eigentliche göttliche Willensoffen-
barung der Mosezeit"[2]. Wenn die שמע בקול-Inklusion die
Vollständigkeit der religiösen Haltung beschreibt, so beschreiben die לא שמע אל-Texte die konkreten Verfehlungen
gegen die Religion.

Jer 11,3-5; 11,6-8 ist ein ähnlicher Fall. Neben der
Wendung ולא שמעו ולא הטו אזנם kommt שמעו בקולי 2mal vor.
3mal ist es der Ausdruck שמעו את דברי הברית הזאת, der diesen
Text kennzeichnet und prägt.

Der absolute Gebrauch von שמע in den redaktionellen
Texten im Jer-Buch ist ein Merkmal dieser Texte. Sie verlan-
gen eine weitere Aufmerksamkeit. Andere Belege liegen in
Jer 12,17; 13,11; 22,21; 26,3-5; 36,31.

Wenn diese Häufigkeit ein Merkmal für den dtr Jeremia
ist, besitzt jedoch die syntaktische Form eine allgemeine
Gültigkeit. Man kann auch Mal 2,2; Neh 9,29; Koh 4,17 prüfen.

---

1) THIEL, WMANT 41,125:"Die Einheit 21-29 ist also fast durchgehend von
   D verfaßt. Authentischer Text findet sich nur am Anfang (21b) und am
   Ende (28b.29) verwendet".

2) THIEL, ibid. 122.

3.4. שמע: Einleitung eines Wortes

Die rückweisende und wiederholende Funktion von שמע im
Erzählungen wurde bereits untersucht. Das Verb kann sich
auch auf das folgende Wort oder auf den folgenden Text beziehen. Bei diesem Gebrauch gehört שמע zur Einleitung eines
Textes. Diese Einleitung hat am häufigsten die Funktion
einer Einladung/Aufforderung. Der Imperativ ist Bestandteil
dieser Sprechhandlungen[1].

שמע kann auch über ein Wort berichten; diese Funktion
besitzt zwei verschiedene syntaktische Strukturen: שמע לאמר
und eine parataktische Form.

Parataktische Eröffnung eines Wortes oder einer Behauptung

Das Verb שמע kann nach dem folgenden Schema konstruiert
werden: Ich habe gehört: Gott ist mit euch. Das Verb wird
absolut aufgebaut, dann folgt parataktisch die Äußerung
oder Behauptung.

Sach 8,23:   נלכה עמכם כי שמענו אלהים עמכם
"Wir wollen mit euch gehen; denn wir haben gehört, daß
Gott mit euch ist".

Der Nominalsatz אלהים עמכם ist ein Objektsatz von שמע.

Ps 44,2:   אלהים באזנינו שמענו אבותינו ספרו לנו
                     פעל פעלת בימיהם בימי קדם...
"O Gott, mit unsern Ohren haben wir es gehört, unsre Väter
haben es uns erzählt: Eine Tat hast du getan in ihren Tagen,
in den Tagen der Vorzeit..."

Dtn 9,2:   עם גדול ורם בני ענקים אשר אתה ידעת ואתה שמעת
                     מי יתיצב לפני בני ענק
"Ein großes und hochgewachsenes Volk, die Anakiter, die
du kennst und von denen du hast sagen hören: Wer kann den
Anakitern widerstehen?"

---

1) Die Imperativformen als Einleitung/Aufforderung werden nicht behandelt. Siehe die Aufsätze von C.HARDMEIER, Texttheorie und bib.Exegese
302ff. und S.E.LOEWENSTAMM, The adress 'listen' 123-131.

Jes 40,28:   הלוא ידעת אם לא שמעת
                                   אלהי עולם יהוה בורא קצות הארץ

"Weißt du es nicht, oder hast du es nicht gehört: Ein ewiger
Gott ist der Herr, der die Enden der Erde geschaffen!"

     Die Belege zeigen, daß die hebräische Sprache eine
Rede oder ein Wort mit שמע parataktisch einführen kann.
Diese Sprachstruktur ist jedoch nicht häufig vertreten.
Die Konstruktion שמע ... לאמר ist für diese Funktion übli-
cher.

שמע לאמר

Gen 24,30:   וכשמעו את דברי רבקה אחתו לאמר כה דבר אלי האיש
"Und als er hörte, wie seine Schwester Rebekka erzählte:
So hat der Mann zu mir geredet".

     Nach der Einführung fangen die eigentlichen Worte
mit dem Ausdruck כה דבר... an. Das kann schon andeuten,
daß der Anfang eines prophetischen Wortes כה אמר יהוה ursprünglich ein Ausdruck der Umgangssprache war.
Gen 27,6:   שמעתי את אביך מדבר אל אשו אחיך לאמר
                                          הביאה לי ציד
"Ich habe gehört, wie dein Vater zu deinem Bruder Esau
sagte: Bringe mir ein Wildbret und bereite mir ein gutes
Gericht, daß ich esse".

Gen 31,1:   וישמע את דברי בני לבן לאמר
                                    לקח יעקב את כל אשר לאבינו
"Da vernahm er, daß die Söhne Labans sagten: Jakob hat
unsres Vaters ganzes Gut an sich gebracht".

Gen 39,19:   ויהי כשמע אדניו את דברי אשתו אשר דברה אליו לאמר
                                       כדברים האלה עשה לי עבדך
"Als sein Herr die Geschichte hörte, die ihm seine Frau
erzählte, indem sie sagte: So und so hat dein Sklave an
mir getan..."

Gen 41,15:   ואני שמעתי עליך לאמר   תשמע חלום לפתר אתו
"Ich habe aber von dir sagen hören: Du verstehst einen
Traum so, daß du ihn deuten kannst".

Dtn 13,13: כי תשמע באחת עריך אשר יהוה אלהיך נתן לך... לאמר

יצאו אנשים בליעל

"Wenn du hörst, in einer deiner Städte, die der Herr, dein
Gott, dir geben wird, um darin zu wohnen, seien Leute,
nichtswürdige Menschen, aus deiner Mitte hervorgetreten..."

Jos 22,11: וישמעו בני ישראל לאמר

הנה בנו בני ראובן ובני גד וחצי שבט המנשה את המזבח

"Und die Israeliten hörten sagen (= hörten, daß): Siehe,
die Rubeniter, die Gaditer und der halbe Stamm Manasse
haben den Altar gebaut"

1 Sam 13,4: וכל ישראל שמעו לאמר הכה שאול את נציב פלשתים

"Und ganz Israel hatte die Kunde gehört: Saul hat den Vogt
der Philister erschlagen".

1 Sam 24,10: למה תשמע את דברי אדם לאמר הנה דוד מבקש רעתך

"Wozu hörst du das Gerede der Leute, die sagen: Siehe,
David sinnt auf dein Verderben".

2 Sam 19,3: כי שמע העם ביום ההוא לאמר נעצב המלך על בנו

"An diesem Tage ward der Sieg zur Trauer für das ganze
Volk; denn an diesem Tage hörte das Volk sagen: Der König
härmt sich um seinen Sohn".

1 Kön 16,16: וישמע העם החנים לאמר קשר זמרי וגם הכה את המלך

"Als aber das Volk im Lager vernahm, daß Simri eine Ver-
schwörung angezettelt und auch den König erschlagen habe..."

2 Kön 19,9: וישמע על תרהקה מלך כוש לאמר הנה יצא להלחם אתך

"Und als (Sanherib) erfuhr über Tirhaka, den König von
Kusch: Er ist ausgezogen, mit dir zu kämpfen..."

Jes 30,21: ואזניך תשמענה דבר מאחריך לאמר

זה הדרך לכו בו

"Deine Ohren werden es um dich hören: hier ist der Weg,
auf ihm müßt ihr gehen".

  Es handelt sich fast immer um Erzählungstexte. Die
Wendung dient dazu, ein Wort, eine Nachricht oder einen
Bericht in die Erzählung einzuordnen. Mit שמע לאמר kann
ein Wort (in der Form einer direkten oder indirekten Rede)
oder eine Nachricht eingeführt werden. Auf einen Wortinhalt

weisen Gen 24,30; 27,6; 31,1; 39,19; 1 Sam 24,10 hin:

את דברי אשתו, את דברי בני לבן, את אביך מדבר, את דברי רבקה

את דברי אדם. Nachrichten über jemand werden durch שמע על
eingeführt (Gen 41,5; 2 Kön 19,9 = Jes 37,9). "Erfahren"
ist die Bedeutung in Dtn 13,13; Jos 22,11; 1 Kön 16,16;
2 Sam 19,3. Zu bemerken ist die Häufigkeit der Wendung
im Gen-Buch (5x von 12 Belegen; von denen 4x sind J-Texte).
Inhaltsähnlichkeiten kann man bei שמע השמועה finden.

In späteren Texten ist die Wendung nicht mehr belegt.

Daß die Sprache reich an Ausdrucksmöglichkeiten ist,
zeigt Gen 37,17; in dieser einmaligen Konstruktion kommt
nicht תלאמר sondern ein Partizip vor:

Gen 37,17:   שמעתי אמרים נלכה דתינה

"Denn ich hörte, wie sie sagten: Laßt uns Dotan gehen".

4. KAPITEL

שמע qal: *Spezifizierung der Bedeutung durch parallele Ausdrücke*

4.1. Ausdruck einer menschlichen Fähigkeit, Sinnesbezeichnung

Es wurde bereits dargelegt, daß שמע durch ein Objekt, durch verschiedene präpositionale Bildungen, durch den Kontext oder durch andere Äußerungsmerkmale verschiedene Äußerungsfunktionen übernimmt. Es gibt aber Stellen, wo שמע eine menschliche oder göttliche Grundfähigkeit bedeutet, ohne weitere Nuancen des *Hörens* zu präzisieren.

Spr 20,12:   אזן שמעת ועין ראה   יהוה עשה גם שניהם

"Das hörende Ohr und das sehende Auge, alle beide hat sie der Herr gemacht".

Der Ausdruck ist wahrscheinlich im Rahmen des Spr-Buchs zu verstehen. אזן שמעת liegt 3mal im Buch vor (15,31; 20,12; 25,12); שמע (אׂיש) kommt 5mal vor (1,33; 8,34; 12,15; 15,32; 21,28). B.GENSER[1] meint: "Die Moral des Spruches ist: man benutze Ohr und Auge zu dem, wozu sie geschaffen sind"; PLÖGER[2] dagegen: "Daß lediglich eine Aussage über den Schöpfergott beabsichtigt ist, der die für die menschliche Existenz bedeutsamen Organe wie Ohren und Augen erschaffen hat, liegt kaum nahe".

Ps 94,9:   הנטע אזן הלא ישמע אם יצר עין הלא יביט

"Der das Ohr gepflanzt, sollte der nicht hören? Der das Auge gebildet, sollte der nicht sehen?"

Dtn 4,28:   אשר לא יראון ולא ישמעון ולא יאכלון ולא ירידן

"...Götter,die das Werk von Menschenhänden sind, Holz und Stein, die nicht sehen und nicht hören, nicht essen und nicht riechen können".

---

1) GENSER, HAT 16,79.
2) PLÖGER, BK XVIII 235.

Ps 115,4-7:   פה להם ולא ידברו עינים להם ולא יראו

אזנים להם ולא ישמעו   אף להם ולא יריחון

ידיהם ולא ימישון   רגליהם ולא יהלכו   לא יהגו בגרונם

"Ihre Götzen sind Silber und Gold, ein Machwerk von Menschenhänden. Sie haben einen Mund und können nicht reden,
haben Augen und können nicht sehen; sie haben Ohren und
hören nicht, haben eine Nase und riechen nicht; sie haben
Hände und können nicht greifen, haben Füße und können nicht
gehen, geben auch keinen Laut mit ihrer Kehle".

Mund + Auge + Ohren + Nase + Hände + Füße + Kehle
mit den entsprechenden Funktionen werden hier genannt,
und zwar הגה + הלך + מוש + ריח + שמע + ראה + דבר. Es handelt
sich um eine ausführliche Beschreibung der Fähigkeiten
eines Lebewesens. Die Fähigkeiten in diesem Text sind sie-
ben. Dabei wird das Herz nicht genannt.

Jes 59,1-2:   הן לא קצרה יד יהוה מהושיע

ולא כבדה אזנו משמוע

"Siehe, die Hand des Herrn ist nicht zu kurz, um zu helfen, und sein Ohr nicht so taub, daß er nicht hörte, sondern
eure Missetaten scheiden euch von eurem Gott, um eurer
Sünden willen hat er sein Angesicht vor euch verhüllt,
daß er nicht hört".

Als Zeichen der Unfähigkeit werden eine kurze Hand
und ein schwergewordenes Ohr genannt. Ein "schwerhöriges
Ohr" wird nicht nur organisch verstanden; das Wort wird
auch in übertragenem Sinn gebraucht. Neben anderen Begriffen, die Taubheit bedeuten, כבד, von dem Ohr gesagt, meint
in der hebräischen Sprache die Behinderung des Hörens.

Ps 38,14-15:   ואני כחרש לא אשמע   וכאלם לא יפתח פיו

ואהי כאיש אשר לא שמע   ואין בפיו תוכחות

"Aber ich bin wie ein Tauber, der nicht hört, und wie ein
Stummer, der seinen Mund nicht auftut. Ich bin wie einer,
der nicht hört und in dessen Mund kein Widerreden ist".

Bildlich wird der Zustand eines Taubstummen beschrieben. Die fehlenden Fähigkeiten bewirken eine zunehmende
Einschränkung in dem eigenen Leben. Bei den Götzen ist

das Fehlen von Grundfähigkeiten das Zeichen für das fehlende
Leben, das Zeichen für ihre Nichtigkeit. Die heilwirkende
Handlungsfähigkeit wird mit hörendem Ohr + zugreifender
Hand angegeben.

4.2. Der Bereich der Erkenntnis

Das gemeinsame Vorkommen von שמע + ראה ist im Alten
Testament bemerkenswert. Die deutlichsten Texte sind so
verteilt: Ex 1x; Num 2x; Dtn 6x; 1 Kön 1x; Jes 10x; Jer
2x; Ez 3x; Ps 3x; Spr 1x; Ijob 4x; Koh 1x; Dan 1x.

Gott versteht die Lage und rettet

Ex 3,7-8:   ראה ראיתי את עני עמי אשר במצרים
                            ואת צעקתם שמעתי מפני נגשיו
                            כי ידעתי את מכאביו

"Und der Herr sprach: Ich habe das Elend meines Volkes
in Ägypten wohl gesehen, und ihr Schreien über ihre Trei-
ber habe ich gehört; ja ich kenne ihre Leiden. Darum bin
ich herniedergestiegen, sie aus der Gewalt der Ägypter
zu erretten..."

"In dieser Geschichte steigt der 'Gott der Väter'
(3,6. 13ff.) wieder 'herab' (3,8), um menschliches Leid
zu erkennen und zu erhören (3,7.9.16), ja selbst zu erfahren"[1]. Als einzelne Äußerungen dienen die Ausdrücke zur
Bezeichnung der sinnlichen Wahrnehmung und der Kenntnis.
Die Sprechhandlung und die Folge aber sind als Resultat
des Ganzen zu verstehen: mit ראה + שמע + ידע wird die ganze
Lebenssituation der Fronarbeiter erfaßt. Das führt unmittelbar zum Eingreifen. את צעקתם שמעתי als einzelner Ausdruck
bezeichnet eine sinnliche Wahrnehmung; W.H.SCHMIDT bemerkt:
"Klingt in Ex 3,7.9, abgesehen von gewissen formalen Berüh-
rungen mit dem Heilsorakel, nicht auch die Sprache des
Klage- bzw. Dankliedes nach? In ihr haben die Substantive

---

1) SCHMIDT, BK II 183.

עני, מכאב und auch die farblosen Verben ראה 'sehen', שמע
'er-hören', die kein bloß feststellendes, sondern ein ver-
stehendes, wohlwollendes, ja fürsorgliches Wahrnehmen meinen, ihren Platz[1].

Dtn 26,7:   וישמע יהוה את קלנו

וירא את ענינו ואת עמלנו ואת לחצנו

"Da schrieen wir zu dem Herrn, dem Gott unsrer Väter, und
der Herr erhörte uns und sah unsre Elend, unsrer Mühsal
und Bedrückung, und der Herr führte uns heraus aus Ägypten".

Die logische Antwort auf das Schreien wäre das Hören;
aber zu צעק korrespondieren שמע + ראה und es folgt ויוצאנו.

Dan 9,18:   הטה אלהי אזנך ושמע

פקחה עיניך וראה שממתינו והעיר אשר נקרא שמך עליה

"Neige, mein Gott, dein Ohr und höre, öffne deine Augen
und schaue unsre Verwüstung und die Stadt, die deinen Namen
trägt!"

Menschliche Erkenntnis

1 Kön 10,6-7:   אמת היה הדבר אשר שמעתי ... על דבריך ועל חכמתך

ולא האמנתי לדברים עד אשר באתי ותראינה עיני

והנה לא הגד לי החצי ...

"Volle Wahrheit ist es gewesen, was ich in meinem Lande
über dich und deine Weisheit gehört habe. Ich habe es nicht
glauben wollen, bis ich hergekommen bin und es mit eignen
Augen gesehen habe. Wahrlich, nicht die Hälfte ist mir
berichtet worden..."

Hier handelt es sich um sukzessive Handlungen: Durch
das Sehen wird das Gehörte bestätigt. Die Handlungen sind
in diesem Fall ergänzend; beide Handlungen schließen den
Kreis; es folgt die Gewißheit.

Ez 40,4:   בן אדם ראה בעיניך ובאזניך שמע ושים לבך

"Menschensohn, schaue mit deinen Augen und höre mit deinen

---

1) SCHMIDT, BK II 162.

Ohren, und achte auf alles, was ich dir zeigen werde; denn
dazu bist du hierher gebracht worden, daß man es dir zeige. Tu alles, was du sehen wirst, dem Hause Israel kund".

ראה + שמע + שים לב vollziehen die Aufnahme der göttlichen Botschaft. Anschließend wird sie zusammenfassend mit
einem einzigen Wort wiederholt (= "was du sehen wirst").
Am Anfang dieses Teils im Ez-Buch wird dem Propheten Aufmerksamkeit und Vollständigkeit empfohlen. Eine ähnliche
Aussage findet sich noch in Ez 44,5:

Ez 44,5:   בן אדם שים לבך וראה בעיניך ובאזניך שמע

"Menschensohn, merke wohl auf und sieh mit deinen Augen
und höre mit deinen Ohren alles, was ich mit dir reden
will..."

In der Sprechhandlung werden nicht die Handlungen
(einmal das Sehen, einmal das Hören...) betont, sondern
eine Vollständigkeit in der Wahrnehmung und in der Aufnahme.

Ijob 13,1-2:   הן כל ראתה עיני   שמעה אזני   ותבן לה

כדעתכם ידעתי גם אני   לא נפל אנכי מכם

"Siehe, dies alles hat mein Auge gesehen, mein Ohr gehört
und darauf bemerkt. So viel ihr wisset, weiß auch ich;
ich bin nicht minder als ihr".

Der ganze Vorgang בין + שמע + ראה wird als ידע wiederholt oder zusammengefaßt. Durch diesen dreigliedrigen Vorgang hat Ijob auch ein ähnliches Wissen erreicht wie seine
Freunde.

Dtn 29,1.3:   אתם ראיתם את כל אשר עשה יהוה לעיניכם בארץ מצרים

לכם לב לדעת ועינים לראות ואזנים לשמע עד היום הזה

"Ihr selbst habt alles gesehen, was Jahwe vor euren Augen
im Lande Ägypten getan hat... Aber Jahwe hat euch bis auf
den heutigen Tag noch nicht ein Herz gegeben, das verständig
wäre, Augen, die da sähen, und Ohren, die da hörten".

Zuerst wird mit ראה in V.1 eine sinnliche Wahrnehmung
geäußert. Dann aber bilden שמע + ראה + ידע mit den entsprechenden Organen eine Einheit und eine Äußerung. Es wird
die fehlende Erkenntnis der Taten Gottes unterstrichen.

Jer 5,20-21:   שמעו נא זאת

עם סכל ואין לב   עינים להם ולא יראו   אזנים להם ולא ישמעו

"Höre doch dies, du törichtes, unverständiges Volk! Die
ihr Augen habt und nicht seht, Ohren habt und nicht hört!"

Das fehlende שמע + ראה + לב לב macht das Volk Jakobs
zu einem עם סכל (= Volk ohne Verstand).

Ez 12,2:   בן אדם בתוך בית המרי אתה ישב
אזנים להם לשמע ולא ישמעו   אשר עינים להם לראות ולא ראו
"Menschensohn, du wohnst inmitten des widerspenstigen Ge-
schlechts, das Augen hat zu sehen und doch nicht sieht
und Ohren zu hören und doch nicht hört; denn sie sind ein
widerspenstiges Geschlecht".

Jes 6,8-10:   ...ואשמע את קול אדני אמר
...שמעו שמוע ואל תבינו   וראו ראו ואל תדעו
השמן לב העם הזה ואזניו הכבד   ועיניו השע
פן יראה בעיניו ובאזניו ישמע ולבבו יבין...
"Da hörte ich den Herrn sprechend.... Höret immerfort,
doch verstehet nicht, und sehet immerfort, doch erkennet
nicht! Verstocke das Herz dieses Volkes, mache taub seine
Ohren und blind seine Augen, daß es mit seinen Augen nicht
sehe und mit seinen Ohren nicht höre, daß nicht sein Herz
einsichtig werde..."

Der wiederholende Gebrauch von שמע führt zu dem Eindruck, daß Jes 1,1-20; 6,8-10; Jes 28-34 von derselben
Hand gestaltet (= redaktionell verarbeitet?) wurde. Man
findet hier Konstruktionen und Äußerungen, die sonst in
dieser Form kaum vorkommen.

Eine Satzbildung mit den Wiederholungen und mit der
Dringlichkeit von Jes 6,8-10 findet sich kein zweites Mal
bei שמע; es ist ein merkwürdiger Text. Die Konstruktion
dagegen ist eine Erweiterung von bekannten Ausdrücken:
Auge + Ohr + Herz mit der Minderung der Fähigkeiten dieser
Organe; dann mit den Augen sehen + mit den Ohren hören
+ mit dem Herzen verstehen. In 6,9 wird auf die Verbindung
von שמע - ראה mit ידע - בין gezielt. Die Organe (Ohr-Auge-
Herz) wie die Funktionen dieser Organe (hören-sehen-ver-
stehen) bilden eine Gesamtheit: Das Verstehen und eine
entsprechende Haltung sollten das Ziel dieser menschlichen

Fähigkeiten sein.

Jes 66,19: וְשִׁלַּחְתִּי מֵהֶם פְּלֵיטִים אֶל הַגּוֹיִם תַּרְשִׁישׁ...הָאִיִּים הָרְחֹקִים

אֲשֶׁר לֹא שָׁמְעוּ אֶת שִׁמְעִי וְלֹא רָאוּ אֶת כְּבוֹדִי

"Ich werde aus ihnen Entronnene an die Völker senden, an
Tarschisch..., an die fernen Gestade, die keine Kunde von
mir gehört und meine Herrlichkeit niemals gesehen, und
sie werden meine Herrlichkeit unter den Völkern verkünden".

      . Nicht gesehen + nicht gehört haben bedeutet völliges
Unwissen.

Num 24,16:   נְאֻם שֹׁמֵעַ אִמְרֵי אֵל וְיֹדֵעַ דַּעַת עֶלְיוֹן

מַחֲזֵה שַׁדַּי יֶחֱזֶה נֹפֵל וּגְלוּי עֵינָיִם

"So spricht, der göttliche Reden vernimmt, der die Gedanken des Höchsten weiß, der Gesichte des Allmächtigen schaut,
hingesunken und enthüllten Auges".

      In Num 24,4; 24,16 sind שמע + חזה und auch ידע vorhan-
den. Damit wird die Tiefe der Erfahrung geschildert. Anstelle des Verbs ראה findet sich hier חזה[1].

Jes 18,3:   כָּל יֹשְׁבֵי תֵבֵל וְשֹׁכְנֵי אָרֶץ כִּנְשֹׂא נֵס הָרִים תִּרְאוּ

וְכִתְקֹעַ שׁוֹפָר תִּשְׁמָעוּ

"Ihr alle, die ihr den Erdkreis bewohnt und die ihr haust
auf der Erde: wenn man das Panier auf den Bergen erhebt,
sehet hin! Wenn man in die Posaune stößt, horchet auf!"

Jer 4,19.21:   כִּי קוֹל שׁוֹפָר שָׁמַעַתְּ נַפְשִׁי תְּרוּעַת מִלְחָמָה...

עַד מָתַי אֶרְאֶה נֵּס אֶשְׁמְעָה קוֹל שׁוֹפָר

"Denn Hörnerschall höre ich und Kriegsgeschrei...Wie lange
noch muß ich das Panier sehen, muß ich hören den Hörnerschall?"

      Schofar und Panier sind hier Kennzeichen für den Krieg.
Sehen + Hören sind eine sinnliche Wahrnehmung des Krieges

---

1) JEPSEN, TWAT II,834: "Während das hebr. ראה eine große Breite an
    Bedeutungen hat, angefangen vom natürlichen Sehen der Augen, ist der
    Gebrauch des aus dem Aram. übernommenen חזה stark begrenzt. Es be-
    zeichnet zunächst eine (von den Aramäern überkommene?) Offenbarungs-
    form, die in einer nächtlichen, im Tiefschlaf empfangenen Wahrneh-
    mung einer göttlichen Stimme besteht".

und vermitteln hier die Unmittelbarkeit und das gesamte
Erlebnis des Krieges. RUDOLPH meint: "Der Prophet hörts
und siehts ganz körperlich"[1].

Jes 21,3-4:   נעויתי משמע   נבהלתי מראות   תעה לבבי

"Verstört bin ich vom Hören, bestürzt vom Sehen, mir tau-
meln die Sinne"

   Um den Schrecken der Belagerung zu beschreiben, wird
in der Schilderung das Erfahren/Erleben durch שמע/ראה/לבב
eingebaut.

Jes 29,18:   ושמעו ביום ההוא החרשים דברי ספר

                         ומאפל ומחשך עיני עורים תראינה

"An jenem Tage werden die Tauben Schriftworte hören und
die Augen der Blinden aus Dunkel und Finsternis heraus
sehen".

   Zu der neuen Zeit gehört auch die Befreiung der Menschen aus ihren Grundunfähigkeiten. So werden in dem nächsten Text Blinde und Taube zur aktiven Wahrnehmung eingela-
den.

Jes 42,18:   החרשים שמעו   והעורים הביטו לראות

"Ihr Tauben, höret, und ihr Blinden, schauet her und sehet!"

   Teilnahme und Vollständigkeit werden durch die Ergänzung ראה-שמע[2] geäußert. ELLIGER[2] bemerkt: "Das Verbum *hören* wird in prägnanter Bedeutung gebraucht: die Botschaft
nicht nur mit den Ohren wahrnehmen - dann kann man immer
noch *taub* sein -, sondern sie auch in sich, in Geist und
Gemüt, aufnehmen und die Konsequenzen daraus ziehen". Ein
Beitrag dazu ist auch das Verb ראה in der ergänzenden Komposition.

Jes 30,21: והיו עיניך ראות את מוריך ואזניך תשמענה דבר מאחריך

"So wird dein Lehrer sich nicht mehr verbergen, sondern
deine Augen werden stets deinen Lehrer sehen, und deine
Ohren werden das Wort um dich herum vernehmen: Dies ist
der Weg, den gehet!"

---

1) RUDOLPH, HAT 12,33.

2) ELLIGER, BK XI/1,288-289.

Das Sehen und das Hören sind verschiedene Handlungen;
sie zeigen aber dieselbe Wirklichkeit, d.h. die öffentli-
che und freie Tätigkeit des Lehrers. Mehrere Aussagen sind
eigentlich ein Beitrag zu einer einzigen Sprechhandlung;
das Sehen + das Hören bestätigen vollständig die verkündete
neue Wirklichkeit. Man kann feststellen: die hebräische
Sprache äußert durch Sehen + Hören die volle Bestätigung
einer Wahrheit. "Ähnlich wie im Danielbuch, vgl. 11,33
und 12,3, handelt es sich um Männer, die dank ihres eschato-
logischen Wissens als Lehrer in ihrer Gemeinde stehen,
aber über den Kreis der sich als die 'Demütigen und Armen'
verstehenden Frommen hinaus mit ihrer Botschaft kein Gehör
finden"[1].

Jes 66,8:   מי ראה כאלה   מי שמע כזאת
"Wer hat solches gehört, wer hat dergleichen gesehen?"

Die Vergeltung des Herrn wird erlebt, das Unerwartete
wird gehört und gesehen (= vollständig erfahren). In diesem
Sinn ist auch wahrscheinlich Koh 1,8 zu erfassen.

Koh 1,8:   כל הדברים יגים
                                      לא יוכל איש לדבר
                                      לא תשבע עין לראות
                                      ולא תמלא אזן משמע

"Alle Worte mühen sich ab, kein Mensch vermag (der Welt
adäquat) zu reden: das Auge wird nicht satt zu sehen und
das Ohr wird nicht voll vom Hören".

Die adäquate Erklärung der Welt mit ihren Geheimnissen
ist nicht möglich, weil ihre Wirklichkeit nur unvollstän-
dig wahrgenommen (= ראה + שמע) und verstanden wird. Erst
das richtige Verständnis der Welt kann erlauben, ausführlich
über die Welt zu reden. ראה - שמע werden in dem Text in
Verbindung mit לדבר genannt, und gerade in diesem Zusammenhang sind die Begriffe zu verstehen.

Ijob 42,3-5:   לכן הגדתי ולא אבין
                                      נפלאות ממני ולא אדע...

---
1) KAISER, ATD 18,239-240.

לשמע אזן שמעתיך
ועתה עיני ראתך

"Darum habe ich geredet im Unverstand, Dinge, die zu wunder-
bar für mich, die ich nicht begriff... Vom Hörensagen hatte
ich von dir gehört; nun aber hat dich mein Auge gesehen".

Das bloße Hören bringt nicht die verlangten Kenntnisse.
Wenn aber dem Hören das Sehen zugefügt wird, erreicht man
das Verständnis für die Sache. שמע + ראה bedeutet schon
die richtige Kenntnis.

Zusammenfassung

שמע- ראה sind zwei Verben, die in der hebräischen
Sprache sehr häufig gemeinsam vorkommen.

Dies geschieht außerhalb der präpositionalen Konstruktionen von שמע.

Die Verben (allein oder mit anderen Verben) können
in einer Aufzählung von Grundfähigkeiten erscheinen. Häufig
werden dabei auch die entsprechenden Organe (Ohr, Auge...)
genannt. Die beiden Verben können eine sinnliche Wahrnehmung bezeichnen. Der Vorgang des Sehens verstärkt und
bestätigt den Vorgang des Hörens.

Sehr oft bezeichnen שמע - ראה den Vorgang des Erfahrens. Das Hören + das Sehen gibt dem Erfahren eine volle
Sicherheit. Dabei werden nicht mehr die Handlungen des
Hörens und des Sehens betont, sondern das Ergebnis, d.h.
die Gewißheit der Sache. Das Wissen ist das Ergebnis. Die
Sprechhandlung, die aus der Summe שמע + ראה resultiert,
ist die Äußerung einer Gewißheit. Das wird in mehreren
Texten von der Begleitung eines Verbs oder Begriffs (ידע,
בין, לב) bestätigt. Den drei Verben (שמע, ראה, בין/ידע)
können drei Organe entsprechen: אזן, עין, לב. Das heißt:
שמע in Begleitung von ראה, בין/ידע kann die Tätigkeit des
Erkennens ausdrücken. In dieser Funktion besitzen diese
Verben eine ähnliche Bedeutung: Äußerung des göttlichen
oder menschlichen Erkennens[1].

Exkurs: שמע באזנים

Die präpositionale Bildung באזנים kann bei verschiedenen Verben vorkommen.

Bei דבר: Gen 20,8; 23,13.16; 44,18; 50,4; Ex 11,2; Num
14,28; Dtn 5,1; 31,28.30; 32,34; Jos 20,4; Ri 9,2.3; 1
Sam 8,21; 11,4; 18,23; 25,24; 2 Sam 3,19; 2 Kön 18,26;
Jes 36,11; Jer 26,15; 28,7; Spr 23,9.

Bei קרא: Ex 24,4; Dtn 31,11; Ri 7,3; 2 Kön 23,2; Jer 2,2;
29,29; 36,6.10.13.14.15.21; Ez 8,18; 9,1; 10,13; Neh 13,1;
2 Chr 34,30; Neh 8,3.

Bei אמר: Ri 17,2; Jes 49,20; Ez 9,5; Ijob 33,8.

Bei ענה: Gen 23,10.

Bei שים: Ex 17,14.

Bei הגיד: Jer 36,20.

Bei גלה: Jes 22,14.

Bei צוה: 2 Sam 18,12.

Bei ספר: Ex 10,2.

Bei שוע:2 Sam 22,7.

Ein paralleler Ausdruck ist בעיניםs, wie beim Lesen

---

1) ELLIGER (BK XI/1,168) zu Jes 41,20: "Wieder...die Häufung der ent-
    scheidenden Wörter, die noch ganz im Stile von 19 bleibt! Dem Reich-
    tum der Gaben wird der Reichtum und die Tiefe der gläubigen Erkennt-
    nis entsprechen. Es ist kaum so, daß ראה und שים die sinnliche
    Wahrnehmung, ידע und השכיל die gedankliche Verarbeitung bedeuten...
    Vielmehr meint jedes einzelne Verbum, nur in sich verschieden akzen-
    tuiert, das Ganze der Gotteserkenntnis und sie alle zusammen die
    ganze Tiefe und wohl auch überschwängliche Freude dieser Erkennt-
    nis".
    BOTTERWECK (TWAT III 492): "Auch ein auditiver Vorgang kann dem
    jāda[c] vorangehen: šama[c] (Ex 3,7. Deut 9,2. Jes 33,13; 40,28; 48,7.8.
    Jer 5,15; Ps 78,3; Neh 6,16). Beide Sinne sind konstitutiv für
    den Erkenntnisvorgang rā'āh - šama[c] jāda[c] in Ex 3,7; Lev 5,1; Num
    24,16f.; Deut 29,3; 33,9. Jes 32,3f.; 48,6. In solchen Parallelismen
    kann jāda[c] eine übergeordnete Funktion haben, indem es das sensori-
    sche Erkennen zusammenfaßt und gedanklich weiter verarbeitet (z.B.
    Ex 3,7)... Die Häufung dieser Verben läßt nicht immer auf eine
    erzielte Unterscheidung zwischen sinnlicher und geistiger Apperzep-
    tion schließen; eher ist die Totalität menschlicher Erkenntnis-
    fähigkeit angesprochen".

der zitierten Belege deutlich wird. BROCKELMANN erklärt
den Ausdruck[1]: "Die Verbindung b^{ec}ene 'in den Augen jemandes' wird zu 'vor' ". Ähnliches ist auch von באזנים (שמע)
zu erwarten.

2 Sam 7,22:   ואין אלהים זולתך ככל אשר שמענו באזנינו
"Denn keiner ist dir gleich, und kein Gott ist außer dir,
nach allem, was wir mit unseren Ohren gehört haben (was
wir 'selbst' gehört haben)".

Jer 26,11:   כאשר שמעתם באזניכם
"Dieser Mann ist des Todes schuldig; denn er hat wider
diese Stadt geweissagt, wie ihr mit eigenen Ohren gehört
habt (wie ihr 'selbst' gehört habt)".

Ps 44,2:   אלהים באזנינו שמענו אבותינו ספרו לנו
"O Gott, mit unsern Ohren haben wir (es) gehört (wir
'selbst' haben wir es gehört), unsre Väter haben es uns
erzählt".

Ijob 28,22:   אבדון ומות אמרו באזנינו שמענו שמעה
"Der Abgrund und der Tod sprechen: Wir haben mit unsern
Ohren nur ein Gerücht von ihr gehört (= 'wir persönlich',
'wir selbst')".

Betont wird in diesen Texten die unmittelbare Verbindung der Handlung des Hörens mit der hörenden Person. Der
Ausdruck besitzt eine den Personalpronomina ähnliche Funktion. Wie es mit נפש - פה - קול ... + Personalsuffixen[2]
geschieht, steht auch באזנים שמע mit Personalsuffixen anstelle der Person. Die unmittelbare und persönliche Teilnahme eines Wesens an einer Handlung des Hörens vollzieht
sich mit den Ohren.

Die ganz persönliche Teilnahme einer Person wird noch
stärker betont, indem diese Tätigkeit zusätzlich mit dem
Wirken von Augen und Herz unterstrichen wird.

Jes 6,10:   פן יראה בעיניו ובאזניו ישמע ולבבו יבין
_____

1) BROCKELMANN, Grungriß II 370.
2) JOÜON, Grammaire §147: Unter der Überschrift 'Supléances pronomi-

Ez 3,10:   קח ולבבך   ובאזניך שמע

Ez 40,4:   בן אדם ראה בעיניך ובאזניך שמע ושים לבך

Ez 44,2:   בן אדם שים לבך וראה בעיניך ובאזניך שמע

　　　　Diese Unmittelbarkeit und Teilnahme der Person ist
in dem Ausdruck באזנים auch in den Konstruktionen mit anderen Verben gegeben.

Bei דבר:

Gen 23,13:   וידבר אל עפרון באזני עם הארץ
"Und sprach zu Efron vor den Leuten des Landes".

Gen 23,16:   אשר דבר באזני בני חת
"Die er vor den Hetitern genannt hatte".

Gen 50,4:   דברו באזני פרעה
"So redet vor dem Pharao"

Bei קרא:

Ex 24,7:   ויקרא באזני העם
"Und las es dem Volke vor".

2 Sam 18,12:   כי באזנינו צוה המלך אתך
"Denn vor unsern Ohren (= vor uns) hat der König dir den
Befehl gegeben".

　　　　Bei allen Verben wird der Gedanke der Unmittelbarkeit
ausgedrückt. Bei שמע bezieht sich diese Unmittelbarkeit
auf den Hörenden selbst. Übersetzen kann man mit 'selbst'.
Bei den anderen Verben bezieht sich die Unmittelbarkeit
auf andere; darum muß die Übersetzung lauten: 'vor jemandem'
reden, befehlen, vortragen, verkünden, erzählen...

---

nales' behandelt er die Ausdrücke mit pronominalem Wert. Siehe dazu
auch §151c. Aus die Ausdrücke שמע באזנים - ראה בעינים haben mit diesem Sprachgebiet zu tun, besonders wenn sie mit Suffixen aufgebaut
sind.

4.3. Der Bereich des Wollens und des Handelns

Wie wir gesehen haben, steht שמע in enger Verbindung
zu Verben, die Erkenntnis ausdrücken, besonders zu ראה -
בין - ידע. Diese Verben bilden eine Bedeutungseinheit
und äußern in der Sprache die Vollständigkeit der Erkenntnis. שמע kann auch mit Verben des Wollens und des Handelns
eine Sprachäußerung bilden.

שמע - אבה (לא)

Ri 20,13:   ולא אבו בנימן לשמע בקול אחיהם בני ישראל
"Gebt uns also das üble Gesindel von Gibea heraus, wir
wollen es töten und wollen das Böse in Israel austilgen.
Doch die Benjaminiter wollten nicht den Antrag der Israe-
liten beherzigen (= auf sie hören)".
      Es wird eine Forderung gestellt; die negative Antwort
wird mit לא אבו לשמע בקול ausgedrückt.
Ri 19,25:   ולא אבו האנשים לשמע לו
"Aber an diesem Mann dürft ihr keine solche Schandtat
begehen. Doch die Männer wollten nicht auf ihn hören".
      In Ri 19,25; 20,13 sind אבה-שמע hypotaktisch kon-
struiert.
Ri 11,17:   ולא שמע מלך אדום
                      וגם אל מלך מואב שלח ולא אבה
"Da sandte Israel Boten zum König von Edom und ließ ihm
sagen: Ich möchte gern durch dein Land ziehen. Aber der
König von Edom hörte nicht darauf. Ebenso sandte er zum
König von Moab; aber der wollte (auch) nicht".
      Hier erscheinen לא אבה - לא שמע als parallele Aus-
drücke.
Dtn 13,9:   לא תאבה לו ולא תשמע אליו...
"Wenn dich dein Bruder...verführen und sprechen sollte:
...so darfst du nicht willfährig sein und nicht auf ihn
hören..."[1].
1 Kön 20,8:   אל תשמע ולא תאבה

"Da sprachen die Ältesten und alles Volk zu ihm: Höre nicht
darauf und willige nicht ein!"

Es ist die Antwort auf die Bedingungen Ben-Hadads.

Jos 24,10:   ‏ולא אביתי לשמע לבלעם ויברך ברוך אתכם...‏

"Da erhob sich der König Balak von Moab... und ließ durch
Boten den Bileam...herbeirufen, um euch zu verfluchen.
Aber ich wollte Bileam nicht erhören; vielmehr mußte er
euch segnen, und ich rettete euch aus seiner Hand".

Dtn 23,6:   ‏ולא אבה יהוה אלהיך לשמע אל בלעם‏

"...und weil er gegen dich den Bileam...gedungen hat, dich
zu verfluchen. Aber Jahwe, dein Gott, war nicht bereit,
auf Bileam zu hören, und Jahwe, dein Gott, verwandelte
dir den Fluch in Segen..."

Lev 26,21:   ‏ואם תלכו עמי קרי   ולא תאבו לשמע לי‏

"Wenn ihr mir feindlich begegnet und nicht auf mich hören
wollt, werde ich noch weitere Schläge über euch kommen
lassen, siebenfach, wie es euren Sünden entspricht".

Jes 1,19-20:   ‏אם תאבו ושמעתם טוב הארץ תאכלו‏
                      ‏ואם תמאנו ומריתם חרב תאכלו‏

"Wenn ihr willig seid und gehorcht, sollt ihr des Landes
gute Gaben essen. Doch wenn ihr euch weigert und wider-
strebt, sollt ihr getroffen werden vom Schwert".

Wildberger[2] analysiert diesen Text so: "Es kann kein
Zufall sein, daß die beiden Verben ‏אבה‏ und ‏שמע‏ in Lv 26,21,
im "Bundesfestpsalm" 81 (12) und in Jos 24,10 (s.auch Ez
3,7 und 20,8 /hier auch parallel mit ‏מרה‏/) nebeneinanderste-
hen (vgl. auch Jes 28,12 und 30,9). Die Vokabeln in ihrer
Zusammenordnung sind eindeutig in der Bundestradition zu
Hause, welche Israel vor die beiden Möglichkeiten von Heil
oder Unheil, Segen oder Fluch stellt. Das unterstreicht
auch das übrige Vokabular. Für den Fall des Gehorsams kann
sich Israel satt essen in seinem Land (Lv 26,5.10, vgl.
dazu 26,16.26; Dt 28,31.33 u.a.). Daß auch ‏טוב‏ dort beheima-

---

1) G.vonRAD, ATD 8,68.

2) WILDBERGER, BK X 53.

tet ist, zeigt Dt 6,11; mit diesem Wort sind die guten
Gaben zusammengefaßt, die sonst einzeln in den Segensver-
heißungen namhaft gemacht werden. Die Drohung mit dem
"Schwert" schließlich gehört erst recht zum Wortfeld dieser
Tradition (Lv 26,25.33; Dt28,22 u.ö.)".

אבה erscheint in Jes 1,19-20 als konditional und nicht,
wie gewöhnlich, mit einer Negation.

Jes 28,12:   ולא אבוא שמוע
"...der zu ihnen gesagt hat: Das ist die (wahre) Ruhe.
Schafft Ruhe den Müden, und das ist die Erquickung! Aber
sie wollten nicht hören".

Jes 30,9:   כי עם מרי הוא בנים כחשים
                                       לא אבו שמוע תורת יהוה
"Denn ein widerspenstiges Volk ist es, verlogene Söhne,
Söhne, die nicht hören wollen auf die Weisung Jahwes"[1].

Ez 3,7:   אם לא אליהם שלחתיך   המה ישמעו אליך
                        ובית ישראל לא יאבו לשמע אליך
                        כי אינם אבים לשמע אלי
                        כי כל בית ישראל חזקי מצח וקשי לב המה
"Wenn ich dich zu ihnen senden würde, sie würden auf dich
hören. Aber die vom Haus Israel werden nicht hören wollen
auf dich, denn niemals sind sie gewollt, zu hören auf mich.
Denn das ganze Haus Israel ist verhärteter Stirn und verhär-
teten Herzen"[2].

Ez 20,8:   וימרו בי ולא אבו לשמע אלי...
"Werfet ein jeder die Scheusale, an denen seine Augen hän-

---

1) KAISER (ATD 18,234-235) kommentiert: "Wird ihnen Verlogenheit vorge-
   worfen, dürfte kaum an ihre mit allen möglichen Listen verbundene
   Außenpolitik, sondern dem Kontext gemäß an die Verweigerung des
   Gehorsams gegenüber dem Worte Gottes gedacht sein... Dabei wird...
   der Zusammenhang von Hören und Gehorchen deutlich".

2) Dazu meint ZIMMERLI (BK XIII 80): "Jene Fremdsprachigen würden
   bei aller Mühsal der Sprachverständigungsschwierigkeiten nicht
   bestehen... In erneuertem Anklang an Jesajanische Redeweise (Jes
   20,12; 30,9 nicht hören wollen; 1,19; 30,15 nicht wollen, absolut
   gebraucht, bei Ez noch 20,8) stellt Jahwe fest, daß Israel auf
   Ez nicht hören will, weil es nicht auf Jahwe hören will".

gen, weg und macht euch nicht unrein an den Götzen Ägyp-
tens. Ich bin Jahwe, euer Gott. Aber sie waren widerspenstig gegen mich und wollten nicht auf mich hören ..."

Ps 81,12:   ולא שמע עמי לקולי וישראל לא אבה לי

"Kein andrer Gott soll unter dir sein, du sollst keinen
Gott der Fremde anbeten. Ich, Jahwe, bin dein Gott, der
dich heraufführte aus dem Lande Ägypten... Aber mein Volk
hörte nicht auf mich, Israel willfahrte mir nicht".

2 Sam 13,14:   ולא אבה לשמע בקולה

"Begeh keine solche Schandtat... Doch Amnon wollte nicht
auf sie hören, sondern packte sie und zwang sie, mit ihm
zu schlafen".

2 Sam 13,16:   ולא אבה לשמע לה

"Nicht doch! Wenn du mich wegschickst, wäre das noch ein
größeres Unrecht als das, das du mir schon angetan hast.
Er aber wollte nicht auf sie hören".

    Die 16 zitierten Texte zeigen, daß die Wortverbindung
אבה - שמע zu den Äußerungsmöglichkeiten der hebräischen
Sprache gehört. Das Vorkommen dieser Wortkombination in
möglicherweise miteinander verwandten Texten (Jes, Ps 81,
Ez, Jos, Lev 26), aber auch in Erzählungen (Ri, Sam, Kön)
verdeutlicht, daß es sich um einen gewöhnlichen Ausdruck
der Umgangssprache handelt.
    שמע - אבה werden hypotaktisch (לא אבה (ל)שמע) oder
parataktisch verwendet. Die Parallelität in der parataktik-
schen Konstruktion läßt die Prägung von שמע in diesen Äußerungen besser einschätzen.
    Ri 11,17: Deutlich haben in diesem Fall אבה - שמע die-
selbe Bedeutung: Der König von Moab beherzigte es nicht;
der König von Edom beherzigte es nicht. Ps 81,12 bietet
einen perfekten inhaltlichen Parallelismus: אבה ל...-
שמע לקול. Auch Dtn 13,9 hat eine ähnliche Struktur:
שמע אל... - אבה ל.... In 1 Kön 20,8 und Jes 1,19 erscheinen beide Verben fast als untrennbares Binom:

1 Kön 20,8:   אל תשמע ולא תאבה
Jes 1,19:   אם תאבו ושמעתם

Die Parallelität der beiden Verben zeigt, daß שמע
in Verbindung mit אבה eine Handlung des Wollens ausdrückt.
Das läßt sich auch mit dem Vorkommen der Präpositionen
bestätigen.

Es wurde schon bemerkt, daß in den Texten ראה - שמע -
ידע als Äußerungen im Bereich der Wahrnehmung und des Erkennens, שמע nie mit Präposition aufgebaut wird. Die Bedeutungsstufe in diesen Sätzen verlangt keine Präposition.
Dagegen sind die Äußerungen des Entgegenkommens und des
Wollens oder Gehorchens bei שמע als präpositionale Bildungen
zu erwarten. Der Kontext kann jedoch die Präposition überflüssig machen. Das alles wird auch durch das Binom אבה -
שמע bestätigt. Dabei sind die folgenden Konstruktionen
vertreten: שמע אל: Dtn 13,9; 23,6; Ez 3,7; 20,8; שמע ל:
Lev 26,21; Jos 24,10; Ri 19,25; 2 Sam 13,16; לקול: Ps
81,12; בקול: Ri 20,13; 2 Sam 13,14; ohne Präposition: Ri
11,17; 1 Kön 20,8; Jes 1,19; 28,12; 30,9.

Es ist ja klar: eine sinnliche Wahrnehmung, etwa das
Geräusch eines Donners, muß man hören - man kann die sinnliche Wahrnehmung durch ein Nicht-Hören-Wollen nicht beeinflussen. Wohl aber kann man durch seinen Willen beeinflussen, ob man auf jemanden hört, ob man *zuhört* oder *gehorcht*.
In diesem Zusammenhang muß noch erwähnt werden, daß das
Verb אבה (mit Ausnahme von Jes 1,19-20) in verneinender
Form vorkommt! Vielleicht soll dadurch ausgedrückt werden,
daß die natürliche Verbindung von "sinnlicher Wahrnehmung"
und "positiver Reaktion" durch einen negativen Willensakt
unterbrochen wird.

Auch die Verwendung der Präpositionen weist in vielen
Belegen darauf hin, daß wir es mit volitivem Gebiet der
Sprachäußerung zu tun haben. Dagegen sind שמע - ראה - ידע/בין
Verben mit kognitiven Äußerungen.

Die Äußerungsrichtung wird auch durch andere Ausdrücke
verstärkt: קרי *feindlich*: Lev 26,21 (ausschließlich in
Lev 26 belegt); מרד *widerspenstig*: Jes 1,20; 30,9; Ez 28,8;
מאן *weigern*: Jes 1,20; חזקי מצח *harte Stirn*, קשי לב *verhär-
tetes Herz*: Ez 3,7.

מאן - שמע

Der volitive Aspekt wird auch an den Stellen deutlich,
wo שמע - מאם gemeinsam vorkommen.

1 Sam 8,19:   וימאנו העם לשמע בקול שמואל

"Und weigerte sich das Volk, auf Samuel zu hören".

1 Sam 28,23:   ...ועתה שמע נא גם אתה שפחתך

וימאן ויאמר לא אכל

"Und nun, höre doch auch du auf deine Magd... Er aber weigerte sich und sagte: Ich will nicht essen".

Neh 9,17:   והם ואבתינו הזידו ויקשו את ערפם

ולא שמעו אל מצותיך וימאנו לשמע

"Sie aber, unsere Väter, handelten vermessen und wurden
halsstarrig, und hörten nicht auf deine Gebote; sie weigerten sich, zu hören.

Der Text zeigt eine Häufung von parallelen Ausdrücken:
ויקשו את ערפם, וימאנו לשמע, ולא שמעו אל מצותיך.

Sach 7,11: וימאנו להקשיב ויתנו כתף סררת ואזניהם הכבידו משמוע

...ולבם שמו שמיר משמוע את התורה ואת הדברים אשר שלח יהוה

"Doch sie weigerten sich hinzuhören, sie zeigten sich störrisch und verstopften die Ohren, um nicht zu hören. Sie
machten ihr Herz hart wie Diamant, um die Weisung und die
Worte nicht hören zu müssen..."

In vier Sätzen wird parallel Verweigerung und Ablehnung
betont.

Jer 11,10: שבו על עונת אבותם הראשנים אשר מאנו לשמוע את דברי

"Sie sind zu den Sünden ihrer Altvordern zurückgekehrt,
die meinen Worten nicht haben gehorchen wollen: auch sie
laufen andern Göttern nach, um ihnen zu dienen".

Die parallelen Äußerungen und מאן in Verbindung mit
שמע machen klar, daß שמע את דברי keine sinnliche Wahrnehmung
bezeichnet. Der Gedanke der Ablehnung, mit מאן ausgedrückt,
bestimmt so die Bedeutung von שמע.

Jer 13,10:   העם הזה הרע המאנים לשמוע את דברי

"Dieses böse Volk, das sich weigert, auf meine Worte zu
hören, das da wandelt in der Verstockheit seines Herzens

und fremden Göttern nachläuft, ihnen zu dienen und sie
anzubeten"[1].

"Sich Weigern" ist eine Aktion des Willens; in derselben Richtung wird auch das "Hören" geprägt. So wird מאן לשמע
ein Ausdruck für die negative und ablehnende Haltung vor
dem Gotteswillen, vor dem prophetischen Wort oder vor einer
mit Dringlichkeit geäußerten Bitte.

מרה/מרי - שמע

Es wurden schon die Stellen Jes 1,20; 30,9; Ez 20,8
genannt, wo dieser Begriff in dem Wortfeld von שמע vorkommt.
Andere Texte mit dieser Wortverbindung sind:

Ex 23,21:   ושמע בקלו אל תמר בו
"Ich werde einen Engel schicken, der dir vorausgeht...Habe
acht auf dich, ihm gegenüber, höre auf ihn, sei nicht widerspenstig gegen ihn".

Dtn 9,23: תמרו את פי יהוה אלהיכם ולא האמנתם לו ולא שמעתם בקלו
vuvh og o,hhv ohrnn   ממרים הייתם עם יהוה
"Da habt ihr euch dem Befehl Jahwes, eures Gottes, widersetzt, ihr habt ihm nicht geglaubt und nicht auf ihn gehört. Ihr habt euch Jahwe widersetzt, seit er euch kennt".

1 Sam 12,14.15:   ושמעתם בקלו ולא תמרו את פי יהוה...
                         ואם לא תשמעו בקול יהוה ומריתם את פי יהוה...
"Wenn ihr Jahwe fürchtet und ihm dient, wenn ihr auf ihn
hört und euch seinem Befehl nicht widersetzt...Wenn ihr aber
nicht auf Jahwe hört und euch seinem Befehl widersetzt..."

---

1) THIEL, WMANT 41,152:"Die Sünden der früheren Generationen werden
   von D wiederum als Nicht-Hören bezeichnet. Das dabei verwendete
   Verb מאן findet sich relativ oft in jer. Sprüchen (3,3; 5,3; 8,5;
   9,5). Der Prophet scheint auch hierbei dem Vorbild Hoseas zu folgen
   (vgl. 5,3; 8,5 mit Hos. 11,5). Das Verbum wird nur zweimal mit
   לשמוע את דברי verbunden: 11,10 und 13,10. Diese Fügung, die in
   den originalen Sprüchen nicht begegnet, ist als die D-Variante
   im Gebrauch des Verbs anzusehen. D griff das ihr aus dem jer. Mate-
   rial bekannte Wort auf und verband es mit שמע zu dem für sie be-
   zeichnenden Vorwurf des Nicht-Hörens".

Ez 2,5.7:   אם ישמעו ואם יחדלו כי בית מרי המה

"Ob sie dann hören oder es lassen -denn sie sind ein widerspenstiges Haus".

Ez 3,27:   השמע ישמע והחדל יחדל   כי בית מרי המה

"Wer hören will, der höre, wer nicht hören will, der lasse
es; denn sie sind ein widerspenstiges Haus".

Ez 12,2:   בן אדם בתוך בית המרי אתה ישב

אשר עינים להם לראות ולא ראו   אזנים להם לשמע ולא שמעו

כי בית מרי הם

"Menschensohn, du wohnst mitten unter einem widerspenstigen Volk, das Augen hat, um zu sehen, und doch nicht sieht,
das Ohren hat, um zu hören, und doch nicht hört; denn sie
sind ein widerspenstiges Volk".

Jes 50,5:   אדני יהוה...בבקר בבקר יעיר לי אזן לשמע כלמודים

אדני יהוה פתח לי אזן

ואנכי לא מריתי אחור לא נסוגתי

"Jeden Morgen weckt er mein Ohr und ich höre wie ein Jünger. Der Herr Jahwe, hat mir das Ohr geöffnet. Und ich
wehrte mich nicht und wich nicht zurück".

מרה gehört sicher zum Wortfeld von שמע. Es kann einen
Gegensatz zu שמע בקול bezeichnen. בית מרי ist in Ez eine
negative Bezeichnung des Volkes. Ex 23,21; Dtn 9,23; 1
Sam 12,24.25; Jes 1,20; 30,9; Ez 20,8 zeigen die Äußerungsrichtung im Bereich des Wollens oder Nicht-Wollens von
שמע + מרה (mit oder ohne אבה).

קשה - שמע

Nach Dtn 31,27 kann man annehmen, daß קשה - מרה parallele Begriffe sind: "Denn ich kenne deine Widersetzlichkeit
und deine Halsstarrigkeit". In dem Kontext von שמע trat
קשה bereits auf bei מאן-שמע; אבה-שמע (Ez 3,7; Neh 9,16.17).
Noch andere Stellen bezeugen die Nähe von קש und des
"Nicht-Hörens", als Äußerung der Unwilligkeit.

Ex 7,3:   ואני אקשה את לב פרעה...

ולא ישמע אליחם פרעה

"Ich aber will das Herz des Pharao verhärten... Der Pharao
wird nicht auf euch hören".

Ps 95,7:   ‎...אל תקשו לבבכם   חיום אם בקלו תשמעו

"Denn nur er ist unser Gott, wir sind das Volk seiner Weide, die Herde, von seiner Hand geführt. Würdet ihr doch
heute auf ihn hören und euer Herz nicht verhärten..."

2 Kön 17,14:   ולא שמעו   ויקשו את ערפם כערף אבותם
                             אשר לא האמינו ביחוה אלחיחם

"Doch sie wollten nicht hören, sondern versteiften ihre
Nacken wie ihre Väter, die nicht auf Jahwe, ihren Gott,
vertrauten".

Jer 7,26:   ולוא שמעו אלי   ולא חטו את אזנם ויקשו את ערפם

"Aber man hörte nicht auf mich und neigte mir nicht das
Ohr zu, vielmehr blieben sie hartnäckig".

Jer 17,23:   ולא שמעו ולא חטו את אזנם ויקשו את ערפם
                             לבלתי שומע ולבלתי קחת מוסר

"Und sie haben nicht gehorcht und ihr Ohr mir nicht zugeneigt, sondern ihren Nacken versteift, ohne zu gehorchen
und ohne Zucht anzunehmen".

Jer 19,15:   כי הקשו את ערפם לבלתי שמוע את דברי

"...weil sie ihren Nacken versteift haben und nicht auf
meine Worte hören wollten".

Neh 9,29:   ויתנו כתף סוררת וערפם הקשו ולא שמעו

"Du warntest sie, um sie zu deinem Gesetz zurückzuführen.
Sie aber waren stolz; sie hörten nicht auf deine Gebote
und versündigten sich gegen deine Vorschriften; ...sie
kehrten dir trotzig den Rücken zu, waren starrsinnig und
gehorchten dir nicht".

Als parallele Ausdrücke erscheinen in 2 Kön 17,14; Jer
7,26; 17,23; 19,15; Neh 9,29: ‎ולא חטו את אזנם, הקשו את ערפם.
Ein ähnlicher Ausdruck findet sich in Ex 7,3; Ps 95,7;
Ez 3,7: ‎הקשה לב.

נטה אזן - שמע

Die wörtliche Bedeutung der Wendung "das Ohr neigen"

könnte den Eindruck erwecken, es handele sich hier um eine
sinnliche Wahrnehmung. Eine genauere Betrachtung der Belegstellen führt aber zu einem anderen Ergebnis.

Gemeinsam mit שמע kommt die Wendung an den folgenden
Stellen vor: 2 Kön 19,16; Jes 55,3; Jer 7,24; 7,26; 11,8;
17,23; 25,4; 34,14; 35,15; 44,5; Ps 17,6; 45,11; 102,2-3;
116,1-2; Spr 5,1; 5,13; 22,17; 28,9; Dan 9,18.

Die Wendung wird nicht in dem Kontext von sinnlichen
Wahrnehmungen gebraucht. In den Belegen des Buchs Jeremia
wird regelmäßig die Untreue zum prophetischen und göttlichen
Wort bezeichnet. Im Spr-Buch bezieht sich die Wendung auf
Treue-Untreue zu dem Weisheitslehrer. In den Psalmen, Dan
und 2 Kön 19,16 (Jes 37,17) hat der Ausdruck mit der Erhörung Gottes zu tun. In diesem Zusammenhang kann שמע mit
ל/אל, בקול konstruiert werden oder absolut stehen.

Die Neigung des Ohrs steht für die Beteiligung der
Person. Ein Teil kann für das Ganze stehen. Besonders wo
die Haltung von Augen und Ohr betont wird, ist die Betonung der ganzen Person deutlich.

Die Wendung ist kein allgemeiner Ausdruck in der Spra-
che des Alten Testaments: die redaktionellen Teile aus
Jeremia[1], das Spr-Buch und die Psalmen verwenden sie. 2
Kön 19,16 (Jes 37,17) und Dan 9,18 sind die Ausnahmen[2].

שמע - עשה

Es wurde schon gezeigt, das עשה parallel zu שמע בקול
gebraucht wird. Das Verb kann auch bei שמע אל vorkommen.
In einigen Belegen, wo שמע absolut konstruier wird, ist die
Verbindung שמע-עשה besonders eng. Durch den einheitlichen
Ausdruck der beiden Verben wird eine Haltung geäußert, wie
auch bei שמע בקול der Fall ist:

Ex 24,7:   ויאמרו   כל אשר דבר יהוה נעשה ונשמע

---

1) THIel (WMANT 52,98) hält diese Wendung für einen Einfluß von Elementen der Weisheit auf die Sprache der Redaktion.

2) Die Wendung ohne שמע ist auch in Ps 31,11; 71,2; 78,1; 86,1; Spr 4,
   20; 5,1 belegt.

"Alles, was Jahwe geredet hat, wollen wir gehorsam tun"[1].

Die Äußerung, die in Ex 23,22 mit präpositionalem
Ausdruck konstruiert wird (ועשית כל אשר אדבר בקלו תשמע),
ist in der Wiederholung (24,7) ohne Präposition.

Dtn 5,24: את כל אשר ידבר יהוה אלהינו אליך ושמענו ועשינו
"Tritt du herzu und höre alles, was Jahwe, unser Gott,
dir sagen wird, daß wir es hören und tun".

Hier werden zwei verschiedene Handlungen genannt:
hören + tun.

Jer 35,10: ונשמע ונעש ככל אשר צונו יונדב אבינו
"Und wir haben aufs Wort gehorcht und gehorsam genau so
gehandelt, wie uns unser Ahnherr Jonadab befohlen hat".

Was in V. 8 mit Präposition vorkommt, wird in V. 10
absolut mit dem Binom שמע-עשה am Ende wiederholt.

Jes 65,12: קראתי ולא עניתם דברתי ולא שמעתם
ותעשו הרע בעיני ובאשר לא חפצתי בחרתם
"Denn ihr gabt keine Antwort, als ich euch rief, als ich
zu euch redete, hörtet ihr nicht, sondern ihr habt getan,
was mir mißfällt, und habt euch für das entschieden, was
ich nicht will".

תעשו הרע + באשר לא חפצתי zeigen, in welchem Sinn שמע
zu verstehen ist. דבר + קרא erwecken zunächst den Eindruck
einer sinnlichen Wahrnehmung; in Wirklichkeit geht es um
den Willen Gottes. Dasselbe zeigt die nächste Stelle.

Jes 66,4: יען קראתי ואין עונה דברתי ולא שמעו
ויעשו הרע בעיני ובאשר לא חפצתי בחרו

In Ez 33,31.32 äußert שמע eine sinnliche Wahrnehmung.

Ez 33,31.32: ושמעו את דבריך ועשים אינם אותם
"Du bist ihnen wie ein Liebesliedsänger mit schönem Klang
und gutem Spiel, und sie hören deine Worte, aber tun sie
nicht".

Zusammenfassung

Die engste Verbindung der Begriffe שמע - עשה ist bei

---

1) NOTH, ATD 5,157.

der präpositionalen Bildung בקול שמע zu bemerken. Die Treue
oder volle Zuneigung von בקול שמע wird durch עשה bestätigt
und die Sprechhandlung unverkennbar (siehe die Belege bei
שמע בקול).

Auch außerhalb dieser Konstruktion ist שמע + עשה eine
Bezeichnung für die praktische Haltung vor Gott und dem
prophetischen Wort.

עשה nach שמע kann auch die Einsatzbereitschaft nach
der Wahrnehmung eines Wortes bedeuten (Dtn 5,24; Ez 33,31-
32).

שמע + עשה kann auch die Gotteserhörung ausdrücken
(siehe das Gebet Salomos in 1 Kön 8).

Schon immer wurde erkannt, wie wichtig der Kontext
ist für das richtige Verständnis eines Begriffs. Dem Zuhörer
und besonders dem heutigen Leser ist dies wie ein Wegweiser,
um die Richtung leichter zu begreifen. Das ist aber nicht
alles: Bei שמע in der Äußerung einer Haltung oder eines
Verhaltens gibt es Verben, die eng mit שמע verbunden sind.
Beide Verben können sich gegenseitig bestätigen und die
Kraft der Äußerung wird verstärkt. Das Binom bildet eine
Aussageeinheit; das Resultat ist eine Sprechhandlung, die
zum volitiven Bereich gehört.

5. KAPITEL

שׁמע nifal: Äußerung sinnlicher Wahrnehmung

Der Stamm nifal (nif) von שׁמע ist in alttestamentlichen Texten 41mal vertreten. Die Belege sind folgendermaßen verteilt: Gen 1x; Ex 2x; Dtn 1x; Sam 3x; Kön 1x;
Jes 2x; Jer 11x; Ez 3x; Nah 1x; Ps 2x; Ijob 1x; Hld 1x;
Koh 3x; Est 2X; Esra 1x; Neh 4x; Chr 1x.

Hinsichtlich der Bedeutung hat שׁמע-nif am meisten
Ähnlichkeit mit unserer Passivform[1]. Aber nur in begrenztem
Sinn kann man im Hebräischen und Arabischen vom Passiv
sprechen[2]. Eine andere Schwierigkeit bietet שׁמע, weil es
in qal so verschiedene Verwendungen und Bedeutungen hat.
Sollte man allgemein von Passiv von qal sprechen oder ist
eine Passivform nur für eine bestimmte Bedeutung vorhanden?
Die Texte werden zeigen, daß nif als eine Passivform für
die sinnliche Wahrnehmung zu betrachten ist.

Die Verteilung der Belege läßt eine bestimmte Regelmäßigkeit spüren; mit Ausnahme von Jer (11mal) sind die
nif-Formen über viele Bücher verstreut. Eine größere Häufigkeit findet sich in bestimmten späteren Büchern: Neh 4x;
Koh 3x; Est 2x; Esra 1x; Hld 1x[3]; in 1-2 Chr 1x; in Jos,
Ri und Spr kommt kein Beleg vor; in Pentateuch, Sam, Kön
ist es selten vorhanden. Aus der Verteilung der Stellen
allein lassen sich keine größeren Schlüsse ziehen. Man
kann aber von einer breiterenVerwendung in bestimmten späteren Texten sprechen.

---

1) Vgl. GESENIUS, Hebr. Gramm. §51f: "Infolge einer frühzeitigen Ab-
schwächung des Sprachbewußtseins vertritt endlich Niph'al in zahlreichen Fällen das Passivum des Qal".
JOÜON, Grammaire §51c: "D'autres ont en même temps le sens passif".

2) Es fehlt der Urheber der Aktion; dazu JOÜON (Grammaire §132c):
"En principe une forme proprement passive, ne s'emploi que si l'auteur de l'action(l'agent) n'est pas nommé. D'où la définition du
passif en grammaire arabe: l'action dont l'auteur n'est pas nommé".

3) Nur nif und hif von שׁמע sind in Hld vertreten.

1 Sam 1,13:   רק שפתיה נעות וקולה לא ישמע

"Hanna redete in ihrem Herzen, nur ihre Lippen bewegten
sich, doch ihre Stimme war nicht zu hören (= ihre Stimme
hörte man nicht)".

     Es geht um eine sinnliche Wahrnehmung.

Gen 45,16:   והקול נשמע בית פרעה

"Die Kunde davon wurde auch in Pharaos Haus gehört".

Ex 23,13:   שם אלהים אחרים לא תזכירו לא ישמע על פיך

"Den Namen eines anderen Gottes sollt ihr nicht aussprechen. Er soll nicht auf deinen Lippen gehört werden".

Ex 28,35:   והיה על אהרן לשרת

                ונשמע קולא בבאו אל הקדש לפני יהוה ובצאתו

"Aaron soll ihn (= den Mantel mit goldenen Glöckchen) beim
Dienst tragen; sein Ton soll zu hören sein, wenn er in
das Heiligtum vor den Herrn hintritt und wenn er wieder
herauskommt, damit er nicht sterbe".

1 Sam 17,31:   וישמעו הדברים אשר דבר דוד ויגדו לפני שאול

"Die Worte, die David gesprochen hatte, wurden gehört und
man berichtete sie vor Saul".

Jes 15,4:   וחזעק חשבון ואלעלה עד יהץ נשמע קולם

"Heschbon schreit und Elale, bis nach Jahaz ist ihre Stimme
zu hören".

Jes 65,19:   ולא ישמע בה עוד קול בכי וקול זעקה

"Nie mehr hört man dort Weinen und Klagen".

     Das Weinen, indem es gehört wird = קול בכי; ähnlich
wird das Klagen ausgedrückt.

Jer 3,21:   קול על שפיים נשמע בכי תחנוני בני ישראל

"Eine Stimme über kahle Hänge hin hört man zu: Weinen,
Flehen der Söhne Israels".

Jer 9,18:   כי קול נהי נשמע מציון

"Von Sion her hört man Klage".

     Der Satz hat die bekannten Elemente: eine sinnliche
Wahrnehmung mit קול ausgedrückt, eine lokale Bezeichnung.

Jer 18,22:   תשמע זעקה מבתיהם

"Geschrei soll man hören aus ihren Häusern".

Jer 31,15:   קול ברמה נשמע נהי בכי תמרורים רחל מבכה על בניה

"Eine Stimme in Rama hört man zu, bitteres Klagen und Weinen. Rachel weint um ihre Kinder".

Der Satzaufbau klingt wie in Jer 3,21:קול als Subjekt
und dann נחי בכי als Apposition; dazu die lokale Bezeichnung.

Jer 33,10-11:   עוד ישמע במקום הזה ...
                קול ששון וקול שמחה קול חתן וקול כלה קול אמרים

"An diesem Ort.....hört man wieder Jubel und Freude, den
Bräutigam und die Braut, hört man sagen:..."

Neben der lokalen Bezeichnung kommt wiederholt קול vor.

Jer 38,27:   כי לא נשמע הדבר
"Das Gespräch wurde nicht gehört".

Jer 49,21:   מקול נפלם רעשה הארץ
                                 צעקה בים סוף נשמע קולה

"Beim Knallen ihres Fallens erbebt die Erde; ein Schreien
ist am Schilfmeer; ihr Laut ist zu hören".

Jer 50,46:   מקול נתפשה בבל נרעשה הארץ
                                        וזעקה בגוים נשמע

"Vom Ruf 'Erobert ist Babel' erbebt die Erde, unter den
Völkern hört man sein Schreien".

Subjekt ist hier זעקה; die lokale Bezeichnung ist בגוים.

Jer 51,46:   ופן ירך לבבכם ותיראו בשמועה הנשמעת בארץ
"Euer Herz soll nicht verzagen. Fürchtet euch nicht bei
dem Gerücht, das man im Lande hört".

Ez 10,5:   וקול כנפי הכרובים נשמע עד החצר החיצנה
                                         כקול אל שדי בדברו

"Das Rauschen der Flügel der Kerubim war bis zum Vorhof
zu hören; es war wie die Stimme des Allmächtigen Gottes,
wenn er spricht".

Ez 19,9:   למען לא ישמע קולו עוד אל הרי ישראל
"...und brachten ihn zum König von Babel, daß man seine
Stimme auf Israels Bergen nicht mehr höre".

Ez 26,13:   והשבתי המון שיריך וקול כנוריך לא ישמע עוד
"So mache ich der Menge deiner Lieder ein Ende, von deinen
Zithern wird nichts mehr zu hören sein".

Die lokale Bezeichnung wird hier durch ein temporales

Partikel (עוד) ersetzt.

Nah 2,14:   ולא ישמע עוד קול מלאככה

"Nie mehr hört man den Ruf deiner Boten".

        Eine Zeitangabe und eine sinnliche Wahrnehmung sind
die Elemente des nif-Satzes.

Ijob 37,4:   אחריו ישאג קול ירעם בקול גאונו...

                                          כי ישמע קולו

"Um ihn brüllt der Donner herum, er dröhnt mit erhabener
Stimme..., sein Laut ist zu hören".

Hld 2,12:   וקול התור נשמע בארצנו

"Die Turteltaube ist zu hören in unserem Land".

Koh 9,16.17:   וחכמת המסכן בזויה ודבריו אינם נשמעים

                   דברי חכמים בנחת נשמעים מזעקת מושל בכסילים

"Die Weisheit des Armen ist verachtet, und seine Worte
werden nicht gehört. Worte von Weisen, die in Ruhe zu hören
sind, sind besser als das Geschrei eines Herrschers unter
den Toren".

        Eine Modalbezeichnung (בנחת) ersetzt hier die lokale
oder temporale Bestimmung.

Koh 12,13:   סוף דבר הכל נשמע

"Am Ende ein Wort, als das Ganze (= als Zusammenfassung),
ist es zu hören: Fürchte Gott...".

        Dieser Niphalsatz wird verschieden übersetzt. Mit
Hilfe der nif-Satzstruktur werden syntaktischer Aufbau
und Sinn deutlich. Die wiederkehrenden Elemente sind: die
lokale oder temporale Bezeichnung (= Bezeichnung von Umständen): סוף; das Subjekt, das wahrnehmbar ist; hier wie schon
in vorangegangenen Belegen und wie in Koh 9,16.17, דבר;
so ist נשמע nur als 3. Person sing. zu verstehen; ausgeschlossen sind andere mögliche Verbformen; הכל ist als
deutende Apposition zu verstehen. Beispiele von Appositionen
fanden sich in Jer 3,21; 31,15; auch ein nach dem nif-Satz
folgendes Wort ist nicht ungewöhnlich; siehe Gen 45,16.

Est 1,20:   ונשמע פתגם המלך אשר יעשה בכל מלכותו כי רבה היא

"Wenn die Anordnung, die der König erläßt, in seinem großen
Reich gehört wird...".

Die Umstände werden mit אשר-Satz beschrieben.

Est 2,8:   ויהי בהשמע דבר המלך ודתו

"Als das Wort des Königs, d.h. sein Befehl, gehört wurde...".

Esra 3,13:   כי העם מריעים תרועת גדולה והקול נשמע עד למרחוק

"Die Leute jubelten laut, sodaß es weithin zu hören war".

Neh 12,43:   ותשמע שמחת ירושלם מרחוק

Die lärmende Festfreude in Jerusalem war weithin zu hören".

Jes 60,18:   לא ישמע עוד חמס בארצך שד ושבר בגבוליך

"Dann wird nicht mehr der Zeterruf in deinem Lande zu hören
sein, kein Sturz und keine Zerstörung wird in deinen Grenzen
sein".

Als wahrnehmbarer Begriff steht hier חמס; שד + שבר
sind als Apposition konstruiert. חמס besitzt nicht nur
die Bedeutung 'Gewalttat', das Wort kann auch 'Zeterge-
schrei' bedeuten. G.von RAD hat sich mit diesem Begriff
beschäftigt: "Der Zeterruf ist die Vox oppressorum, der
elementarste Appell an den Nächstzuständigen um Rechts-
schutz"[1]. "חמס bezeichnet den gewalttätigen Bruch einer
Rechtsordnung. Das Wort wurde auch zum Notruf, mit dem
ein in seinem Leben Bedrohter an den Schutz der Rechtsge-
meinde appellierte, Jer. 20,8; Hab. 1,2; Hi. 19,7"[2].

Jer 6,7:   חמס ושד ישמע בה על פני תמיד חלי ומכה

"Zeterruf und Unrecht sind in ihr zu hören; ständig sind
mir vor Augen Leid und Mißhandlung".

Auch das Wort שד neben Unrecht kann das Geschrei des
Unrechts bedeuten; s. Jer 20,8: חמס ושד אקרא ("'Gewalt
und Unterdrückung!' muß ich rufen").

Jer 9,18:   מדן נשמע נחרת סוסיו

"Man kann von Dan her das Schnauben der Rosse hören".

Regelmäßige Äußerung der nif-Form ist bis jetzt eine
sinnliche Wahrnehmung gewesen. Oben wurden schon über 30

---

1) G. von RAD, Theologie AT I 412.
2) Ibid. 161.

von den 41 vorhandenen Texten zitiert. Die monotone Wiederholung von gleich aufgebauten Texten hat die Qualität des
שמע-nif aufgezeigt. Der am meisten wahrgenommene Gegenstand ist קול. Gott, Menschen oder Sachen werden durch
das erzeugte קול Gegenstand einer Wahrnehmung.

Nach dieser Eigenschaft der Äußerungen der sinnlichen
Wahrnehmung ist in 1 Kön 6,7 eine Konjektur zu machen:
1 Kön 6,7מ: ומקבות והגרזן כל (קול=) כלי ברזל לא נשמע בבית
"Hämmern, Meißeln: eine Laut eiserner Werkzeuge war beim
Bau des Hauses nicht zu hören".

Es wird vorgeschlagen, כל כלי ברזל durch קול כלי ברזל
zu ersetzen. Begründung: Die sinnliche Wahrnehmung verlangt
immer als Gegenstand des Wahrnehmens einen hörbaren Laut
(= קול). קול-כל sind leicht verwechselbar, besonders wenn
das Sprachgefühl zurückgegangen ist. Für קול spricht noch
ein anderes Argument: Wenn in dem Text כל gelesen wird,
stellt das Ganze eine Aufzählung (Hämmer, Meißel und alle
eisernen Geräte) dar. Dann würde der hebräische Text wahrscheinlich nicht כל, sondern וכל verlangen. So haben wahrscheinlich viele Manuskripte es verstanden und darum וכל
geschrieben[1].

Andere Konstruktionen

Das gewöhnliche Satzmuster -ein Laut oder ein hörbares
Element als Subjekt + die nif-Form + zeitliche, räumliche
oder andere Umstände- kann Änderungen erfahren. Das ist
besonders in den Belegen des Buchs Nehemia bemerkbar.
Neh 6,1:   ויהי כאשר נשמע לסנבלט וטוביה...
כי בניתי את החומה ולא נותר בה פרץ...
"Sanballat und Tobija...wurde bekannt, daß ich die Mauer
fertig gebaut hatte und daß in ihr keine Lücke mehr war":
Die Passivform bezieht sich nicht mehr auf eine sinnliche Wahrnehmung, sondern auf כי-Sätze; die Angabe der Um-

---

1) BHS: "l c mlt Mss Vrs וכל".

stände (= wo,wann... gehört wird)wird durch ל ersetzt;
es handelt sich nicht um Urheber im Sinne einer lateinischen
Grammatik.

Neh 6,6:   כתוב בה בגוים נשמע   וגשמו אמר...

"Er brachte einen unverschlossenen Brief und was in ihm
geschrieben stand, war schon unter den Leuten bekannt".

    Das ל in Neh 6,1 ist hier mit ב ausgedrückt (= Angabe
der Umstände).

Neh 6,7:   ועתה ישמע למלך כדברים האלה

"Und nun wird es dem König bekannt werden nach diesen Worten".

Neh 13,27:   ולכם הנשמע לעשת את כל הרעה הגדולה הזאת

"Ist euch das Begehen dieses großen Unrechts... nicht bekannt?"

    Mit ל wird das 'für wen bekannt wird' wiedegegeben;
der Vergleich mit Neh 6,1; Neh 6,7 (und sogar Neh 6,6)
läßt keine andere Auswahl.

    Zwei ungewöhnliche nif-Konstruktionen treten in 2
Sam 22,45 (Ps 18,45) und in 2 Chr 30,27 auf:

2 Sam 22,45(Ps 18,45):   בני נכר יתכחשו לי לשמוע אזן ישמעו לי

"Mir huldigten die Söhne der Fremde, nach Hörensagen waren
sie mir bekannt".

    Die Pluralform in nif ist nur hier vertreten. Sonst
ist die Konstruktion regelmäßig; geäußert wird 'was' bekannt
wird und 'wem' bekannt wird. Diese personenbezogenen ל-Formen
sind nur in Neh vertreten. Das kann bei der Datierung des
Textes behilflich sein.

2 Chr 30,27:   וישמע בקולם

                                ותבוא תפלתם למעון קדשו לשמים

"Und ihre Stimme fand Erhörung, ihr Gebet drang bis zu
seiner heiligen Wohnstatt, zum Himmel".

    Liegt in diesem einmalig vorkommenden Beleg eine Pas-
sivform von שמע בקול? בקולם ist vermutlich das Subjekt
-was in der lateinischen Grammatik nicht möglich wäre-
und in dem parallelen Satz ist eine Lokalangebe, wie bei
nif-Sätzen üblich ist.

Zusammenfassung

Grundsätzlich besteht jeder nif-Satz von שמע aus drei
Elementen:

a) ein Subjekt, das ein sinnlich wahrnehmbarer Laut
(ein Sonderfall ist 2 Sam 22,45, wo 'die Söhne der Fremde'
das Subjekt ist; durch das Hörensagen werden sie gehört
(= bekannt);

b) die Verbalform;

c) die Bezeichnung der Umstände; es wird angedeutet,
'wo', 'wann', 'wie' gehört wird; im Neh-Buch und in 2 Sam
22,45 (Ps 18,45) wird diese Angabe durch eine Person ersetzt, d.h. 'für wen' gilt das 'Bekanntwerden'[1].

Die nif-Sätze sind nach dem Inhalt die Passivform
der sinnlicher Wahrnehmung. In Neh 6,1 liegt die Passivform
von שמע כי. 2 Chr 30,27 ist vielleicht eine Passivform
von שמע בקול.

---

1) JOÜON (Grammaire §51c) plädiert für eine Passivform von hif in Neh
   6,1. Das ist aber nicht notwendig, um eine passende Erklärung zu
   finden. šama^c kî ist eine normale Konstruktion von qal und die Bedeutung ist *erfahren, zur Kenntnis nehmen*; diese Konstruktion findet sich auch in Neh 6,1 in nif; es wird mit *bekanntwerden* übersetzt. Es ist eine Passivform von qal.

6. KAPITEL

שמע *hifil: Konstruktionen und Bedeutung*

Im Vergleich zum qal spielen sowohl nif als auch hifil
(hif) eine geringere Rolle in der hebräischen Sprache.
Einen ersten Überblick vermittelt die Verteilung der 62
Belege: Dtn 4x; Jos 1x; Ri 2x; 1 Sam 1x; 1 Kön 1x; 2 Kön
1x; Jes 1x; Dt-Jes 14x; Trit-Jes 2x; Jer 14x; Ez 2x; Am
2x; Nah 1x; Ps 6x; Hld 2x; Neh 2x; 1 Chr 5x; 2 Chr 1x.

Im Pentateuch ist der hif-Stamm nur in Rahmentexten
von Dtn (Kap. 4; 30) vertreten. Das zeigt, daß שמע-hif
auf einer bestimmten Stufe der Sprache kaum gebraucht wurde.
Auch in den geschichtlichen Büchern bleibt es eine seltene
Erscheinung. Ein Vergleich zwischen Dtn und Jer ist ausgeschlossen (in diesem Bereich könnte man nur Jer mit Dtn
4; 30 vergleichen). Dagegen gibt es die Möglichkeit, Dt-Jes
mit außerbiblischen Texten (den Briefen von Lachisch) zu
vergleichen. In späteren Büchern ist hif mäßig vertreten.

"Die Bedeutung des Hif'il ist zunächst...die eines
Kausativ von Qal"[1]. So wird die Bedeutung von שמע in hif
bei GK mit den folgenden Aspekten angegeben: *hören lassen*; ohne Objekt: *schallen lassen*, d.h. *singen* oder *spielen*;
verkündigen, mit dem Akkusativ der Sache; *aufrufen*, *aufbieten* (wie in pi), mit dem Akkusativ der Person[2]. Sinn und
Bedeutung sind leicht verständlich und Überraschungen sind
nicht zu erwarten. Ein größeres Interesse kann hier die
diachronische Frage beanspruchen.

Jos 6,10: לא תריעו ולא תשמיעו את קולכם ולא יצא מפיכם דבר
"Ihr sollt nicht losschreien und sollt (überhaupt) eure
Stimme nicht vernehmen lassen, und aus eurem Munde soll
kein Wort hervorgehen".

---

1) GK §53c.

2) GesB 846.

Ri 18,25:   אל תשמע קולך עמנו

"Da sprachen die Söhne Dans zu ihm: Laß dein Gerede nicht
bei uns hören".

    Der Satz äußert kausativ eine sinnliche Wahrnehmung.

2 Kön 7,6:   ואדני השמיע את מחנה אדם קול רכב קול סוס קול חיל

"Der Herr hatte nämlich das Heer der Aramäer Getöse von
Wagen und Getöse von Rossen, Getöse einer großen Streit-
macht hören lassen".

    Das Verb ist mit einem Doppelakkusativ konstruiert.

Jes 42,2:   לא יצעק ולא ישא ולא ישמיע בחוץ קולו

"Er wird nicht schreien noch rufen, noch seine Stimme hören
lassen (= sich hören lassen) auf der Gasse".

Jes 58,4:   לא תצומו כיום להשמיע במרום קולכם

"Ihr wollt heute nicht so fasten, daß ihr euch in der Höhe
hören laßt (daß ihr eure Stimme in der Höhe hören laßt)".

Jer 48,4:   נשברה מואב השמיעו זעקה זעוריה

"Moab wird zerstört. Sie (die Bewohner) lassen das Geschrei
bis nach Zoar hören".

    Auch dieser Text zeigt ein Kausativ der sinnlichen
Wahrnehmung.

Jer 49,2:   והשמעתי אל רבת בני עמון תרועה מלחמה

"Darum seht, es kommen Tage -Spruch Jahwes-, da lasse ich
gegen das ammonitische Rabba Kriegslärm ertönen".

    Die Objekte der sinnlichen Wahrnehmung in qal, kommen
auch wieder in dem Kausativ vor.

Ps 66,8:   ברכו עמים אלהינו והשמיעו קול תהלתו

"Preiset unsern Gott, ihr Völker, lasset sein Lob (die
Stimme seines Lobes) erschallen".

    Andere Belege mit dem gleichen Gebrauch finden sich
in Ps 106,2; Hld 2,14; Neh 8,16. In allen diesen Belegen
wird שמע mit einem Objekt konstruiert, die die Hörbarkeit
ausdrücken soll. Am häufigsten kommt קול als Objekt vor.
Die Bedeutung ist *hören lassen*

Bekanntmachen, verkünden

    Das Hören lassen von einem Inhalt, z.B. das Hören las-

sen von einem Wort ist eine Bekanntmachung oder Verkündigung; auch in hif wie in qal bestimmt das Objekt die Qualität der Bedeutung.

Dtn 4,10: הקהל לי את העם ואשמעם את דברי אשר ילמדון ליראה אתי

"Versammle mir das Volk, daß ich sie meine Worte hören
lasse, auf daß sie mich fürchten lernen..."

    Das Verb äußert hier die Tätigkeit der Verkündigung.

Dtn 30,12.13: מי יעלה לנו השמימה ויקחה לנו וישמענו אתה ונעשנה

מי יעבר לנו אל עבר הים ויקחה לנו וישמענו אתה ונעשנה

"...Wer steigt für uns in den Himmel hinauf, holt es herun-
ter und verkündet es uns, damit wir es halten können? ...Wer
fährt für uns über das Meer, holt es herüber und verkündet
es uns, damit wir es halten können?"

    Im Mittelpunkt steht nicht die sinnliche Wahrnehmung,
sondern das Kennenlernen der Anweisungen Gottes mit den
entsprechenden Folgen; der Inhalt ist entscheidend.

1 Sam 9,27: אתה עמד כיום ואשמיעך את דבר אלהים

"Du aber bleib nur hier stehen! Ich will dir ein Gotteswort
verkünden (= hören lassen)".

    Wenn das Objekt ein Laut oder Schall ist, kann *hören
lassen* mit *ertönen, erschallen* übersetzt werden. Beim *Hören
lassen* von einem Inhalt kann die Übersetzung *verkünden,
verkündigen* sein. Auch in hif, wie in qal und teilweise
auch in nif, wird שמע durch das Objekt in seiner Bedeutung
näher bestimmt. קול oder ein hörbarer Laut drückt eine
sinnliche Wahrnehmung aus: *sinnlich hören, sinnlich gehört
werden, sinnlich hören lassen*; wörtlich: man hört eine
Stimme, eine Stimme wird gehört, jemand läßt ein Stimme
hören. Bei דבר, כי שמע, שמע את אשר ist der Inhalt bestim-
mend. Dann ist die Bedeutung: *hören/erfahren, bekannt werden, verkünden*. Diese Entsprechungen sind in qal-nif-hif
vorhanden. Eine Besonderheit von qal bleiben die präpositionalen Konstruktionen.

שמע-hif in Dt-Jesaja

   Wie aus der Zahl der Belege hervorgeht, spielt hif
gerade als Wort des Verkündens und Bekanntmachens in Dt-Jes
eine Sonderrolle.

Jes 41,22:   יגישו ויגידו לנו את אשר תקרינה
                        הראשנות מה הנה הגידו ונשימה לבנו ונדעה
                              אחריתן או הבאות השמיענו

"Sie sollen vorbringen und uns kundtun, was sich erreignen
wird. Was bedeutet das Vergangene? Teilt es uns mit, damit
auch wir unseren Sinn darauf richten, wir wollen es erfahren. Das Ende oder was kommen wird, laßt uns hören (= bekannt werden)".

   Die Aussage ist inhaltlich geprägt und nicht nach
der sinnlichen Wahrnehmung. Der Satz wird mit Doppelobjekt
konstruiert (was verkündet wird + wem verkündet wird als
Suffixobjekt).

   Zu bemerken sind auch die parallelen Aussagen mit
den Verben ידע + שים לב + הגיד.

Jes 41,26:   מי הגיד מראש ונדעה ומלפנים ונאמר צדיק
                        אף אין מגיד אף אין משמיע אף אין שמע אמריכם

"Wer hat es kundgetan von Anfang an, so daß wir es wußten?
Wer hat es im voraus kundgetan, so daß wir sagen konnten:
Es ist richtig? Niemand hat es kundgetan, niemand hat es
gemeldet, keiner hörte von euch ein einziges Wort".

   Parallele Verben sind ידע + הגיד.

Jes 42,9:   הראשנות הנה באו וחדשות אני מגיד
                              בטרם תצמחנה אשמיע אתכם

"Seht, das Frühere ist eingetroffen, Neues kündige ich
euch an. Noch ehe es zum Vorschein kommt, mache ich es
euch bekannt".

   הגיד tritt parallel auf; שמע ist mit Doppelobjekt
konstruiert (was verkündet wird, explizit im vorigen Satz
+ wem verkündet wird, אתכם).

Jes 43,9:   מי בהם יגיד זאת וראשנות ישמיענו
                              יתנו עדיהם ויצדקו וישמעו ויאמרו אמת

"Wer unter ihnen verkündet solches? Das Frühere möge er
uns bekannt machen. Sie mögen ihre Zeugen stellen, daß
sie Recht behalten; sie sollen vernehmen und sagen: Es
ist wahr".

Weitere Belege stehen in Jes 43,12; 44,8; 45,21; 48,3.
5.6; 48,20; 52,7. In allen diesen Belegen wiederholen sich
syntaktische Strukturen und inhaltliche Ähnlichkeiten.
Einige Merkmale sind:

a) Die Parallelität und das häufige Vorkommen von
שמע‎, ‏ידע, ‏הגיד-hif;

b) die Konstruktion mit Doppelobjekt;

c) das Personenobjekt wird oft als Suffixobjekt von
שמע konstruiert; der Gebrauch von Suffixen in qal dagegen
ist nicht häufig.

Alle diese Texte lassen eine enge Verwandtschaft spüren:
syntaktisch und inhaltlich,ein Sondergut von Jes 40-55.
Außerbiblische Texte zeigen aber, daß hif ein gewöhnlicher
Ausdruck seiner Zeit war.

In den 2 Belegen von Jes 56-66 ist am wenigstens eine
stilistische Änderung zu bemerken: שמע wird nicht mit Prono-
minalSuffix konstruiert; an seiner Stelle tritt eine lokale
Bezeichnung auf.

Jes 62,11: הנה יהוה הדמיע אל קצה הארץ

"Hiermit macht Jahwe Jahwe allen Länder bekannt:..."

Jes 58,4: לא תצומו כיום להשמיע במרום קולכם

"So wie ihr jetzt fastet, verschafft ihr euch (eurer Stimme)
kein Gehör".

In Jes 58,4 klingt das Thema *bekannt machen, verkünden*
nicht mehr. Das Blickfeld in Jes 40-55 ist anders.

שמע-hif in Jeremia

Jer 4,5: הגידו ביהודה ובירושלם השמיעו ואמרו
ותקעו שופר בארץ קראו מלאו ואמרו

"Meldet es in Juda, verkündet es in Jerusalem, stoßt überall im Lande in die Trompete, ruft aus voller Kehle und
sagt..."

Wieder tritt der Parallelismus הגיד - שמע auf. Die
Satzkonstruktion bietet die folgenden Merkmale: a) ein
Objekt, das prophetische Wort; b) eine lokale Angabe; das
pronominale Suffixobjekt von Jes 40-55 fällt aus.

Jer 4,15.16:   כע קול מגיד מדן ומשמיע און מהר אפרים

                      הזכירו לגוים הנה השמיעו על ירושלם

"Man meldet aus Dan, aus Efraims Bergland kündet man Unheil: Berichtet den Völkern, gebt Kunde an Jerusalem..."

In V.15 sind הגיד - שמע parallel. שמע wird mit einem
Objekt und einer Angabe konxtruiert.

Jer 5,20:   הגידו זאת בבית יעקב והשמיעוה ביהודה לאמר...

"Verkündet dies im Haus Jakob, und ruft es in Juda aus..."

Parallel stehen die Verben הגיד - שמע. שמע wird mit
einem Objekt (einmalig hier als Suffixobjekt) und mit einer
lokalen Angabe konstruiert. Ein zweites Personalobjekt,
wie in Jes 40-55, kommt in diesen Belegen nicht vor.

Mit großer Wahrscheinlichkeit stammen diese 4 hif-Belege von dem Propheten Jeremia. THIEL faßt seine Ergebnisse
mit folgenden Worten zusammen: "Innerhalb der hier zusam-
mengestellten Spruchkomplexe (Kap. 2-6) ist die Hand von
D nur an wenigen Stellen zu erkennen. Anscheinend boten
die Spruchzusammenstellungen nur verhältnismäßig selten
Anlaß zu redaktionellen Eingriffen. Man wird annehmen dürfen, daß die Komplexe D schon weitgehend in der jetzigen
Gestalt als Spruchsammlungen vorlagen"[1]. Für eine diachronische Schätzung sind die Texte in der Zeit der Briefe von
Lachisch anzusetzen.

Jer 18,2:   קום וירדת בית היצר ושמה אשמיעך את דברי

"Mach dich auf, und geh zum Haus des Töpfers hinab! Dort
will ich dir meine Worte bekanntmachen".

Die Konstruktion, die hier vorliegt, ist ein Doppelob-
jektsatz: was verkündet wird + wem es verkündet wird (als
Suffixobjekt). Das im Dt-Jes häufig verwendete Schema ist

in Jer 18,2 nochmal vorhanden. Auch von diesem Text wird
die jeremianische Herkunft angenommen[2].

Jer 23,22:   ואם עמדו בסודי   וישמיעו דברי את עמי
"Hätten sie an meiner Ratsversammlung teilgenommen, so
könnten sie meinem Volk meine Worte bekanntmachen".

   Das Verb wird mit Doppelobjekt konstruiert: was verkündet wird + wem es verkündet wird (mit nota accusativi).
Auch in diesem Fall handelt es sich um einen Text jeremiani-
scher Herkunft[3].

Jer 31,7:   רנו ליעקב שמחה וצהלו בראש הגוים השמיעו הללו ואמרו
"Jubelt Jakob voll Freude zu und jauchzt! Verkündet auf
den Kopf der Völker, lobsingt und sagt..."

   Das Objekt der Bekanntmachung wird wie in Jer 4,5;
5,20 mit ואמרו eingeführt; die Adressaten der Verkündigung
werden mit בראש הגוים angegeben.

   Weitere Belege finden sich in Jer 46,14; Jer 50,2.

   Mehrere von den erwähnten Texten sind anscheinend
typisch für Stil und Schreibart Jeremias. Jeremia hat aber,
wie Dt-Jes, von der Sprache seiner Umgebung und seiner
Zeit Gebrauch gemacht. Es gibt zeitgenössische Texte, die
in diesem Fall eine Bestätigung bieten können. Die Briefe
von Lachisch, die kurz vor der Eroberung von Jerusalem
(587 v.Chr.) geschrieben sein dürften, stammen aus der
Zeit der Tätigkeit Jeremias. Die Texte Dt-Jesajas können
etwa 40-50 Jahre jünger sein. In diesen Briefen kommt eine
Begrüßungsformel vor, die eine ähnliche Struktur darstellt[4].

---

1) THIEL, WMANT 41,80-102; RUDOLPH, HAT 12,XV.

2) THIEL, 80.210-218; RUDOLPH, HAT 121.

3) THIEL, WMANT 41,210-218; RUDOLPH, HAT 12,XIV.

4) DONNER-RÖLLIG, KAI 192,1:   ישמע יהוה את אדני ש[מ]עת שלם
   KAI 193,2:   ישמע יהוה [את] אדני שמעת שלם
   KAI 194:   ישמע יהוה [את אד]ני כים שמעת טב
   KAI 195,1:   ישמע יהוה [את אד]נ[י] שמעת שלם וטב
   KAI 197,1:   ישמע יהוה את [אד]ני ש[מ]עת [שלם
   Die Grundübersetzung ist: Möge Jahwe hören lassen meinen Herrn
   gute Nachrichten..."

Das Doppelobjekt ist ein Kennzeichen dieser Konstruktion. Die Ordnung der Elemente und der Gebrauch der nota
accusativi können sich ändern. Das Satzmuster von Lachisch
ist im Alten Testament in 2 Kön 7,6; Jes 42,9; Jer 23,22
vertreten. In den anderen Texten sind kleine Abweichungen
zu bemerken, aber die syntaktische Grundstruktur bleibt[1].

שמע + ראה *in hif*

Auch in hif wird die sinnliche und syntaktische Verwandtschaft und Gegenseitigkeit von שמע-ראה bestätigt.
Diese beiden Verben können mit einem Doppelobjekt konstruiert werden. Die beiden Verben kommen in Texten vor, wo
über Gottesoffenbarungen die Rede ist.

Dtn 4,36:   מן השמים השמיעך את קלו ליסרך
                                 ועל הארץ הראך את אשו הגדולה
                                 ודבריו שמעת מתוך האש

"Vom Himmel herab ließ er dich seine Stimme hören, um dich
zu erziehen. Auf der Erde ließ er dich sein großes Feuer
sehen, und mitten aus dem Feuer hast du seine Worte gehört".

Ri 13,23:   ולא הראנו את כל אלה
                                       וכעת לא השמיענו כזאת

"Wenn Jahwe uns hätte töten wollen, ...hätte er uns nicht
all das sehen und uns auch nichts derartiges hören lassen".

---

1) Das Phänomen des Doppelobjekts in hif ist schon von E.JENNI (Das
   hebr. Pi'el 251) beobachtet worden: "Beim Hif'il mit transitivem
   Qal gibt es nun zwei verschiedene Typen von Verben. Im einen Fall,
   wir wollen ihn den normal-kausativen nennen, kann das Verbum zwei
   Akkusative annehmen: A, das Subjekt des Veranlassens, veranlaßt
   B, das veranlaßte Objekt, eine Handlung an C, dem Objekt der transitiven Handlung, vorzunehmen. Beispiele von solchen Verben mit dop-
   peltem Akkusativ sind nicht einmal sehr zahlreich. Einigermaßen
   häufig belegt sind: אכל hi. 'jemandem etw. zu essen geben', בין
   hi. 'jem. etw. einsehen lassen', ידע hi. 'jem. etw. wissen lassen',
   נחל hi. 'jemandem etw. als Besitz geben', ראה hi. 'jem. etw. sehen
   lassen' = 'jemandem etw. zeigen', שמע hi. 'jem. etw. hören lassen'
   = 'jemandem etw. verkündigen', שקה hi. 'jem. etw. trinken lassen'.
   Das Objekt der transitiven Handlung muß dabei nicht in jedem Falle
   ausdrücklich genannt werden..."

Dtn 4,36 und Ri 13,23 zeigen die gleiche Konstruktion
mit Doppelobjekt: a) was verkündet und gezeigt wird, b)
wem es verkündet und gezeigt wird (Suffixobjekt).

Jes 30,30: וְהִשְׁמִיעַ יְהוָה אֶת הוֹד קוֹלוֹ וְנַחַת זְרוֹעוֹ יַרְאֶה

בְּזַעַף אַף וְלַהַב אֵשׁ אוֹכֵלָה נֶפֶץ וָזֶרֶם וְאֶבֶן בָּרָד

"Jahwe läßt die Macht seiner Stimme erschallen und das
Herabkommen seines Armes sehen, im zornigen Grollen und
verzehrenden Feuer, im Sturm, Gewitter und Hagel".
Der Satzaufbau ist: a) was verkündet und gezeigt wird,
b) die lokale Angabe ersetzt das Personalobjekt, wie in
hif-Sätzen gewöhnlich ist. In diesen Naturerscheinungen
läßt Gott sich hören, er zeigt sich dort. Nicht die Qualität der Erscheinung, sondern der Ort wird zuerst betont.
Die geläufigen Übersetzungen unterstreichen mehr die Qualität der Erscheinung.

Die drei letzten Belege zeigen: Was für die Wortverbindung שמע + ראה in qal gilt, findet auch in der Kausativform einen entsprechenden Gebrauch "hören + sehen lassen".

Unsichere Texte

Ps 143,8: הַשְׁמִיעֵנִי(?) (שבענו=) בַּבֹּקֶר חַסְדֶּךָ
"Laß mich deine Huld erfahren am frühen Morgen"(?). "Sättige
uns frühe mit deiner Gnade"[1]
Ungewöhnlich ist nur das Objekt. Sein Inhalt scheint wenig
mit einem hörbaren Laut zu tun zu haben. Schon GUNKEL mit
BRUSTON und DUHM[2] verteidigt aus anderen Gründen eine Ände-
rung des Textes mit Hilfe von Ps 90,14: שַׂבְּעֵנוּ בַבֹּקֶר חַסְדֶּךָ
Ps 51,10: הַשְׁמִיעֵנִי(?) (=תַּשְׁבִּיעֵנִי) שָׂשׂוֹן וְשִׂמְחָה
"Sättige mich mit Entzücken und Freude".

שָׂשׂוֹן als Objekt von שמע klingt sehr hart; es wäre,
wie in Jer 33,10, קוֹל שָׂשׂוֹן zu erwarten; die syrische Übersetzung bevorzugt diese Alternative[3].

---

1) und 2) GUNKEL, Psalmen 602-603.

3) S. BHS; auch GUNKEL, Psalmen 227.

Andere Belege aus den Propheten

Am 3,9:   השמיעו על ארמנות באשדוד ועל ארמנות בארץ מצרים
"Ruft es aus über den Pälasten von Aschdod und über den
Pälasten in Ägypten, sagt..."

Das Inhaltsobjekt ist das folgende prophetische Wort;
das Personobjekt oder die Adresse der Aussage wird durch
lokale Angaben ersetzt[1].

Am 4,5:   וקטר מחמת תודה וקראו נדבות השמיעו
"Ruft, stimmt das Lied der freiwilligen Gaben an!"

Am 4,5 ist eigentlich kein gewöhnlicher Text. Es fehlt
ein (hörbares) Objekt. Eine Erklärungsmöglichkeit bietet
sich an, indem נדבות - תודה als Lieder verstanden werden
und die Bedeutung wäre "singen".

Nah 2,1:   הנה על ההרים רגלי מבשר משמיע שלום...
"Sehet auf den Bergen die Schritte des Freudenboten, der
Heil verkündet...!"

Ähnlichkeiten mit Jes 52,7 und mit den Briefen von
Lachisch sind deutlich.

Ez 36,15:   לא אשמיע אליך עוד כלמת הגוים
"Und ich will (über) dir den Schimpf der Heiden nicht mehr
laut werden lassen".

Ungewöhnlich ist die präpositionale Konstruktion,
ungewöhnlich auch das Objekt. Nach der gewöhnlichen Konstruktion hätte man hier את statt אל erwartet. אל ist dagegen die lokale Bezeichnung bei hif in Jes 62,11; Jer 49,2.
Man kann hier den Eindruck gewinnen, als sei die Regelmäs-
sigkeit der früheren Texte hinsichtlich des Gebrauchs des
Doppelakkusativs verlorengegangen; eine diachronische Entwicklung der Sprache ist hier wohl spürbar[2].

Ez 27,30:   והשמיעו עליך בקולם ויזעקו מרה
"Und lassen über dich ihre Stimme ertönen und schreien

---

1) Die Meinung WOLFFs (BK XIII 860) "Die Imperative השמיעו und אמרו gehören ganz regelmäßig zur Topik solcher Botenanweisungen" ist etwas
   zu begrenzen. Sie hat vollen Sinn nur für Dt-Jes und Jer.

2) ZIMMERLI, BK XIII 860.

bitter".

Hier findet sich eine Konstruktion mit בקול in hif.
Es handelt sich wahrscheinlich um eine instrumentale Präposition: durch die Stimme, durch ein Musikinstrument (sich)
hören lassen. Im vorliegenden Text handelt es sich um Trau-
erlieder, um Klagen. In früheren hif-Belegen war diese
präpositionale Bildung nicht zu finden. In Texten der späteren Zeit ist die Konstruktion in der Bedeutung *singen,
spielen* gut belegt[1].

Singen, spielen

Neh 12,42:   וישמיעו המשררים ויזרחיה הפקיד
"Und die Sänger sangen laut, und Jisrachja stand ihnen
vor".
Ps 26,7:   לשמע בקול תודה ולספר כל נפלאותיך
"Dann stimme ich laut das Danklied an und erzähle all deine
Wunder".

Ertönen, laut anstimmen, singen wird mit der hif-Bil-
dung השמיע בקול ausgedrückt; es folgt was gesungen wird
(= das Objekt des Singens) als Genitiv. Die richtige Übersetzung ist wahrscheinlich die 'todah' *singen*.

Einen Laut hören lassen wird mit השמיע (את) קול ausgesagt. Welche Funktion besitzt dagegen die Konstruktion
השמיע בקול? Die Konstruktion liegt uns nur in zwei Texten
vor: In Ez 27,30 ist von Klageliedern die Rede; Ps 26,7
ist ein Danklied für das erfahrene Heil. Es fehlen weitere
Belege. Dennoch scheint man annehmen zu können, daß hif
die Handlung des Singens ausgedrückt werden konnte, und
zwar mit der Konstruktion השמיע בקול....

1 Chr 15,28:   וכל ישראל מעלים את ארון ברית יהוה
                    בתרועה ובקול שופר ובחצצרות ובמצלתים
                    משמעים בנבלים וכנרות
"So brachte ganz Israel die Bundeslade des Herrn hinauf

GK §119q.

unter großem Jubelgeschrei und unter dem Klang des Widder-
horns, unter dem Lärm von Trompeten und Zimbeln, beim Spiel
der Harfen und Zithern".

Übersetzungen und Kommentare zeigen sich hier einig:
ב עימשה mit einem Musikinstrument bedeutet *spielen*.

1 Chr 16,5:   עימשמ םיתלצמב ףסאו

"Asaf spielte die Zimbeln".

1 Chr 16,42:   םיהלאה ריש ילכו םיעימשמל םיתלצמו תורצצח

(Sie hatten) Trompeten und Zimbeln für die Spieler und
Instrumente für die Gotteslieder".

Die Partizipform in hif bedeutet hier קקופרז.

Weitere Belege, wo עמש-hif *spielen, musizieren* bedeutet, treten in 2 Chr 5,13; 1 Chr 15,16.19. Ein paralleler
Ausdruck ist ב לוק םירה *die Stimme erheben in...*

GK nennt diese syntaktische Form "innerlich transitives
Hiphil"[1]; man läßt sich mit Hilfe der Instrumente hören.
Mit Ausnahme vielleicht von Ps 26,7[2] sind die vorliegenden
Belege späte Texte.

Aufbieten

Bei den verschiedenen Konstruktionen und Ausdrucksmöglichkeiten von עמש kann man zwei Sprechhandlungsgebiete
unterscheiden: a) der Bereich des Wahrnehmens und des Erkennens (= intellektuelle Funktionen); b) der Bereich des
Wollens (= volitive Funktionen). In dem 1. Bereich besitzt
עמש eine transitive Bedeutung und hat ein explizites oder
implizites Objekt. In dem 2. Bereich ist das Verb intran-
sitiv: in diesem Fall kann das Verb eine präpositionale
Bildung besitzen oder absolut konstruiert werden.

עמש-hif ist in der Mehrzahl der Texte als Kausativ
des Bereichs des Wahrnehmens und des Erkennens zu betrachten. Hif hat in dieser Sprachfunktion eine eigene Konstruktion: den Doppelakkusativ; ein Akkusativ (= was verkün

---

1) GK §119q.

2) SCHMIDT, ZAW Beih 49,12; BEYERLIN, FRLANT 99,117.

wird) entspricht dem expliziten oder implizitem Objekt
der Grundbedeutung. Dieser Akkusativ (explizit oder implizit) ist unersetzbar. Der zweite Akkusativ (= wen man hören
läßt, wem es verkündet wird) ist durch andere Angaben ersetzbar.

שמע-hif als Kausativ des Bereichs des Wollens ist
seltener belegt. Die drei folgenden Texte zeigen aber,
daß auch diese Verwendung eine Möglichkeit der Sprache
ist.

1 Kön 15,22: והמלך אסא השמיע את כל יהודה אין נקי
"König Asa aber bot ganz Juda bis zum letzten Mann auf".
Der "was"-Akkusativ fehlt (explizit und impl.). Der
"wen"-Akkusativ von hif ist aber in את כל יהודה vertreten.
So kann 1 Reg 15,22 als Kausativ einer intransitiven Grundform betrachtet werden; es ist die Kausativform der volitiven Funktion. Der parallele Ausdruck bestätigt die Bedeutung: אין נקי, wörtlich: *niemand war straffrei*, d.h. ohne
Entschuldigung für ein Nichtbefolgen des Aufgebots[1].

Jer 50,29: השמיעו אל בבל רבים כל דרכי קשת
חנו עליה סביב אל יהי פליטה
"Entbietet gegen Babel Schützen: all ihr Bogenspanner,
lagert ringsum wider es, laßt niemand entrinnen".

Die volitive Funktion bestimmt auch die Konstruktion
des Satzes.Es fehlt ein Objektakkusativ; vorhanden ist
ein Personakkusativ. Der Text stimmt mit 1 Kön 15,22 überein. Der Satz läßt eine intransitive Grundform annehmen.

Jer 51,27: קדשו עליה גוים השמיעו עליה ממלכות
"Weihet wider es Völker, entbietet wider es Königreiche".

Was eigentlich in der Grundform Subjekt der volitiven
Handlung sein sollte, fungiert in dem Kausativ als Akkusativ. Der Doppelakkusativ, eine Erscheinung in den Kausativen der Wahrnehmung, ist hier nicht zu erwarten. JENNI hat
diese Sprachverwendung richtig gedeutet: "Vielmehr ist wohl

---

1) NOTH, BK IX/1,341.

an die Nebenbedeutung *gehorchen* anzuknüpfen und ein Adjektiv
in der Bedeutung *gehorsam, zum Gehorsam verpflichtet* (vgl.
das Oppositum נקי *frei* in 1. Kön. 15,22) zu erschließen"[1].

Zusammenfassung

Die geläufige Bedeutung von שמע-hif entspricht dem
kausativen Aspekt von qal. Grundsätzlich sind zwei Kausativ-
formen zu unterscheiden:
1. *Hören lassen, verkünden, bekanntmachen* haben als Grundform ein transitives שמע mit der Bedeutung *sinnlich wahrnehmen, erfahren, zur Kenntnis nehmen*... Die Mehzahl der hif-
Texte gehören zu diesem Bereich. Der absolute Gebrauch
von hif findet Verwendung als *singen, spielen, musizieren.*
2. Auch der intransitive Bereich mit volitiver Bedeutung
kann als Kausativ erscheinen. Die Verwendung dieses Kausativs ist sehr begrenzt[2].
    In dem Kausativen der transitiven Grundform (hören
lassen, verkünden, bekanntmachen) findet man zwei Konstruk-
tionsmuster: a) *hören lassen, verkünden* mit Doppelakkusativ
(Verb + was verkündet wird + wem verkündet wird), b) *hören
lassen, verkünden* mit einem Akkusativ (= was verkündet
wird) und mit der Bezeichnung der Umstände (= wo oder wohin
(Ziel oder Adresse) der Verkündigung).
    a) Doppelakkusativ:

Dtn 4,3:		את דברי	ואשמעכם
Dtn 4,36:		את קלו	השמיעך
Dtn 30,12:		אתה	וישמענו
Dtn 30,13:		אתה	וישמענו
Ri 13,23:		כזאת	השמיענו
1 Sam 9,27:		את דבר אלהים	ואשמיעך
2 Kön 7,6:	קול רכב	את מחנה ארם	ואדני השמיע

---

1) JENNI, Das hebr. Pi'el 220.
2) ZIMMERLI (BK XIII 408) betrachtet Ez 19,4 als hif mit der Bedeutung
   'aufbieten'.

Jes 41,22: <u>הבאות</u> השמיענו

Jes 42,9: (ו<u>חדשות</u>)... אשמיע <u>אתכם</u>

Jes 43,9: <u>וראשנות</u> ישמיענו

Jes 44,8: (ו<u>אתיות</u> ואשר <u>תבאנה</u>) הלא מאז השמעתי<u>ך</u>

Jes 48,3: (<u>הראשנות</u>) ואשמיע<u>ם</u>

Jes 48,6: השמעתי<u>ך</u> <u>חדשות</u>

Jer 18,2: אשמיע<u>ך</u> <u>את דברי</u>

Jer 23,22: וישמעו <u>דברי</u> <u>את עמי</u>

Hld 2,14: השמיעי<u>ני</u> <u>את קולך</u>

   Die nota accusativi kann den "was"-Akkusativ oder
den "wen"-Akkusativ einleiten. Der "wen"-Akkusativ wird
sehr häufig mit einem pronominalen Suffix ausgedrückt.
Die außerbiblischen Texte zeigten auch eine ähnliche Konstruktion.

   b) Akkusativ + Angabe von Umständen:

Ri 18,25: אל תשמע <u>קולך</u> <u>עמנו</u>

Jes 42,2: ולא ישמיע <u>בחוץ</u> <u>קולו</u>

Jes 58,4: להשמיע <u>במרום</u> <u>קולכם</u>

Jes 62,11: יהוה השמיע אל <u>קצה הארץ</u> (הנה <u>מושיעך בא</u>)

Jer 4,5: <u>ובירושלם</u> השמיעו (...)

Jer 4,15: כי קול... ומשמיע <u>און</u> <u>מהר אפרים</u>

Jer 4,16: השמיעו על <u>ירושלם</u> <u>נצרים באים מארץ המרחק</u>

Jer 5,20: והשמיעוה <u>ביהודה</u>

Jer 46,14: והשמיעו <u>במגדל</u> השמיעו <u>בנף</u> אמרו...

Jer 48,4: השמיעו <u>זעקה</u> <u>צעריה</u>

Jer 49,2: והשמעתי <u>אל רבת בני עמון</u> <u>תרועת מלחמה</u>

Jer 50,2: (<u>בגוים</u>) והשמיעו ... השמיעו ...רמרו...

Ez 36,15: ולא אשמיע אליך <u>כלמת הגוים</u>

Am 3,9: השמיעו <u>על ארמנות באשדוד</u> ... ואמרו...

Nah 2,1: הנה על ההרים... משמיע <u>שלום</u>

   Als Objektakkusativ findet sich ein Substantiv oder
einen Satz (= ein Wort, eine Rede). Gewöhnlich ist, daß
mit שמע-hif andere Parallelverben vorkommen. Das Objekt
und die Angabe der Umstände können verschiedenen parallelen
Verben zugeordnet sein. Es ist auch möglich, ein Substantiv
als unmittelbares Objekt und einen Satz als mittelbares

Objekt zu gebrauchen:

Neh 8,15:   ...לאמר <u>בכל עריהם ובירושלים</u> <u>קול</u> ... ישמיעו

Der Objektsatz wird mit ...ויאמרו לאמר eingeführt.

ב <u>השמיע</u> ist ein Kennzeichen für die Bedeutung "singen",
"spielen", "musizieren". Die präpositionale Bildung kann
ausfallen, wenn der Kontext die Bedeutung schon genügend
zeigt. Das Verb hat in dieser Bedeutung kein Objekt.

Der Gebrauch von hif mit volitiver Bedeutung: Kennzeichen für diese Bedeutung ist ein Akkusativ (= Menschen
oder Gruppen, die verpflichtet werden):

1 Kön 15,22:   <u>את יהודה</u> השמיע אסא והמלך

Jer 50,29:   <u>קשת</u> <u>כל דרכי</u> <u>רבים</u> אל בבל השמיעו

Jer 51,27:   <u>ממלכות</u> עליה השמיעו

In dieser Konstruktion drückt das Verb die Bedeutung *aufbieten* aus.

7. KAPITEL

שמע *piel: eine selten Form*

Der Verbstamm pi liegt nur in zwei Texten vor: 1 Sam
15,4; 1 Sam 23,8.Diese geringe Zahl der Belege ermöglicht
keine vollständige Analyse. Mit Hilfe der Untersuchung
JENNIs[1] soll versucht werden, einige Eindrücke zu gewinnen.
Schon bei hif fanden sich 3 Fälle (1 Kön 15,22; Jer 50,29;
51,27) mit "der militärisch-fachsprachlichen Bedeutung
(ein Heer) aufbieten[2]. Auch wenn die Erklärung der pi-Texte
nicht möglich scheint, können die Erkenntnisse JENNIs die
Grenzen aufzeigen, die man nicht überschreiten sollte:
    "Die Bedeutung des Pi'el ist nicht die eines (im Laufe
der Zeit mannigfach abgeschwächten) Intensivs oder eines
(mit dem Hif'il praktisch gleichbedeutenden) Kausativs,
sondern es drückt das Bewirken des dem Grundstamm entsprechenden adjektivisch ausgesagten Zustandes aus... Bei
intransitiver Grundbedeutung ist das Pi'el faktitiv: es
bezeichnet das Bewirken des adjektivischen Zustandes ohne
Rücksicht auf den Hergang und als vom Objekt akzidentiell
erlittene Handlung"[3].

1 Sam 23,8:   וישמע שאול את כל העם למלחמה
                              לרדת קעילה לצור אל דוד ואל אנשיו
"Und Saul bot alles Volk zum Kriege auf, um nach Kegila
hinabzuziehen und David samt seinen Leuten zu belagern".
1 Sam 15,4:   וישמע שאול את העם ויפקדם בטלאים
"Da bot Saul das Volk auf und musterte es in Telaim"
    Die Bedeutung *(ein Heer) aufbieten* wird von übersetzun-

---

1) JENNI, Das hebr. Pi'el, Zürich 1968.

2) Ibid. 220.

3) Ibid. 275.

gen und Kommentaren einhellig angenommen[1], so auch von
JENNI[2]. Er sagt: "Die Ableitung ist... recht schwierig,
zumal auch an den intransitiven Hintergrund des Verbs
שמע und an die Möglichkeit der Denomination zu denken ist.
Eine kausative Funktion des Pi'el zu postulieren wider-
spricht aller Erfahrung und ergäbe mit hören lassen = verkünden auch keine präzise Bedeutung. Vielmehr ist wohl
an die Nebenbedeutung 'gehorchen' anzuknüpfen und ein
Adjektiv in der Bedeutung 'gehorsam', 'zum Gehorsam verpflichtet'... zu erschließen, zu dem ein Pi'el 'zur Hee-
resfolge verpflichtet machen' = 'aufbieten' vermutet werden
kann. Eine sichere Erklärung ist hier aber nicht möglich".

Es wurde schon gezeigt, wie שמע nicht nur ein Verb
der sinnlicher Wahrnehmung ist. Auch der Bereich des Wollens
ist ausreichend vertreten.

Daß der Gedanke des aufbietens auch in hif vorkommt,
könnte man als diachronische Entwicklung betrachten. Die
hif-Belege in Jer 50,21; 51,27 sind sptäter als die pi-Bele-
ge in Sam entstanden. Die Zahl der Belege reicht nicht
aus, eine diachronische Fragestellung zu erklären[3].

Auch wenn שמע-pi ein seltener Fall der hebräischen
Sprache ist, zeigen diese 2 Belege daß diese Sprache viele
syntaktische Möglichkeiten besitzt, mit einem einzigen
Grundstamm viele verschiedene Sprechhandlungen zu äußern.
Man betrachtet mit Bewunderung die Breite und Weite einer
alten Sprache.

Auch in der deutschen Sprache findet sich diese Vielseitigkeit der Bedeutungen. Dabei ist zu bemerken, daß die
deutsche Sprache von der Sprache des AT beeinflußt wurde.

---

1) STOEBE, KAT VIII/1,283; HERTZBERG, ATD 10,153.

2) JENNI, Hebr. Pi'el 220.

3) JENNI (Hebr. Pi'el 278) meint dagegen: "Innerhalb der alttestamentlichen Periode... sind offenbarim System der hebräischen Stammfor-
men keine größeren Änderungen eingetreten".

Exkurs: Das Verb 'hören' in der deutschen Sprache

Die Vielseitigkeit des hebräischen שמע hat wahrscheinlich mit dem Gebrauch dieses Verbs in indogermanischen
Sprachen bestimmte Ähnlichkeiten. Diese Vermutung soll
hier nicht weiter verfolgt werden. Dennoch sei es erlaubt,
ein Beispiel beizufügen.

In dem Wörterbuch der Gebrüder GRIMM fällt die große
Zahl der Bedeutungen von "Hören" auf. Besonders interessant
ist, daß in diesem Wörterbuch die deutsche Bedeutung von
Hören mit biblischen Beispielen belegt wird. Hier wird
nur teilweise der Artikel zitiert und die biblischen Zitate
werden besonders unterstrichen.

J.G.GRIMM-W.GRIMM, Deutsches Wörterbuch, Leipzig 1877,
Band 4,1,5: H Ö R E N

1.- Den sinn des gehörs haben, durchs gehör wahrnehmen können:
5 Mos 4,28; Ps 38,14; 94,9; 115,6; Jes. 59,1; Matth. 11,15; Marc.
7,37; die bibelsprache belebt gern das ohr, indem sie ihm, statt
dem menschen, das hören zuschreibt: 5 Mos. 29,4; spr. Sal. 20,12;
Matth. 13,15.
2.- durchs gehör wahrnehmen, etwas mit dem ohr vernehmen; in verschiedenen verbindungen.
a.- mit sächlichem object, eine stimme, ein wort, gesang, musik
u.s.w. hören: 1 Mos. 3,10; 2 Mos. 16,12; Jos. 6,5; 1 Kön. 6,7;
Hiob 37,4; Joh. 3,8; selbst ein schweigen hören, weil durch das
ohr auch abwesenheit eines geräusches wahrgenommen wird. Mit unbe-
stimmtem object.
b.- früher hiesz es bücher hören, mit bezug auf ihr vorlesen.
c.- mit acc. der person, einen hören, der durch irgend welchen
ton seine anwesenheit kund gibt.
d.- das object wird durch ein adjectiv oder particip näher bestimmt;
ich höre ihn schon nahe (Höre, dasz er nahe ist).
e.- hören, mit einem infinitiv verbunden (vergl. unter hören-sagen):
1 Sam. 13,4; spr. Sal. 29,24; dieser infinitiv kann seinerseits
wieder einen objectsaccusativ nach sich ziehen.
f.- hören mit wirklichem acc. cum infi.: Jer. 9,10; Hes. 1,24;
ap.gesch. 6,11.
g.- statt des acc. c. inf. steht ein abhängiger satz: 1 Mos. 37,17;
Jes. 18,3; Jer. 8,16.
h.- in gewissen verbindungen fehlt das object ganz.
i.- reflexiv, sich hören: pred. Sal. 1,8.
k.- die verbindung hören lassen, machen dasz etwas gehört wird,
ist mannigfach: Jos. 6,10; 5 Mos. 4,36; richt. 14,13; verschieden

ist hören lassen, nicht hindern, dasz etwas gehört werde.
l.- namentlich auch reflexiv, sich hören lassen: spr. Sal. 8,1;
Jer. 22,20; auch vom auftreten eines sängers, virtuosen.
m.- prägnant: dasz läszt sich hören, gleichsam wird gut, als etwas
gutes gehört, wobei hören schon in die folgende bedeutung hinüber-
spielt.
3.- hören, in stärkerer bedeutung, mit aufmerksamkeit hören, auf
etwas gehörtes achten, anhören; wieder in manchen fügungen:
a.- absolut: 1 Sam. 3,9; im imperativ höre!: 5 Mos. 6,4; Jes. 1,2.
b.- mit sächlichem object: 2 kön. 19,16; ps. 54,2.
c.- so namentlich auch in festen verbindungen.
d.- mit persönlichem object: Jer. 11,11; 37,20; 1 Mos. 49,2; Sir.
4,8; Matth. 18,15; Marc. 6,11; ap. gesch. 25,22.
e.- statt des accusativs ein genitiv.
f.- es folgt ein abhängiger satz: 1 Mos. 37,6.
g.- häufig auf jemand oder etwas hören, bei ratschlägen oder befehlen: Hes. 44,5; aber auch bei der benennung eines hausthieres,
das von aller menschlichen rede nur den Klang seines namens beachtet.
h.- nach etwas hören, aufmerksam das gehör wohin richten: Amos
8,11.
4.- dieses hören = anhören steht namentlich häufig auch in der
gerichtlichen sprache in bezug auf den richter, mit dativ der person, oder, wie in der neueren sprache gewöhnlich, mit accusativ:
5 Mos. 5,11.
5.- aus der bedeutung des anhörens flieszt die des folgens, gehorchens, das verbum steht theils absolut, theils mit accusativ: Jes.
30,9.
6.- dann auch die des zuhörens, eigen seins, sich schikkens, in
der alten sprache häufig.
7.- hören, mit besonderer betonung der wirkung des hörens, hören
entnehmen, vernehmen, erfahren; in verschiedenen verbindungen.
a.- mit einem sächlichen accusativ, meist nur allgemeiner art:
1 Mos. 21,6; das object wird auch durch ein adjectiv oder particip
näher bestimmt, so dasz die oben 2,c belegte construction auch
hier auftritt.
b.- häufig von (d.h. über) etwas oder einen hören: 5 Mos. 13,12;
Marc. 7,25.
c.- mit abhängigem satze: 1 Mos. 42.2; 4 Mos. 22,36; 1 Sam. 25,7.
8.- hören betont aber auch das vermögen des folgens aus etwas gehör-
tem, es heiszt hören schlieszen, merken.
9.- eigen ist hören in folgendem: ist übel gerufen; gewiss nur
nachahmung des lat. male audire, griech.
10.- hören = aufhören.

8.KAPITEL
Stilistische und diachronische Fragen

"Die synchronische Sprachwissenschaft befaßt sich
mit logischen und psychologischen Verhältnissen, welche
zwischen gleichzeitigen Gliedern, die ein System bilden,
bestehen, so wie sie von einem und demselben Kollektivbewußtsein wahrgenommen werden. Die diachronische Sprachwissenschaft untersucht dagegen die Beziehungen, die zwischen
aufeinanderfolgenden Gliedern obwalten, die von einem in
sich gleichen Kollektivbewußtsein nicht wahrgenommen werden,
und von denen die einen an die Stelle der anderen treten,
ohne daß sie unter sich ein System bilden"[1]. Nach diesem
Zitat äußert D.MICHEL seine Meinung, die gleichzeitig als
Forschungsprogramm für die biblische Sprache gelten kann:
"In der modernen Sprachwissenschaft gehört diese Unterscheidung de SAUSSURES zum allgemein akzeptierten methodischen
Inventar... Die grammatische Darstellung einer Sprache
muß zunächst einmal synchronisch als Darstellung eines
Sprachsystems oder einer Sprachschicht geschehen, dann
erst kann die diachronische (historische) Darstellung als
zweiter Schritt folgen".
     D.MICHEL nennt die drei größten Probleme einer diachro-
nischen Untersuchung:
"1. Die Textbasis ist sehr schmal..."
"2. Die Einteilung der Texte würde den Grammatiker häufig
in größte Verlegenheit bringen... Die Einteilung in verschiedene je für sich synchronisch zu untersuchende Sprachstufen könnte also nur nach umfangreichen literarischen
Vorarbeiten geschehen..."
"3. Eine weitere Schwierigkeit...liegt darin, daß nach
meinem Urteil bis jetzt die charakteristischen Merkmale,
die das Hebräische von unseren indogermanischen Sprachen

---

1) MICHEL, Grundl.hebr. Syntax 2-5.

unterscheiden, noch nicht genügend erforscht und dargestellt worden sind. Gerade dieser Mangel steht einer präzi-
seren Unterscheidung von Sprachstufen im Hebräischen im
Wege und erfordert es m.E., zunächst einmal das gesamte
biblische Hebräisch als eine Sprachstufe zu behandeln".

Die Grenzen für den vorliegenden Versuch und für mögliche Ergebnisse stehen schon von vornherein fest. Mit dieser
Gewißheit und trotz der Geringfügigkeit der Erwartungen
sei es erlaubt, nach stilistischen und diachronischen Änderungen zu fragen.

שמע-Konstruktionen in der Priesterschrift

Die Priesterschrift(P)[1] zeigt eine große Regelmäßigkeit
in ihren שמע-Konstruktionen und vermeidet einige Konstruktionen. Eine regelmäßige und häufige Konstruktion ist שמע
לא.

Gen 23,16:   וישמע אברהם אל עפרון
"Und Abraham willfahrte dem Efron".

Gen 28,7:   וישמע יעקב אל אביו ואל אמו
"Und daß Jakob seinem Vater und seiner Mutter gehorsam war".

Ex 6,9:   ולא שמעו אל משה
"Und sie hörten nicht auf Mose".

Ex 6,12:   ולא שמעו אלי ואיך ישמעני פרעה
"Schon die Israeliten haben nicht auf mich gehört; wie
sollte der Pharao hören...?"

Ex 6,30:   ואיך ישמע אלי פרעה
"Wird da der Pharao auf mich hören?"

Ex 7,4:   ולא ישמע אלכם פרעה
"Aber der Pharao wird nicht auf euch hören".

Ex 7,13:   ויחזק לב פרעה ולא שמע אליהם

Ex 7,22:   ויחזק לב פרעה ולא שמע אלהם

---

1) Die Verteilung der P-Texte wird grundsätzlich nach NOTH (Überlieferungsg. 17-19) gemacht. S. auch EIßFELDT, Synopse.

"Aber das Herz des Pharao verhärtete sich, und er hörte nicht auf sie..."

Ex 8,11: ‏וחכבד את לבו ולא שמע אלהם

"...verstockte er sein Herz, so daß er nicht auf sie hörte".

Ex 8,15: ‏ויחזק לב פרעה ולא שמע אלהם

Ex 9,12: ‏ויחזק יהוה את לב פרעה ולא שמע אלהם

Ex 11,9: ‏לא ישמע אליכם פרעה

Ex 16,20: ‏ולא שמעו אל משה

"Sie gehorchten dem Mose aber nicht".

Dtn 34,9: ‏וישמעו אליו בני ישראל

"Und die Israeliten gehorchten ihm..."

In diesen Belegen zeigt sich die gewöhnliche Bedeutung von ‏שמע אל‎; das Verb hat einen volitiven Sinn; Kennzeichen von P ist die regelmäßige Wiederholung bestimmter Äußerungen.

In dem Bereich des volitiven Gebrauchs benutzt P auch die Suffixkonstruktion parallel zur Konstruktion ‏שמע אל‎ oder selbständig:

Ex 6,12: ‏ולא שמעו אלי ואיך ישמעני פרעה

"Sieh, die Israeliten haben nicht auf mich gehört, wie sollte da der Pharao auf mich hören?".

Gen 17,20: ‏ולישמעאל שמעתיך

"Was Ismael betrifft, ich habe dich erhört".

Gen 23,6.8.11.13.16: ‏שמעני - שמעני

Der absolute Gebrauch von ‏שמע‎ nach einer Erzählung (= erfahren) ist eine gewöhnliche Konstruktion und Sprachfunktion von ‏שמע‎ im Hebräischen. Auch in P ist die Konstruktion vertreten:

Gen 35,22: ‏וישמע ישראל

"Und Israel erfuhr es".

Num 16,4: ‏וישמע משה ויפל על פניו

"Als Mose das hörte, warf er sich auf sein Angesicht".

Num 27,20: ‏למען ישמעו כל עדת בני ישראל

"Damit die ganze Gemeinde der Israeliten (es) erfahre".

Hier wird die Übersetzung "auf ihn hören", "gehorchen"
bevorzugt. Die Konstruktion spricht eher für "erfahren".
Nach לעיניהם (= vor den Augen) in V.19, als parallele Ergänzung, kommt in V.20 das Hören (= erfahren) vor. Die
volitiven Äußerungen werden mit Präposition oder mit Suffix
konstruiert(siehe in den oben zitierten Belegen).

Auch am Anfang eines Textes, als Einführung der Rede
kann שמע absolut vorliegen; die Rede oder das Wort ist
das implizite Objekt:

Num 16,8:   שמעו נא בני לוי
"Hört doch, ihr Leviten".

Num 20,10:   שמעו נא המרים
"Höret doch, ihr Wiederspenstigen!"

Häufig belegt bei P ist auch die Konstruktion mit
Objekt:

Ex 2,24:   וישמע אלהים את נאקתם
"Da hörte Gott ihr Seufzen".

ידע - ראה - זכר - שמע bedeutet die Steigerung der
kognitiven Tätigkeit (siehe oben). Diese vollständige Zur-
kenntnisnahme hat unbedingt zur Folge die Teilnahme Gottes
und die Erhörung. Auch P benutzt diese Ausdrucksmöglich-
keit[1].

Ex 6,5:   וגם אני שמעתי את נאקת בני ישראל...ואזכר
"Und ich habe auch das Seufzen der Israeliten gehört..."

Ex 16,7:   בשמעו את תלנתיכם על יהוה
"...wenn er euer Murren gegen Jahwe gehört haben wird".

Ex 16,8:   בשמע יהוה את תלנתיכם אשר אתם מלינם עליו
"...wenn Jahwe euer Murren hört, das ihr gegen ihn erhebt".

Ex 16,9:   כי שמע את תלנתיכם
"Denn er hat euer Murren gehört".

---

1) W.H.SCHMIDT (BK II/1,77) versucht diese Sprechhandlung richtig zu
   fassen: "Die ersten drei Verben scheinen gleichsam im innergöttli-
   chen Bereich zu bleiben... Doch zielen auch sie... auf ein aktives
   Verhalten Gottes".

Ex 16,12: שמעתי את תלונת בני ישראל
"Ich habe das Murren der Israeliten gehört".

Num 14,27: את תלונת בני ישראל אשר המה מלינים עלי שמעתי
"Ich habe mir das Murren der Israeliten jetzt lange genug
angehört".

Num 7,89: וישמע את הקול מדבר אליו מעל הכפרת
"Mose hörte die Stimme, die zu ihm hin von der Deckplatte
aus... sich äußerte".

Num 9,8: ואשמעה מה יצוה יהוה לכם
"Ich will hören, was Jahwe in eurer Sache befehlen wird".

Die große Regelmäßigkeit in den verwendeten Konstruktionen und das Fehlen anderer Konstruktionen sind zwei
Merkmale von שמע in P. Diese regelmäßigen Konstruktionen
sind:
1. Die sinnliche Wahrnehmung mit שמע את.
2. Das Verb absolut konstruiert
   a) am Ende einer Erzählung oder in der Erzählung;
   b) am Anfang als Aufforderung.
3. Volitive Äußerungen mit שמע אל.
4. Volitive Äußerungen mit Suffixakkusativ.

Stilistische und diachronische Bemerkungen:
1. Regelmäßigkeit und Häufigkeit von שמע אל in einigen
Texten; dagegen kommt die Konstruktion שמע בקול nie in
P vor. Diese Häufigkeit in dem ersten Fall und die völlige
Abwesenheit in dem zweiten, sind sie "auf eine Veränderung
der Sprachkompetenz zurückzuführen"?[1]. Das Fehlen dieser
Konstruktion in anderen Büchern (Ez, Ijob, 1-2 Chr) spricht
für einen seltenen Gebrauch oder für das Verschwinden in
bestimmten Bereichen der hebräischen Sprache.
   2. Zu den Suffixbildungen ist das Folgende zu bemerken:
Nur P benutzt diese Konstruktion in den Büchern des Pentateuchs. Das ist wahrscheinlich nicht als stilistische

---

1) MICHEL, Grundl.hebr. Syntax 6.

Besonderheit zu werten. Die Ausdrücke von Gen 23 sind vielmehr mit den ähnlichen im Buch der Chronik, und nur mit
diesen Texten, zu vergleichen. Die häufige Benutzung von
Suffixakkusativen bei שמע kann als eine späte Erscheinung
im Hebräischen bezeichnet werden.

3. Die Konstruktion שמע כי ist bei P nicht belegt.
Das hat wahrscheinlich damit zu tun, daß שמע כי ein Ausdruck
der Erzählung ist; P dagegen gehört nicht zu den Erzäh-
lern des Alten Testaments.

4. P verwendet nie שמע ל - שמע לקול; auch hier ist
eine stilistische oder diachronische Grenze zu vermuten.

Wenn שמע בקול ein typischer Ausdruck von Dtn-Dtr ist,
fehlt die Form bei P völlig. P ist dem chronistischen Werk
näher; das ist auch im Gebrauch der Suffixe bemerkbar.

שמע בקול - שמע אלי: zwei verschiedene Schichten in Jer?

Jer 7,21-29: Die Opfer-Polemik:
      Eigentlich wird das Thema der Opfer-Polemik in 7,21-23
behandelt. Hier liegt die Konstruktion שמע בקול vor. Dann
folgt die Unermüdlichkeitsformel; das Opfer-Thema wird
mit keinem Wort genannt (Vv.24-28); die Konstruktion ist
in diesem Fall שמע אלי und שמע absolut. Als Inklusion in
V.28 erscheint שמע בקול. Man kann das folgende Schema vor-
schlagen: a) 7,21-23: frühere Verarbeitung (Opfer-Polemik
mit der Kontruktion שמע בקול); b) 7,24-27: spätere Verarbeitung (Konstruktion שמע אל); c) 7,28: Inklusion zu 7,21-23
(mit der Konstruktion שמע בקול).

      THIEL bemerkt richtig diese Unterbrechung nach V.23,
auch wenn er eine andere Folgerung zieht: "Strenggenommen
verläßt D dieses Thema 'Opfer' in 24ff., um in geläufigen
Wendungen den Umgehorsam Israels zu beschreiben"[1].

Jer 35,1-11 und 35,13-18:
      Wie bei שמע בקול - שמע אל gezeigt wurde, sind beide

Texte verschieden. In 1-11 wird der Hauptgedanke mit שמע
בקול ausgedrückt; diese Verse sind mit großer Wahrscheinlichkeit alt und könnten jeremianisch sein. Dagegen ist
13-18 eine Erweiterung und Kommentierung redaktioneller
Art; in diesen redaktionellen Versen wiederholt sich שמע אלי
4mal.

Man gewinnt den Eindruck, daß die שמע אלי-Texte die
erste Theologie über das Prophetentum beinhalten. Diese
Beziehung zu den Propheten wird mit שמע אלי ausgedrückt,
und das aus zwei Gründen:
1. שמע אל äußert die Verhältnisse des Volkes zu den Propheten (= zu den wahren oder zu den falschen).
2. Es ist zu vermuten, daß das Zurückgehen der Konstruktion שמע בקול zur Folge hatte, daß die Wendung שמע אל die
ältere Wendung שמע בקול in Fällen ersetzte, in denen Dtr
wahrscheinlich שמע בקל gebraucht hätte. שמע אלי im Buch
Jeremia bezeichnet ein volitives Verhältnis zu Gott und
zu den Propheten; grundsätzlich ist das ein Verhältnis
zu den Propheten; dieses Verhältnis zu den Propheten wird
ein Verhältnis zu Gott (= Verständnis der Propheten als
Sprecher Gottes, als Verkünder des Willens Gottes).

Eines ist deutlich: In Jer 35,1-19 liegen zwei Texte
vor, die das Thema der Rechabiter behandeln. Der alte Text
(35,1-11) gebraucht שמע בקול; der zweite Text(35,13-18)
ist eine jüngere Kommentierung und wiederholt für die gleiche Sprechhandlung שמע אלי.[2]

Jer 3,13.25 (שמע בקול), die als redaktionell behandelt
werden, sind Teil eines Komplexes, wo die Hand von dtr
an wenigen Stellen zu erkennen ist[3].

Jer 9,12 -שמע בקול- gehört zu einer Verarbeitung mit
enger Verbindung zu jer. Textumgebung. Jer 8-10 ist grund-

---

1) THIEL, WMANT 41,128.

2) THIEL, WMANT 52,46-47.

3) THIEL, WMANT 41,80; ITTMANN, Konfess.Jer.,WMANT 54,131.

sätzlich jeremianisch. Redaktionelle Texte zeigen sich
in 8,19b und 9,11-15[1].

שמע בקול in Jer 18,10: "Dabei scheint sich auch so-
gleich eine reinliche Scheidung dadurch abzuzeichnen, daß
der erste Teilabschnitt des Textes (18,2-6) ganz frei von
eindeutigen D-Termini erscheint, die hingegen erst in 7ff.
auftreten... Man wird dann dem sprachlichen Befund entsprechend im ersten Teilabschnitt den zugrundeliegenden älteren
Text und in 7ff. dessen Nachinterpretation durch D erblicken
müssen"[2].

שמע בקול in Jer 22,21: "Jer 21,1-23,8 entstand aus
einer älteren, D bereits vorgegebenen Sammlung von Königs-
sprüchen... D ergänzte die Sprüche durch eigene Texte"[3].

שמע בקול in Jer 26,13: "In K.26... hat D relativ wenig
eingegriffen. Sie fügte die Reflexion über die Wirkung
der aufgetragenen Verkündigung in 3-5 ein, überarbeitete
das Tempelwort in 6 und bereicherte die Verteidigung Jeremias (12-15) um einen Aufruf zum Rechttun(13)"[4]. Die Wendung
hat eine enge Verbindung mit jer. Worten.

שמע בקול in Jer 38,20: "Kapitel 38 zeigt ebenfalls
nur geringe Spuren redaktioneller Arbeit. Lediglich die
beiden Verse 2 und 22 kommen dafür in Betracht"[5]. Der Bericht legt dieses Wort in den Mund Jeremias.

שמע בקול in Jer 40,3: "Es liegt also auch hier(40,1-6)
ein älterer Text zugrunde, der Bericht von der zweiten
Befreiung Jeremias... Jedoch ist seine Rekonstruktion nicht
ganz leicht..."[6]

שמע בקול in Jer 42,6.13.21: THIEL vermutet hier eine
"ausgedehnte Predigt, die an der Stelle eines ursprünglichen, kurzen Spruches steht... Dieser Spruch ist wohl innerhalb der Predigt enthalten"[7]. Allgemein wird der Text für

---

1) THIEL, WMANT 41,136.   2) Ibid. 210-211.

3) Ibid. 249; s. auch 242.   4) THIEL, WMANT 52,3; s. auch 52-53.

5) Ibid. 54.   6) Ibid. 58.

7) Ibid. 62.

jeremianisch gehalten[1].

שמע בקול in Jer 43,4.7: "Der Anteil von D in Kapitel 43 vergleichsweise gering. Da es sich nur um kleinere Elemente handelt, ist die Beurteilung nicht ganz sicher"[2].

So vermutet Thiel, daß 43,4.7 redaktionell sind. Auf jeden Fallstehen diese Verse in einem nicht-redaktionellen Text und Kontext.

Nicht immer ist es an den besprochenen Stellen möglich, alte und verarbeitete Texte genau zu unterscheiden. Sollte aber שמע בקול in einem verarbeiteten Text vorkommen, so besitzt er immer einen alten Kern. Die Konstruktion שמע בקול findet sich in unmittelbarem Kontakt mit einem vorgegebenen alten Text.

Anders scheint die Wirklichkeit bei שמע אלי zu sein. Ein klares Beispiel trat auf in Jer 35,13-18, wo der Text ganz neu gefaßt ist.

שמע אלי in Jer 16,12: "Dieser nunmehr anschließende, ganz von D verfaßte Abscnitt (16,10-13) ist eine jener Gerichts-Begründungen in Frage-Antwort-Form"[3].

שמע אלי in Jer 17,24-27: "Der Abschnitt(17,19-27) erweist sich also, auch hinsichtlich der Phraseologie betrachtet, als ein einheitlicher, von D verfaßter Zusammenhang"[4].

שמע אלי in Jer 25,7: "Einen etwa zugrundeliegenden authentischen Kern besitzt die Rede(25,1-13) nicht, ist vielmehr freie D-Komposition. Ihre Herkunft von D ist eindeutig..."[5]

שמע אלי in Jer 34,14.17: Der Text wird von Thiel als eine von D geschriebene Gerichtspredigt identifiziert[6].

Auch der Beleg in 26,4 gehört zum redaktionellen Text 26,3-5.

---

1) THIEL, WMANT 52,62.   2) Ibid. 67.
3) Ibid. 198.   4) Ibid. 207.
5) THIEL, WMANT 41,272.   6) THIEL, WMANT 52,38-43.

Schritt für Schritt wurden mit Hilfe von W.THIEL die
Konstruktionen שמע בקול - שמע אלי und die dazu gehörenden
Texte überprüft. Die Regelmäßigkeit der Beobachtungen erlauben, die folgenden Bemerkungen zu machen:
1. Die Konstruktion שמע בקול hat eine enge Verbindung mit
originalen Texten des Buches Jeremia. Auch wenn die Konstruktion deutlich als redaktionell erscheint, so bleibt
sie doch in einem Text, wo die ursprünglichen Worte stark
wirken.
2. Anders verhält es sich es bei שמע אלי. Diese Konstruktion
liegt vor in Texten, die vollständig oder fast vollständig
Erzeugnisse der Redaktion sind. Es handelt sich um neue
Texte, die eine Vergegenwärtigung von jeremianischen Texten
oder Gedanken bedeuten. Neue Zeiten und neue theologische
Gedanken werden neu verarbeitet mit der Untertützung eines
prophetischen Wortes.

Diese שמע אלי-Texte zeigen schon eine Bearbeitung
der Theologie über die Propheten. Ein Zeichen dafür ist
es, daß diese Wendung sehr häufig in Verbindung mit Unermüdlichkeitsformel erscheint. Das ist bei שמע בקול nicht der
Fall. Alles spricht dafür, daß der Gebrauch von שמע בקול
zurückgeht; an seine Stelle tritt häufigen שמע אלי.

שמע אל התפלה - שמע התפלה

Ohne Unterschiede in der Bedeutung zu bemerken, findet
man zwei unterschiedliche Konstruktionen: In den Psalmen
ist die Konstruktion שמע התפלה belegt. In allen Belegen
zeigt sich eine unveränderte Regelmäßigkeit. Das wird von
CULLEY unterstrichen[1]. שמע - תפלה ohne nota accusativi
wiederholt sich in Ps 4,2; 6,10; 39,13; 54,3; 65,3; 84,9;
102,2; 143,1. Der Satz lautet in den Psalmen שמע תפלתי
(kleine Änderung in Ps 65,3).

Eine andere Konstruktion ist in 1 Kön 8,29.30 und
Neh 1,6 vertreten. Das Verb erhält eine Präposition, ohne
grundsätzlich die Bedeutung zu ändern: שמע אל.

Ein ähnlicher Fall liegt in der Verbindung רנה - שמע
vor. In den Psalmen steht שמעה...רנתי (61,2) und בשמעו את
רנתם (106,44). In 1 Kön 8,28 dagegen findet sich לשמע אל
הרנה Es sollte versucht werden, eine Erklärung für diese
verschiedenen Konstruktionen zu finden. Allgemein wird
angenommen, daß die Dichtung, so z.B. die Psalmen, kürzere
Formen wählt, die Prosa dagegen volle Konstruktionen gebraucht. Aber welche ist die vollständige Konstruktion
von שמע תפלתי? Die Erweiterung von שמע הרנה (Ps 61,2) ist
שמע את הרנה (Ps 106,44).

Ist שמע אל einfach eine vollständige Konstruktion,
die in der Poesie kürzer wird? Ist sie eine stilistisch
bedingte Änderung? Ist vielleicht hier eine zeitliche Entwicklung zu sehen? Eine endgültige Antwort ist in dieser
Frage kaum möglich. Ein Versuch sei dennoch erlaubt:

Nach den Untersuchungen von H.SCHMIDT und BEYERLIN[2]
wurde in den Psalmen, wo der Einzelne aus der Bedrängnis
gerettet wird, der Sitz im Leben der meisten Psalmen, die
jetzt betrachtet werden, beschrieben. Nach diesem ursprünglichen Sitz im Leben bei diesen Psalmen war der Ruf שמע קולי
שמע תפלתי ... keine Bitte um Erhörung. Das Verb שמע (wie
schon gezeigt wurde) gehörte zur gerichtlichen Sprache
und Handlung. Der unschuldig Angeklagte sucht nach Gerechtigkeit im Tempel, er fordert eine gerichtliche Verhandlung. In diesen Sprechhandlungen verlangt das Verb einen
Akkusativ. Gerade diese Konstruktion verbleibt in den behandelten Belegen der Psalmen. Als die Psalmen ihren eigenen
Sitz im Leben verloren und spiritualisiert wurden, blieben
die syntaktischen Konstruktionen unverändert, aber die
Bedeutung erlitt eine Verschiebung: die Wendungen wurden
Ausdrücke für die Äußerung einer Erhörung.

In späteren Texten, die von Anfang an eine Erhörung

---

1) CULLEY, Oral Formulaic 36-37.

2) SCHMIDT, Jahwe und die Kulttraditionen, ZAW 67,168-197; BEYERLIN,
   FRLANT 99.

äußern sollten, wurde diese Sprechhandlung mit שמע אל konstruiert, wie es im Hebräischen üblich ist.

שמע לי - שמע אל

   Bei der Behandlung dieser Präpositionen wurden schon
einige Bemerkungen gemacht:
- Es wurde gezeigt, wie שמע אל im Buch der Könige und im
Buch der Chronik als שמע ל erschien. Das spricht für einen
häufigen Gebrauch von שמע ל in bestimmten späteren Texten.
- Das Ijobbuch benutzt regelmäßig die Konstruktion שמע ל
(8x שמע לי).
- Dasselbe geschieht auch im Buch der Proverbien, besonders in 1-8.
- Auch Lev 26 verdient Aufmerksamkeit (4x שמע לי); mehr
und mehr wird es für einen sehr späten Text gehalten. Dieselbe Konstruktion in Ps 81 wird in Verbindung mit Lev
26 gebracht.
- Ps 34,12 ist deutlich mit Spr 1-8 vergleichbar.
Ohne שמע ל-Belege in alten Texten ausschließen zu können,
hat es sich ergeben, daß diese Konstruktion in älteren
Texten sehr selten gebraucht wurde. Dagegen erscheint sie
in jüngeren Texten in bestimmten Abschnitten und Büchern
mit großer Häufigkeit. In diesen Texten ersetzt sie die
andere gleichbedeutende Konstruktion שמע אל. Diese Tendenz
scheint klar zu sein, auch wenn der Gebrauch von שמע אל
erhalten bleibt.

שמע לקול

שמע לקול in Erzählungen, die sehr alt sind, wird mit
gleicher Bedeutung wie שמע אל verwendet. Auch wenn es hier
Schwierigkeiten und Unsicherheiten geben mag, gewinnt man
dennoch den Eindruck, daß שמע לקול in theologischen Äußerungen, die wahrscheinlich sehr jung sind, eine Bedeutungsum-
wandlung erfahren hat. In diesen theologischen Texten ist

לקול שמע in Bedeutung und Gebrauch mit בקול שמע vergleichbar. Diese Bemerkungen gelten besonders für Ex 15,26 nach
den Ergebnissen von N.LOHFINK[1] und für Ps 81,12. Die Verbindung von לקול שמע mit לי שמע ist auch Bestätigung dafür,
daß לקול שמע in späteren Texten in theologischer Sprache
benutzt wurde. Während בקול שמע eine zurückgehende Neigung zeigt, erfährt לקול שמע in späten Texten eine begrenzte
Belebung. Die Texte von Qumran können eine Bestätigung
dafür sein[2].

Auf die Schwierigkeiten der diachronischen Untersuchung
wurde bereits einleitend hingewiesen. Wenn auch im einzelnen
noch Unsicherheiten bestehen mögen, so hat die vorliegende
Untersuchung doch deutliche Anzeichen dafür ergeben, daß
sich bei den שמע-Konstruktionen Änderungen und Entwicklungen
diachronischer Art zeigen, die kaum verständlich sind,
wenn man sie lediglich synchronisch als individuelle Stil-
mittel o.ä. erklären will.

Die hier noch bestehenden Unsicherheiten könnten natürlich aufgehoben werden durch analoge Untersuchungen anderer
Wendungen der hebräischen Sprache; diese könnten Verifika-
tionen oder vielleicht auch Falsifikationen dieser Ergebnisse bringen. Insofern will die vorliegende Arbeit einen
Baustein für das Gebäude einer synchronichen und diachronischen hebräischen Semantik liefern - nicht mehr und nicht
weniger.

---

1) LOHFINK, Ich bin Jahwe SBS 100.

2) CD 3,7; 20,2(; s. G.KUHN, Konkordanz zu den Qumrantexten 224.

LITERATURVERZEICHNIS

AARTUN,K., Die Partikeln des Ugaritischen, AOAT 21/2, 1978.
ALONSO SCHÖKEL,L., La palabra inspirada. La Biblia a la luz de la ciencia del lenguaje, Barcelona 1969.
ANDERSEN,F.I., The sentence in biblical hebrew, Den Haag-Paris-New York 1980².
ASENSIO,F., Trayectoria histórico-teológica de la "Bendición" bíblica de Yahwé en labios del hombre: Gr 48(1967)253-283.
BAUMGARTNER,W., Hebräisches und aramäisches Lexikon zum Alten Testament I-III, Leiden 1967-1974-1983.
BECKER,J., Wege der Psalmenexegese, SBS 78, Stuttgart 1975.
BEER,G.-GALLING,K., Exodus, HAT I,3, Tübingen 1939.
BENTZEN,A., Daniel, HAT 19,1952².
BERGSTRAESSER,G., Einführung in die semitischen Sprachen, Darmstadt 1977³.
BEYERLIN,W., Die Rettung des Bedrängten in den Feindpsalmen des Einzelnen auf institutionelle Zusammenhänge untersucht, FRLANT, Göttingen 1970.
-- Wider die Hybris des Geistes. Studien zum 131. Psalm, SBS 108, Stuttgart 1982.
BIBEL,Die. Altes und Neues Testament. Einheitsübersetzung, Freiburg-Basel-Wien, Herder 1980.
BIBEL nach der Übersetzung Martin Luthers, Deutsche Bibelgesellschaft, Stuttgart 1985.
BIBLIA HEBRAICA, ed. R.Kittel, Stuttgart 1971¹⁶.
BIBLIA HEBRAICA STUTTGARTENSIA, ed. K.Elliger-W.Rudolph, Stuttgart 1967-1977.
BOLING,R.G., Judges, The Anchor Bible, New York 1975.
BOMAN,T., Das hebräische Denken im Vergleich mit dem griechischen, Göttingen 1983⁷.
BONNARD,P.E., Le Seconde Isaie, son disciples et leurs éditeurs. Isaie 40-66, Paris 1972.
BOTTERWECK,G.J., ידע jāda°, TWAT III,479-512.
BRANSON,R.D., יסר jāsar, TWAT III, 688-697.
BRAULIK,G., Psalm 40 und der Gottesknecht, FB 18, Würzburg 1975.
-- Deuteronomium 1-16,17, Die neue Echter Bibel, Würzburg 1986.
BROCKELMANN,C., Grundriß der vergleichenden Grammatik der semitischen Sprachen I-II, 3. Nachdruckauflage der Ausgabe Berlin 1908, Hildesheim-Zürich-New York 1982.
-- Hebräische Syntax, Neukirchen 1956.
CAZELLES,H., šm° qôl et šm° b qôl: GLECS 10(1963-66)148-150.
COX,C., 'Eisakouō' and 'epakouō' in the Greek Psalter: Bib 62(1981) 251-258.
CRÜSEMANN,F., Studien zur Formgeschichte von Hymnus und Danklied in Israel, WMANT 32, Neukirchen 1969.
-- Der Widerstand gegen das Königtum. Die antiköniglichen Texte des Alten Testaments und der Kampf um den frühen israelitischen Staat, WMANT 49, Neukirchen 1975.
CULLEY,R.C., Oral Formulaic Language in the Biblical Psalms, Toronto 1967.
CUNCHILLOS,J.L., qôl YAHWH en el Antiguo Testamento: XXX Semana Bíblica Española, ed. Consejo Superior de Investigaciones Científicas,

Madrid 1972, 319-369.
-- Genèse, 17,20 et KTU 2. 10: 5-7. A propos de sm[c] l: RB 3(1985)
375-382.
DAHOOD,M., Hebrew-Ugaritic Lexicography IX, Bib 52(1971)337-356.
-- Hebrew-Ugaritic Lexicography XI, Bib 54(1973)351-366.
DEISSLER,A., Die Psalmen I-II, Düsseldorf 1964.
-- Psalm 119 und seine Theologie. Ein Beitrag zur Erforschung der
anthropologischen Stilgattung im Alten Testament, München 1955.
DELITZSCH,F., Commentar über den Psalter, Leipzig 1859.
DOHMEN,C., מזמ(ה) על. Zur Bedeutung von hebr. על: BibNot 16(1981)7-10.
DONNER,H., Die Verwerfung des Königs Saul: Sitzungsberichte der Wissen-
schaftlichen Gesellschaft an der J.W.Goethe Univ. Frankfurt,
Bd 19,5.
-- Die literarische Gestalt der alttest. Josephsgeschichte: SHAW
1976,2.
DONNER,H.-RÖLLIG,W., Kanaanäische und Aramäische Inschriften I-III,
1962-1964.
DUDEN in 10 Bänden,Der. Das Standardwerk zur deutschen Sprache, hg.
Wissensch.Rat der Dudenredaktion, Mannheim 1970[6].
DUPONT-SOMMER,A., Die essenichen Schriften vom Toten Meer, Tübingen
1960.
EICHRODT,W., Der Herr der Geschichte. Jes 13-23 und 28-39, Die Botschaft
des Alten Testaments 17,II, Stuttgart 1967.
EISSFELDT,O., Einleitung in das Alte Testament, Tübingen 1964[3].
-- Hexateuch-Synopse, Nachdruck der 1. Auflage, Leipzig 1922, Darm-
stadt 1983.
ELLIGER,K., Sinn und Ursprung der priesterlichen Geschichtserzählung:
ZThK 49(1952)121-143.
-- Deuterojesaja 40,1-45,7, BK XI/1, Neukirchen 1978.
EWALD,H., Ausführliches Lehrbuch der hebräischen Sprache des Alten
Bundes, Göttingen 1870[8].
FENZ,A.K., Jahwe Stimme hören. Eine biblische Begriffsuntersuchung,
Wiener Beiträge zur Theologie VI, Wien 1964.
FOHRER,G., Überlieferung und Geschichte des Exodus. Eine Analyse von
Ex 1-15, BZAW 91, Berlin 1964.
FRITZ,V., Israel in der Wüste. Traditionsgeschichtliche Untersuchung
der Wüstenüberlieferung des Jahwisten, Marburg 1970.
FUHS,H.F., Ezechiel 1-24, Neue Echter Bibel, Würzburg 1984.
FUSS,W., Die deuteronomistische Pentateuchredaktion in Exodus 3-17,
BZAW 126, Berlin 1972.
GALLING ,K., Textbuch zur Geschichte Israels, Tübingen 1979.
GEMSER,B., Sprüche Salomos, HAT 16, Tübingen 1963[2].
GESENIUS,W.-BUHL,F., Hebräisches und Aramäisches Handwörterbuch über
das Alte Testament, Berlin 1962[17] (= 1915).
GESENIUS,W.-KAUTZSCH,E., Hebräische Grammatik, Hildesheim 1977[3]
(= 1909[28]).
GRIMM,J.G.-GRIMM,W., Deutsches Wörterbuch, Band 4,1,5, Leipzig 1877.
GROSS,H., Ijob, Die neue Echter Bibel, Würzburg 1986.
GUNNEWEG,A.H.J., Leviten und Priester. Hauptlinien der Traditionsbildung
und Geschichte des israelitisch-jüdischen Kultpersonals, FRLANT
89, Göttingen 1965.

HARMAN,A.M., A Survey of Some of the Prepositions in Biblical Hebrew, with Special Reference to Recent Study of North-West Semitic, Diss. (M.Litt.), Edimburgh 1974.

HEILIGE SCHRIFT des Alten und Neuen Testaments, Die,. Zürcher Bibel, Stuttgart 1975.

HENTSCHEL,G., Die Elijaerzählungen, Erfurter Theologische Studien 33, Leipzig 1977.

HERTZBERG,H.W., Die Bücher Josua, Richter, Ruth, ATD 9, Göttingen 1973[5].

-- Die Samuelbücher, ATD 10, Göttingen 1973[5].

-- Der Prediger, KAT XVII 4, Gütersloh 1963.

HÖLSCHER,G., Das Buch Hiob, HAT 17, Tübingen 1952[2].

ITTMANN,N., Die Konfessionen Jeremias. Ihre Bedeutung für die Verkündigung des Propheten, WMANT 54, Neukirchen 1981.

JENNI,E., Das hebräische Pi[c]el. Syntaktisch-semasiologische Untersuchung einer Verbalform im Alten Testament, Zürich 1968.

JEPSEN,A.. חזה hazah, TWAT II,822-834.

JEREMIAS,J., Kultprophetie und Gerichtsverkündigung in der späten Königszeit Israels, WMANT 35, Neukirchen 1970.

-- Der Prophet Hosea, ATD 24/1, Göttingen 1983.

-- Theophanie. Die Geschichte einer alttestamentlichen Gattung, WMANT 10, Neukirchen 1977[2].

JOÜON,P., Grammaire de l'Hébreu Biblique, Rom 1965 (= 1923).

KAISER,O., Der Prophet Jesaja. Kap. 1-12 und Kap.13-39, ATD 17.18, Göttingen 1960.1963.

KASHER,M.M., Sidrā Yitro. Ex 18-20, Encyclopedia of Biblical Interpretation 9, New York 1979, 269ff.

KEDAR-KOPFSTEIN,B., דם dam, TWAT II,248-266.

KILIAN,R., Isaaks Opferung, SBS 44, Stuttgart 1960.

KNIERIM,R., מרה mrh widerspenstig sein, THAT I, 928-930.

KRAUS,H.J., Hören und Sehen in der alttestamentlichen Tradition: StGen 19(1966)115-123.

-- Psalmen, BK XV 1.2, Neukirchen 1978[5].

-- Klagelieder (Threni), BK XX, Neukirchen 1968[3].

KUHN,K.G., Konkordanz zu den Qumrantexten, Göttingen 1960.

LANDE,I., Formelhafte Wendungen der Umgangssprache im Alten Testament, Leiden 1949.

LANG,B., Die weisheitliche Lehrrede, SBS 54, Stuttgart 1972.

-- Ezechiel, Erträge der Forschung 153, Darmstadt 1981.

LIEDKE,G., שפט spt richten, THAT II,1001-1009.

LISOWSKY,G.,Konkordanz zum hebräischen Alten Testament, Stuttgart 1958[2].

LOEWENSTAMM,S.E., The address 'listen' in the ugaritic epic and the Bible, FS Gordon,C., Bible World, 1980,123-131.

LOHFINK,N., Das Hauptgebot. Eine Untersuchung literarischer Einleitungsfragen zu Dtn 5-11, AnBib 20, Rom 1963.

-- "Ich bin Jahwe, dein Arzt" (Ex 15,26), in Ich will euer Gott werden, SBS 100, Stuttgart 1981, 11-74.

-- Die Landverheißung als Eid. Eine Studie zu Genesis 15, SBS 28, 1967.

-- Kohelet, Die Neue Echter Bibel, Würzburg 1980.

LOHSE,E., Die Texte aus Qumran, Darmstadt 1971.

MANDELKERN,S., Veteris Testamenti Concordantiae Hebräicae atque Chaldaicae I-II, Graz 1975 (Nachdruck der Ausgabe 1937).

MATSUDA,I., The Structure of Mental Activities in Biblical Hebrew
    ('ahab, sane, hapes, hanam, riham, hamal): Annual of the Japanese
    Biblical Institute 2(1976)79-99.
MELUGIN,R.F., The Formation of Isaiah 40-55, BZAW, Berlin 1976.
MEYER,R., Hebräische Grammatik, I-IV, Berlin 1966-1972[3].
--   Bemerkungen zur syntaktischen Funktion der sogenannten Nota Accusa-
      tivi. Wort und Geschichte, FS Elliger,K. Zum 70. Geburtstag, Hg.
      Gese,H.-Rüger,H.P., AOAT 18, Neukirchen 1973.
--   Gegensinn und Mehrdeutigkeit in der althebräischen Wort- und
      Begriffsbildung, UF 11(1979-80=601-612.
--   Hebräische Grammatik, Berlin 1966-72[3]
MICHEL,D., Tempora und Satzstellung in den Psalmen, Abhandlungen zur
    Ev. Theologie 1, Bonn 1960
--   Grundlegung einer hebräischen Syntax. Teil 1: Sprachwissenschaftli-
      che Methodik, Genus und Numerus des Nomens, Neukirchen 1977.
--   Begriffsuntersuchung über sädäq-s[e]daqa und '[a]mät-'[a]muna, Heidelberg
      1964.
--   'Ämät. Untersuchung über "Wahrheit" im Hebräischen, Archiv für
      Begriffsgeschichte XII,1(1968)30-57.
--   Überlieferung und Deutung in der Erzählung von Isaaks Opferung
      (Gen22), in Osten Sacken,P.v.d., Treue zur Thora, Beiträge
      zur Mitte des christlich-jüdischen Gesprächs, Berlin 1977.
--   Nur ich bin Jahwe. Erwägungen zur sogenannten Selbstvorstel-
      lungsformel, ThViat XI, Berlin 1973,145-156.
--   Qohelet-Probleme. Überlegungen zu Qoh 8,2-9 und 7,11-14,
      ThViat XV, Berlin 1980, 81-103.
--   Orientierungsversuche des Menschen in frühgeschichtlicher
      Zeit, Geisteswissenschaft und Naturwissenschaft(Walter de Gruyter
      & Co.), Berlin 1970,15-35.
--   Deuterojesaja, TRE VIII, 510-528.
MORSTAD,E., Wenn du der Stimme des Herrn, deines Gottes, gehorchen
    wirst, Forlaget Land og Kirke, Oslo 1960, 5-25.
MOSIS,R., Untersuchungen zur Theologie des chronistischen Geschichts-
    werkes, Freiburger Theologische Studien, Freiburg 1973.
NOTH,M., Überlieferungsgeschichte des Pentateuch, Darmstadt 1960[2].
--   Überlieferungsgeschichtliche Studien. Die samelnden und
      bearbeitenden Geschichtswerke im Alten Testament, Darmstadt 1967[3].
--   Das System der zwölf Stämme Israels, Darmstadt 1978 (= Stuttgart
      1930).
--   Das zweite Buch Mose. Exodus, ATD 5, Göttingen 1968[4].
--   Das 3. Buch Mose. Leviticus, ATD 6, Göttingen 1978[4].
--   Das 4. Buch Mose. Numeri, ATD 7, Göttingen 1977[3].
--   Das Buch Josua, HAT 7, Tübingen 1971[3].
--   Könige 1. I.Könige 1-16, BK IX,1, Neukirchen 1968.
--   Die israelitischen Personennamen im Rahmen der gemeinsemi-
      tischen Namengebung, Stuttgart 1928.
NYBERG,H.S., Studien zum Hoseabuche. Zugleich ein Beitrag zur
    Klärung des Problems der alttestamentlichen Textkritik, Uppsala
    Universitets Arsskrift 1935,6, Uppsala 1935.
OLMO LETE,G.del, La preposición 'ahar/'aharé (cum) en ugarítico
    y hebreo, Claretianum 10(1970)339-360.
PETERS,C., Hebräisches qôl als Interjektion, Bib 20(1939)288-293.

PERLITT,L., Bundestheologie im Alten Testament, WMANT 36, Neukirchen
    1969.
PLÖGER, Das Buch Daniel, KAT XVIII, Gütersloh 1965.
PORTEOUS,N.W., Das Buch Daniel, ATD 23, Göttingen 1978[3].
PREUSS,H.D., Deuteronomium, Erträge der Forschung 164, Darmstadt 1982.
RAD,G.von, Das erste Buch Mose. Genesis, ATD 2-4, Göttingen 1967[8].
--   Das fünfte Buch Mose. Deuteronomium, ATD 8, Göttingen 1968[2].
--   Der Heilige Krieg im alten Israel, Zürich 1951.
--   Theologie des Alten Testaments I-II, München 1962.1965.
--   Weisheit in Israel, Neukirchen 1970.
--   Das formgeschichtliche Problem des Hexateuch, Gesammelte
      Studien zum Alten Testament, München 1965[3],9-86.
RADDAY,Y.T.-LEB,G.-WICKMANN,D.-TALMON.S., The Book of Judges
      Examined by Statistical Linguistics, Bib 58(1977)469-499.
RAHLFS,A.N.(ed.), Septuaginta I-II, Stuttgart 1965[8].
RENDTORFF,R., Das überlieferungsgeschichtliche Problem des Penta-
      teuch, BZAW 147, Berlin-New York 1976.
REWENTLOW,H.Graf., Opfre deinen Sohn. Eine Auslegung von Genesis
      22, BS 53, Neukirchen 1968.
RICHTER,W., Exegese als Literaturwissenschaft. Entwurf einer alt-
      testamentlichen Literaturtheorie und Methodologie, Göttingen 1971.
--   Die Bearbeitung des "Retterbuches" in der deuterono-
      mischen Epoche, BBB 21, Bonn 1964.
--   Traditionsgeschichtliche Untersuchungen zum Richterbuch,
      BBB 18, Bonn 1963.
RIESENER,I., Der Stamm עבד im Alten Testament, Berlin 1979.
RINGGREN,H., Das Hohe Lied, ATD 16,2, Göttingen 1981[3].
RUDOLPH,W., Jeremia, HAT I,12, Tübingen 1968[3].
--   Hosea, KAT XIII,1, Gütersloh 1966.
--   Haggai-Sacharja 1-8-Maleachi, KAT XIII,4, Gütersloh 1976.
RUIZ,G., Lamed y bet enfáticos y lamed vocativo en Deuteroisaías,
      in Hom. a J.Prado, ed. Alvárez Verdes, Inst. B.Arias Montano,
      Madrid 1975, 147-161.
--   Importancia de la "bivalencia" de las preposiciones para las
      traducciones de la Biblia, CuBib 31(1974)220-227.
SARNA,N., The Interchange of the Prepositions Beth and Min in
      Biblical Hebrew, JBL 78(1959)310-316.
SAEBO,M., יסר jsr züchtigen, THAT I,738-742.
SAYDON,P.P., Meanings and Uses of the Particle את, VT 14(1964)192-210.
SCHIFFMANN,L.H., The interchange of the prepositions bet and mem
      in the texts from Qumran, Textus 10(1982)37-43.
SCHMIDT,H., Das Gebet des Angeklagten im Alten Testament, BZAW
      49, Gießen 1928.
--   Die Psalmen, HAT 15, 1934.
SCHMIDT,W.H., Exodus, BK II, 1.-4. Lfg.(1-4,31), Neukirchen 1974ff.
--   Alttestamentlicher Glaube in seiner Geschichte, Neukir-
      chen 1982[4].
--   Die deuteronomistische Redaktion des Amosbuches. Zu den
      theologischen Unterschieden zwischen dem Propheten und seinem
      Sammler, ZAW 77(1965)168-193.
--   דבר dabar, TWAT II,102-131.
SCHMITT,G., Zu Gen 26,1-14, ZAW 85(1973)143-156.
SCHREINER,J., Hören auf Gott und sein Wort in der Sicht des Deuterono-
      miums, Erfurter theologische Studien, Misc.Erf. 12(1962)27-47.

SCHULT,H., Akkusativ mit Partizip bei Verben der Wahrnehmung im
  Bibelhebräischen, DielhBl AT 12(1977)7-13.
--   שמע 'hören', THAT II, 974-982.
SEEBASS,H., David, Saul und das Wesen des biblischen Glaubens,
  Neukirchen 1980.
SELLIN,E.-FOHRER,G.,Einleitung in das Alte Testament, Heidelberg
  1968[11].
SEYBOLD,K., Das Gebet des Kranken im Alten Testament. Untersuchungen
  zur Bestimmung und Zuordnung der Krankheits- und Heilungs-
  psalmen, BWANT 5.Folge 19, Stuttgart 1973.
--   Psalm 58. Ein Lösungsversuch, VT 30(1980)5366.
SHAVIV,J., The Difference Between שמע בקול und שמע לקול,
  BetM 23(1978)465-477.
SMELIK,K.A.D., The Witch of Endor; I Samuel 28 in rabbinic and chris-
  tian exegesis till 800 A.D., Vigiliae Christianae 33(1979)160-179.
SMEND,R., Die Entstehung des Alten Testaments, Stuttgart 1984[3].
STÄHLI,H.P., פלל pll hitp. beten, THAT II,427-432.
STECK,O.H., Israel und das gewaltsame Geschick der Propheten.
  Untersuchungen zur Überlieferung des deuteronomistischen Ge-
  schichtsbildes im Alten Testament, Spätjudentum und Urchristentum,
  WMANT 23, Neukirchen 1967.
STOEBE,H.J., Das erste Buch Samuelis, KAT VIII,1, Gütersloh 1973.
THIEL,W., Die deuteronomistische Redaktion von Jeremia 1-25, WMANT
  41, Neukirchen 1973.
--   Die deuteronomistische Redaktion von Jeremia 26-45. Mit einer
  Gesamtbeurteilung der deuteronomistischen Redaktion des Buches
  Jeremia, WMANT 52, Neukirchen 1981.
תורה נביאים כתובים, Verlag Koren, Jerusalem 1979.
VETTER,D., ראה r'h sehen, THAT II, 692-701.
WEIMAR,P., Die Berufung des Mose, OBO 32, Freiburg/Schw. 1980.
WEINRICH,H., Tempus. Besprochene und erzählte Welt, Stuttgart 1971[2].
WEISER,A., Das Buch des Propheten Jeremia, ATD 20, Göttingen 1976[7].
--   Das Buch Hiob, ATD 13, Göttingen 1980[8].
--   Die Psalmen, ATD 14-15, Göttingen 1973[8].
WESTERMANN,C., Genesis, BK I, 1-3, Neukirchen 1973[2].1977. 1981.
--   Das Loben Gottes in den Psalmen, Göttingen 1968[4].
WILBERGER,H., Jesaja, BK X, Neukirchen 1978-1982.
WOLFF,H.W., Anthropologie des Alten Testaments, München 1973.
--   Dodekapropheton 1. Hosea, BK XIV,1, Neukirchen 1976[3].
--   Dodekapropheton 2. Joel und Amos, BK XIV,2, Neukirchen 1975[2].
--   Dodekapropheton 4. Micha, BK XIV,4, Neukirchen 1890.
--   Dodekapropheton 6. Haggai, BK XIV,6, Neukirchen 1986.
WÜRTHWEIN,E.-GALLING,K.-PLÖGER,O., Die Fünf Megilloth, HAT I,18,
  Tübingen 1962[2].
ZIMMERLI,W., Ezechiel, BK XIII,1-2, Neukirchen 1979[2].
--   Grundriß der alttestamentlichen Theologie, Theol.Wiss. 3,
  Stuttgart 1972.
ZORELL,F., Lexicon Hebraicum et Aramaicum VT, Rom 1971.

Bibelstellenregister[1]

---

1) Außer S.321-322.